O Ócio Criativo

Entrevista a **Maria Serena Palieri**

DOMENICO DE MASI
O Ócio Criativo

SEXTANTE

© Domenico De Masi, 2000

tradução
Léa Manzi

preparo de originais
Regina da Veiga Pereira

capa
Victor Burton

desenho da página 326
Axel Sande

revisão
Gypsi Canetti, Lúcia Ribeiro de Souza, Luiz Cavalcanti Guerra
e Sérgio Bellinello Soares

impressão e acabamento
Lis Gráfica e Editora Ltda.

CIP-BRASIL. CATALOGAÇÃO-NA-FONTE.
SINDICATO NACIONAL DOS EDITORES DE LIVROS, RJ.

D32o De Masi, Domenico, 1938–
      O ócio criativo / Domenico De Masi; entrevista a Maria Serena
      Palieri; tradução de Léa Manzi. – Rio de Janeiro: Sextante, 2000

      Tradução de: Ozio creativo
      ISBN 85-86796-45-X

      1. Criatividade nos negócios. 2. Lazer. 3. Período de repouso.
      I. Palieri, Maria Serena. II. Título.

00-0291.   CDD 306.4
                                                  CDU 316.728

Todos os direitos reservados, no Brasil, por
GMT Editores Ltda.
Rua Voluntários da Pátria, 45 – Gr. 1.404 – Botafogo
22270-000 – Rio de Janeiro – RJ
Tel.: (21) 2538-4100 – Fax: (21) 2286-9244
E-mail: atendimento@sextante.com.br
www.sextante.com.br

Sumário

Apresentação — 9

Introdução de Maria Serena Palieri — 11

PRIMEIRO CAPÍTULO
Como os Lírios do Campo — 17

SEGUNDO CAPÍTULO
O Imbecil Especializado — 47

TERCEIRO CAPÍTULO
A Razão do Lucro — 61

QUARTO CAPÍTULO
Nem Rir nem Chorar mas Entender — 75

QUINTO CAPÍTULO
"Jobless Growth" e "Turbocapitalismo" — 87

SEXTO CAPÍTULO
Bem-Vinda Subjetividade — 117

SÉTIMO CAPÍTULO
Uma Sociedade Previdente e Programada — 127

OITAVO CAPÍTULO
Um Futuro Globalizado e Andrógino   *145*

NONO CAPÍTULO
O Servilismo Zeloso   *175*

DÉCIMO CAPÍTULO
O Prazer da Ubiquidade   *195*

DÉCIMO PRIMEIRO CAPÍTULO
Do "Eu Faço" ao "Eu Sei"   *227*

DÉCIMO SEGUNDO CAPÍTULO
O Grande Trompe-l'Oeil   *261*

DÉCIMO TERCEIRO CAPÍTULO
Palavras-Chave para o Futuro   *281*

DÉCIMO QUARTO CAPÍTULO
O Trabalho Não É Tudo   *305*

A guerra deve ser em função da paz,
a atividade em função do ócio,
as coisas necessárias e úteis em função das belas.

Aristóteles

Não é do trabalho que nasce a civilização:
ela nasce do tempo livre e do jogo

Alexandre Koyré

Descansar? Descansar de quê?
Eu, quando quero descansar,
viajo e toco piano.

Arthur Rubistein

Apresentação

Quase nunca, na Itália, as entrevistas televisivas ou jornalísticas propiciam momentos de calma que permitam exprimir, tranquilamente, as próprias ideias. Apressadas e superficiais, elas obedecem mais às regras de um pugilato vulgar do que às de um jogo intelectual. Por isso, há alguns anos, aceitei prazerosamente o convite da editora Ediesse para publicar este livro-entrevista, que me permitiu explicar de forma completa e orgânica o meu pensamento sobre o trabalho, o tempo livre e a evolução da nossa sociedade. Maria Serena Palieri, encarregada pelo editor de me entrevistar, revelou-se uma interlocutora ideal.

Nossa conversa deu origem a *O Ócio Criativo*, um livro publicado em 1995, com uma segunda edição em 1997 que se esgotou, desaparecendo das livrarias.

Agora, a convite da editora Sextante do Brasil e da Rizzoli da Itália, retomamos o nosso diálogo, desbastando-o das partes ligadas ao contexto em que se deu inicialmente e estendendo-o a uma série de temas amadurecidos ao longo deste período.

O resultado é um texto novo em muitos trechos, tendo como pano de fundo uma insatisfação diante do modelo centrado na idolatria do trabalho e da competitividade. A este, contraponho com otimismo um modelo atento não só a uma produção eficiente, mas também a uma distribuição equânime da riqueza, do trabalho, do saber e do poder.

Domenico De Masi
Roma, 21 de março de 2000

Introdução

DE MARIA SERENA PALIERI

> *Esta é uma guia bem estranha, moça.*
> *Através dela não verás tão somente a*
> *casca amarela e luminosa da laranja.*
>
> Jorge Amado

Antigamente as famílias aristocráticas escolhiam um lema para os seus brasões. Hoje todos nós, cada um por conta própria, podemos escolher o nosso, mas em vez de esculpi-lo em pedra podemos deixá-lo flutuando permanentemente na tela do computador. "O homem que trabalha perde tempo precioso" é exatamente o lema que flutua, em espanhol, no computador do Professor Domenico De Masi. Isto significa que para ele trabalhar o menos possível é uma filosofia de vida? Ou a frase traduz a aspiração a uma virtude que lhe falta? Digamos – com a força paradoxal do humor – que o lema sintetiza a teoria de De Masi: o futuro pertence a quem souber libertar-se da ideia tradicional do trabalho como obrigação ou dever e for capaz de apostar numa mistura de atividades, onde o trabalho se confundirá com o tempo livre, com o estudo e com o jogo, enfim, com o "ócio criativo".

É justamente disso que vamos falar ao longo das páginas deste livro. Como premissa, gostaríamos de tentar uma abordagem indiscreta: entrar na vida do estudioso para verificar se existe uma coerência entre a teoria e a prática. Isto é, se o sociólogo pode dizer: "Faça o que eu digo e faça o que eu faço."

De Masi nasceu em Rotello, na província de Campobasso, no sul da Itália, no dia 1º de fevereiro de 1938. Perdeu o pai muito cedo. Viveu em três cidades diferentes: Nápoles, Milão e Roma. Viajou muito. Para usar uma expressão adequada ao mundo cadenciado da escola, pode-se dizer que ele sempre foi "adiantado em um ano". Tanto no sentido metafórico, porque nutre um interesse obstinado pelo futuro, como no sentido literal, porque pulou alguns anos do curso primário e continuou a queimar quase todas as etapas clássicas.

Aos dezenove anos já publicava, na revista *Nord e Sud*, ensaios de Sociologia Urbana e do Trabalho. Com vinte e dois ensinava na Universidade de Nápoles. E depois, por mais de trinta anos, desenvolveu uma atividade frenética. Com sua primeira mulher teve duas filhas, que criou durante alguns anos como "pai solteiro". É apaixonado pela estética, por decoração e até pelos vários tipos de rendas e – acreditem – cuida da casa quase tanto quanto sua atual mulher.

Quando há cinco anos começamos a nos encontrar para escrever este livro, a sua agenda anual acumulava uma multiplicidade de tarefas: professor de Sociologia do Trabalho na Universidade La Sapienza de Roma, diretor da S3-Studium, a escola de especialização em ciências organizacionais que fundou, editor de uma coleção publicada pela Franco Angeli e de uma outra para a Edizioni Olivares, consultor de formação em Administração, assessor cultural da Prefeitura de Ravello (a cidadezinha da costa amalfitana onde passa os meses de verão), além de autor de inúmeros artigos para revistas e jornais e, periodicamente, escritor de alguns livros.

Durante a semana, dava regularmente suas aulas na universidade e muitas vezes viajava para outras cidades.

Introdução

Já na escala cotidiana, chegava a ter cinco ou seis compromissos por dia. E como a tudo isso se somavam o estudo e a diversão, o seu dia acabava quase sempre durando vinte horas. Isto porque De Masi pertence àquele tipo de pessoa que dorme três a quatro horas por noite.

Quer dizer então que o lema que flutua no computador é uma zombaria? "Não é mais", jura o professor. E abre a sua agenda para o ano 2000. Daqueles dez mil prazos e compromissos a cumprir, quantos sobraram hoje? A carga horária fixa das aulas na universidade e, ao longo da semana, uma reunião com os estudantes que estão para se formar, uma outra na S3, uma para a redação da nova revista *Next*, que ele dirige, um almoço na Aspen, um convênio sobre *mobbing*, uma entrevista a ser dada a algum jornal ou estação de rádio, alguns jantares com os amigos e o fim de semana dedicado ao cinema ou para uma fugida até Ravello, onde agora, fortalecido pelo título de cidadão honorário adquirido nesse meio-tempo, em vez de organizar concertos, como fazia há cinco anos, limita-se a escutá-los.

Vamos observar o professor: ele simplesmente passou do frenético ao humano. Sobretudo porque, como sociólogo que estuda a organização social do trabalho, ele "otimizou" as suas condições logísticas. O edifício no qual mora e trabalha no Corso Vittorio Emanuele se tornou seu quartel-general. No quinto andar encontra-se sua casa: é alugada, mas tem uma vista sobre os telhados mais lindos de Roma, e o fato de ficar muito perto de algumas igrejas que possuem quadros de Caravaggio, Rafael e Michelangelo, além da proximidade com palácios onde se encontram obras de Vasari e dos Carracci, faz ele se sentir "um colecionador milionário", como diz.

Num apartamento dois andares abaixo, a escola S3 estabeleceu a sua sede. E isto – ele explica – acabou com a perda de tempo e dinheiro necessários aos deslocamentos entre a casa e o escritório. E também o aliviou daquela obsessão comum a todos os que trabalham fora de casa: sair de manhã tendo que prever todas as tarefas do dia e carregando consigo tudo aquilo de que irá precisar. Se ao meio-dia deseja encontrar-se com seus colaboradores, desce e se reúne com eles, indo almoçar juntos algumas vezes. Se às quatro da tarde ele se lembra de alguma outra providência, toma de novo o elevador e volta para o escritório.

Uma outra novidade: decidiu passar a "exportar" as suas ideias, no lugar do seu corpo físico: em vez de continuar a girar pela Itália como um pião, recorre sempre com maior frequência a teleconferências, escreve artigos ou livros em seu apartamento ou em Ravello.

Além do correio eletrônico e das cartas, continua a receber – levando em conta os telefones de casa, o celular, o da faculdade e o da escola de especialização – uns oitenta telefonemas por dia. Mas disso cuidam as várias implacáveis secretárias eletrônicas das quais, afirma, não é escravo: se dá vontade, apaga os recados sem nem ouvir, porque "em geral tratam de assuntos que só valem para aquele dia".

De Masi conquistou condições de trabalho privilegiadas? Se deixarmos predominar o mesquinho sentimento da inveja, diremos que sim. Mas, para dizer a verdade, ele prova *in corpore vili* o que como sociólogo propõe como receita social: uma forma de teletrabalho feito em casa ou em qualquer lugar, descentralizado do escritório.

Porém, o que mais lhe interessa é uma inovação existencial e não simplesmente logística. É a mistura entre as suas atividades: quanto de trabalho, quanto de estudo e quanto de jogo existem em cada uma delas. A sua nova sabedoria, diz, exige que em toda ação estejam presentes trabalho, jogo e aprendizado. Quando dá uma aula ou uma entrevista, quando assiste a um filme

Introdução

ou discute animadamente com os amigos, deve sempre existir a criação de um valor e, junto com isso, divertimento e formação. É justamente isso que ele chama de "ócio criativo".

Continua a ir dormir às três e meia ou quatro da manhã, depois de ter lido, escrito e limpado o correio eletrônico, e continua a acordar às sete e quinze, quando começa *Prima Pagina*, uma transmissão radiofônica que segue assiduamente para evitar a leitura dos jornais. Mas adicionou algum repouso diurno, em doses homeopáticas: meia hora depois do almoço e quinze minutos antes do jantar.

De Masi admite que adoeceu de hiperatividade: "Não conseguia dizer não a nenhum compromisso, provavelmente devido a alguma insegurança ligada à pobreza que a minha família atravessou depois da morte precoce do meu pai."

Admite que, subjetivamente, sua reflexão sobre o "ócio criativo" brotou como uma reação a toda aquela overdose. Assim como – num sentido objetivo – ela nasceu da constatação direta dos infinitos absurdos organizacionais que angustiam o trabalho nas empresas.

De Masi não prega a indolência (sobre o seu ambivalente prazer escreveu Roland Barthes com tanta sabedoria). E ainda hoje, se lhe perguntamos se nunca vadiou, jogando tempo fora, o seu "não" é acompanhado de um pulo da cadeira.

E é por isso que aqueles que se deleitam com os langores do sono, dos sonhos e da preguiça devem agradecer-lhe por ter estudado, dedicando uma vida – ou melhor, tantas noites –, os paradoxos e os desperdícios do uso do tempo na nossa sociedade. E usando a si mesmo como cobaia. Quantos são os estudiosos que têm essa honestidade intelectual?

Para entender que tipo de intelectual é o Professor De Masi, basta uma tirada sua: "Ao escrever um livro, acabo sempre aprendendo alguma coisa."

PRIMEIRO CAPÍTULO

Como os Lírios do Campo

> *Aprendei dos lírios do campo,*
> *que não trabalham nem fiam.*
> *E, no entanto, eu vos asseguro*
> *que nem Salomão, em toda a sua glória,*
> *se vestiu como um deles.*
> Evangelho segundo São Mateus

Professor De Masi, há quem fale do senhor como "profeta do ócio". E há quem chegue a dizer que preconiza o advento de um mundo parecido com o "país do chocolate", do famoso filme com Gene Wilder. Rótulos irritantes, imagino. Que relação têm com o seu verdadeiro modo de pensar?

Eu me limito a sustentar, com base em dados estatísticos, que nós, que partimos de uma sociedade onde uma grande parte da vida das pessoas adultas era dedicada ao trabalho, estamos caminhando em direção a uma sociedade na qual grande parte do tempo será, e em parte já é, dedicada a outra coisa. Esta é uma observação empírica, como a que foi feita pelo sociólogo americano Daniel Bell quando, em 1956, nos Estados Unidos, ao constatar que o número de "colarinhos brancos" ultrapassava o de operários, advertiu: "Que poder operário que nada! A sociedade caminha em direção à predominância do setor de serviços." Aquela ultrapassagem foi registrada por Bell. Ele não a adivinhou ou profetizou. Da mesma maneira, eu me limito a registrar que estamos caminhando em direção a uma sociedade fundada não mais no trabalho, mas no tempo vago.

Além disso, sempre com base nas estatísticas, constato que, tanto no tempo em que se trabalha quanto no tempo vago, nós, seres humanos, fazemos hoje sempre menos coisas com as mãos e sempre mais coisas com o cérebro, ao contrário do que acontecia até agora, por milhões de anos.

Mas aqui se dá mais uma passagem: entre as atividades que realizamos com o cérebro, as mais apreciadas e mais valorizadas no mercado de trabalho são as atividades criativas. Porque mesmo as atividades intelectuais, como as manuais, quando são repetitivas, podem ser delegadas às máquinas.

A principal característica da atividade criativa é que ela praticamente não se distingue do jogo e do aprendizado, ficando cada vez mais difícil separar estas três dimensões que antes, em nossa vida, tinham sido separadas de uma maneira clara e artificial. Quando trabalho, estudo e jogo coincidem, estamos diante daquela síntese exaltante que eu chamo de "ócio criativo".

Assim sendo, acredito que o foco desta nossa conversa deva ser esta tríplice passagem da espécie humana: da atividade física para a intelectual, da atividade intelectual de tipo repetitivo à atividade intelectual criativo, do trabalho-labuta nitidamente separado do tempo livre e do estudo ao "ócio criativo", no qual estudo, trabalho e jogo acabam coincidindo cada vez mais.

Essas três trajetórias conotam a passagem de uma sociedade que foi chamada de "industrial" a uma sociedade nova. Podemos defini-la como quisermos. Eu, por comodidade, a chamo de "pós-industrial".

Quer uma imagem física dessa mudança? Nós, nestes milhões de anos, desenvolvemos um corpo grande e uma cabeça pequena. Nos próximos séculos, provavelmente reduziremos o corpo ao mínimo e expandiremos o cérebro. Um pouco como já acontece através do rádio, da televisão, do computador – a extraordinária série de próteses com as quais aumentamos o poder da nossa cabeça e ampliamos o seu raio de ação. O resultado disso tudo não é o *dolce far niente*. Com frequência, não fazer nada é menos doce do que um trabalho criativo. O ócio é um capítulo importante nisso tudo, mas para nós é um conceito que tem um sentido sobretudo negativo. Em síntese, o ócio pode ser muito bom, mas somente se nos colocamos de acordo com o sentido da palavra. Para os gregos, por exemplo, tinha uma conotação estritamente física: "trabalho" era tudo aquilo que fazia suar, com exceção do esporte. Quem trabalhava, isto é, suava, ou era um escravo ou era um cidadão de segunda classe. As atividades não físicas (a política, o estudo, a poesia, a filosofia) eram "ociosas", ou seja, expressões mentais, dignas somente dos cidadãos de primeira classe.

O senhor prefere então falar de tempo liberado em vez de ócio?

"Tempo liberado" é uma definição burocrática, sindical. Portanto, permanece no rastro do passado: da tradição industrial. A menos que nos reporte ao livro mais bonito que já foi escrito sobre o nascimento da sociedade industrial: *Prometeu Desacorrentado*, de David S. Landes. O livro se referia a um Prometeu feito de carne e osso, metáfora do *homo faber* aprisionado na rudez da sociedade rural e que depois se tornou desenfreado graças ao dinamismo industrial. Um Prometeu amarrado a um rochedo, torturado por uma águia que lhe roía o fígado e que, depois, graças às máquinas, é desamarrado e se torna livre para expressar-se em toda a sua plenitude.

O Ócio Criativo

Hoje, para este mesmo Prometeu é concedida uma segunda liberação: depois dos membros, pode finalmente liberar também o cérebro. A sociedade industrial permitiu que milhões de pessoas agissem somente com o corpo, mas não lhes deixou a liberdade para expressar-se com a mente. Na linha de montagem, os operários movimentavam mãos e pés, mas não usavam a cabeça. A sociedade pós-industrial oferece uma nova liberdade: depois do corpo, liberta a alma.

O cérebro do operário não estava empenhado em coordenar o movimento das mãos para que se harmonizasse com o da máquina?

Depois de algum tempo, o movimento se tornava completamente automático. Eu me lembro que, quando foi inaugurado um novo grande estabelecimento automobilístico, a Alfasud, fizemos uma pesquisa da qual resultou que, para cerca de dois mil operários, a etapa de trabalho durava setenta e cinco segundos. Calcule quantas vezes se repetia ao longo das oito horas cotidianas! Era um trabalho para macacos: bastava observá-lo por poucos minutos para aprender a realizá-lo.

Então, durante esse tempo, para onde ia a mente de quem trabalhava?

Salvavam-se do tédio aqueles que tinham alguma coisa na cabeça na qual pudessem pensar: a namorada, a briga com o vizinho. Porém, a distração podia provocar acidentes. Daí a batalha, durante anos, para obter das empresas mecanismos técnicos de proteção para os trabalhadores: se uma mão estivesse fora do lugar, por exemplo, a máquina parava, tornando-se inócua.

Como os Lírios do Campo

Na realidade, a sociedade industrial não só fez com que, para muitos, se tornasse inútil o cérebro como também fez com que somente algumas partes do corpo fossem utilizadas. Isto era diferente da sociedade rural na qual o camponês, para usar a enxada ou a pá, assim como o pescador para pescar, além de utilizar o corpo inteiro, usava talvez um pouco mais o cérebro.

Para constatar isso basta ler a famosíssima autobiografia de Henry Ford, o fundador da mítica empresa automobilística e o inventor da linha de montagem, nas páginas em que comenta uma lei que, em 1914, obrigava as empresas americanas a empregar inválidos. Diz Ford: "Se devêssemos assumir um surdo para um trabalho para o qual é necessário ouvir, um manco onde é necessário correr, eu desobedeceria ao Estado. O papel empresarial não é fazer caridade cristã. Porém, posso assumir tranquilamente um cego para um emprego no qual os olhos não são necessários."

E conta, a seguir, a pesquisa que fez nos seus estabelecimentos: "Resultou que na fábrica desenvolviam-se 7.882 tarefas diferentes", escreve. "Entre estas, 949 foram definidas como trabalho pesado, que requeriam homens robustos, com uma perfeita capacidade física, portanto, homens que, do ponto de vista físico, não tivessem praticamente defeito algum; 3.338 tarefas requeriam homens de força e estatura física normal. As 3.595 tarefas que sobravam não demandavam qualquer tipo de esforço físico. As atividades mais leves sofreram uma segunda classificação para descobrir quantas dentre elas requeriam o uso de todas as faculdades. Descobriram que 670 podiam ser delegadas a homens sem pernas, 2.637 a homens com uma perna só, duas a homens sem braços, 715 a homens com um só braço e dez atividades podiam ser realizadas por cegos."

A Ford, assim retratada, faz pensar nas vitrines daquele tipo de loja que vende artigos ortopédicos, tais como muletas, próteses anatômicas de plástico, etc.

Porém Ford conclui: "Isto significa que a indústria desenvolvida pode oferecer trabalho assalariado a um número mais elevado de homens-padrão do que aquele que em geral se encontra em qualquer comunidade normal."

Já que falamos do corpo como uma presença real, vamos voltar para o presente. Nós, no trabalho, usamos o cérebro cada vez mais. Porém, na Índia existem pessoas que, para sobreviver, vendem o sangue, os rins, as córneas. Não é uma contradição um pouco violenta?

Lamentavelmente, para se realizar transplantes, que representam uma conquista para a humanidade, as peças de troca devem ser retiradas de outros corpos vivos. Graças à cirurgia moderna, estamos, aos poucos, ficando parecidos com carros ou aviões: sempre novos graças às peças de reposição. Mas existe uma diferença: se a Fiat constrói mil carros, prevê antecipadamente também a produção de dois mil ou três mil pistões, de forma a poder substituir os que se quebram. Ou então, quando precisamos de um pistão, podemos tentar achá-lo no ferro-velho.

Para o nosso corpo, contudo, não dispomos de peças de reposição novas e prontas para o uso, pelo menos enquanto não dispusermos de clones. O nosso "ferro-velho" consiste na eventualidade de que alguém, vivo ou que acabou de morrer, nos doe seus órgãos ainda ativos. É uma pena que estejamos pouco habituados a doar os nossos órgãos, mesmo quando isto não nos prejudica. Além disso, faltam grandes bancos para armazená-los. O resultado é que, hoje, na Itália, as pessoas à espera de

Como os Lírios do Campo

um transplante são muito mais numerosas que os doadores, os órgãos para os transplantes são preciosos e as pessoas pobres podem chegar a um tal grau de desespero, que são obrigadas a vender partes do próprio corpo.

Contudo, quando uma pessoa era escrava, era vendida por inteiro, incluindo o cérebro. Na sociedade industrial, o fato de vender somente uma parte do próprio corpo poderia ser considerado como um progresso relativo.

Na nossa sociedade, definida pelo senhor como pós-industrial, o trabalho repetitivo, seja ele físico ou intelectual, será cada vez mais realizado pelas máquinas. Aos humanos, no trabalho ou no ócio, resta a interessante tarefa de serem criativos. O senhor fala disso como de um progresso conquistado. Mas lhe parece realmente fácil aceitar essa nova condição e usufruir dela?

Não, é dificílimo. Não se abandonam num segundo os hábitos adquiridos. Como dizia Ferdinando IV de Bourbon: "É mais fácil perder o trono que perder o hábito." E ele entendia do assunto, já que, de fato, tinha perdido o trono.

Estamos habituados a desempenhar funções repetitivas como se fôssemos máquinas e é necessário um grande esforço para aprender uma atividade criativa, digna de um ser humano.

Nas empresas americanas, a função de "executivo" é muito ambicionada e é ostentada nos cartões de visita.

O senhor defende a tese de que estamos em plena transição de época. Estamos saindo de um mundo industrial e entrando num outro, pós-industrial. Mas é também verdade que a velha sociedade, que estamos deixando para trás, nos parece inelutável, "natural". Parece-nos natural viver segundo a organização e os ritmos da idade industrial. *Por exemplo, ao longo de um dia, trabalhamos oito horas, dormimos em outras oito e nos divertimos, nos instruímos e tratamos do nosso corpo nas oito restantes. Ao longo de um ano, onze meses são de trabalho e um é dedicado ao ócio. Ao longo de uma vida se estuda durante quinze ou vinte anos, para depois trabalhar durante trinta anos e fazer bem pouco ou quase nada naquele tempo que nos resta, antes de morrer.*

Para romper este sentimento de "naturalidade", que nos condiciona e impede de imaginar um modo diferente de viver, o senhor poderia enquadrar historicamente a sociedade industrial? Poderia dizer que mundo foi destruído quando ela emergiu, como cresceu e desde quando começou a envelhecer?

Max Weber diz que as coisas só podem ser compreendidas se forem observadas a sangue-frio e em profundidade, apreendendo sua objetividade. Eu creio que se compreende melhor a realidade quando a observação se dá "ao longo de um processo", conferindo-lhe uma perspectiva. E, neste caso, ao dar uma perspectiva, nos tornamos mais otimistas. Compreenderemos melhor a sociedade industrial se, em primeiro lugar, abordarmos as mudanças de época que a precederam.

Vamos procurar percorrer a história humana através das etapas da sua criatividade, isto é, tentar ver a História não como uma sequência de batalhas e divisões baseada no possuir, mas como uma história das invenções, baseada no inovar.

As mudanças sempre aconteceram. Ennio Flaiano dizia: "Estamos numa fase de transição. Como sempre." E isto, como em todos os jogos de palavra, é em parte verdadeiro e em parte falso. Provavelmente, não existe época onde não tenha havido uma transição, porém nem todas as épocas mudam com a mesma intensidade e com a mesma velocidade. Muitas vezes temos a sensação

Como os Lírios do Campo

de que, em dez anos, se faz mais história do que num século. Nos últimos dez anos, por exemplo, com a queda do muro de Berlim e com a difusão do fax, do telefone celular, da tomografia computadorizada e da Internet, vivemos uma evolução tecnológica mais intensa do que nas fases lentas e longas da Idade Média.

Em determinados momentos, temos a sensação de que se trata de uma mudança de época. Porém, não é apenas um fator da História que muda, mas é todo o paradigma – com base no qual os homens vivem – que se altera. Isso acontece quando três inovações diferentes coincidem: novas fontes energéticas, novas divisões do trabalho e novas divisões do poder. Se somente um desses fatores se alterasse, viveríamos uma inovação, mas, se todos eles mudassem simultaneamente, aconteceria um salto de época. Trata-se do mesmo conceito ao qual se refere Braudel, quando fala das ondas da História, que podem ser curtas, breves, médias ou longas.

Se por salto de época entendemos não uma simples guerra ou revolução, mas sim esse salto tríplice, então nos damos conta de que os casos em que essa coincidência de eventos se realizou na história humana são bem poucos: seis ou sete, não mais que isso. E existem fases de milênios, séculos ou anos nas quais aconteceu alguma coisa, mas não uma verdadeira mudança de civilização.

Quais foram, então, os momentos da História nos quais nós, seres humanos, atravessamos encruzilhadas, vimos que o mundo virava de cabeça para baixo, se tornava "um outro" mundo?

Um primeiro longo período da história humana vai de setenta milhões a setecentos mil anos atrás. Durante este período, quem vivia não percebia nenhuma mudança, se sentia sempre igual. Trata-se da longuíssima fase na qual o *homem criou a si mesmo:* aprendeu a andar ereto, a falar, a educar a prole.

O Ócio Criativo

Se refletirmos bem, estas são mudanças extraordinárias, todas elas decorrentes da compensação dos nossos defeitos. Rita Levi Montalcini explicou isso muito bem no seu livro *L'elogio dell'imperfezione* (O elogio da imperfeição). Tínhamos um olfato fraco, portanto não podíamos perseguir a caça farejando a terra, como fazem os animais, mas tínhamos que avistá-la: para isto devíamos caminhar de pé, já que a caça frequentemente fugia, desaparecendo na vegetação. Isto fez com que se tenham salvado somente aqueles indivíduos da nossa espécie que se tornaram mais aptos para caminhar eretos.

Como caminhar ereto implicava passar a dispor dos dois membros superiores – que já não eram mais usados para caminhar –, nós liberamos e especializamos as mãos, usando-as para compensar um outro ponto fraco: o da nossa mandíbula. Não tínhamos capacidade para agarrar a presa e esquartejá-la com os dentes e, por isso, usamos as mãos para construir utensílios e instrumentos.

Eis a outra grande novidade deste período: *o homem descobre que pode fabricar objetos*. Como exemplo dos assim chamados animais criativos, hoje nos mostram chimpanzés da Tanzânia que recorrem a um bastãozinho para bisbilhotar os formigueiros. Mas enquanto eles inventavam essas patéticas varinhas, nós inventamos os supersônicos.

Em suma, naquele longo período aprendemos a criar utensílios com os quais compensar nossas fraquezas, mas que serviram também, em um segundo momento, para expressar nossa potencialidade. A televisão ou o míssil não são senão o resultado posterior do hábito inovador adquirido naquele período, sem o qual nós teríamos desaparecido, pois não éramos nem os mais rápidos, nem os mais fortes, nem os mais capazes.

A partir desse ponto surge uma outra modificação fisiológica: graças à posição ereta e graças ao uso intensivo do nosso cére-

Como os Lírios do Campo

bro, este último cresceu também quantitativamente. O ser humano é o único a possuir um cérebro com, aproximadamente, cem bilhões de neurônios, dos quais cerca de quinze bilhões constituem o córtex cerebral. Qualquer outro animal, por mais perspicaz que seja considerado, apresenta, no máximo, uma relação de um para dez com as nossas células cerebrais.

Em resumo, naquela época aumentamos e potencializamos o cérebro, aguçamos a vista e liberamos as mãos. E educamos a prole. Aí está um outro fato extraordinário. Basta lembrar os dinossauros, cuja extinção também está associada ao fato de que, quando os ovos se abriam, a prole gerada já era autônoma e, portanto, não era educada pelos genitores. Cada dinossauro recomeçava do zero.

A extinção dos dinossauros, então, se deve também ao fato de que os filhotes não recebiam nem leite verdadeiro nem leite "cultural", isto é, não eram informados sobre a arte de habitar o mundo?

O dinossauro era perfeito já na origem, já sabia se mover, já sabia obter alimento sozinho e, portanto, os genitores o abandonavam à própria sorte. O ser humano, ao contrário – e eis aqui novamente o elogio da imperfeição –, nasce indefeso. Se não fosse socorrido, morreria em poucas horas.

Contudo, a sua fraqueza se transforma na sua força, pois a assistência biológica que se dá ao seu desenvolvimento durante tanto tempo implica também a aculturação do indivíduo. Nós somos os únicos animais que precisam de ao menos dez anos de assistência para que nos tornemos indivíduos em condições de sobreviver. E somos os únicos animais que não recomeçam sempre do início, mas que, além das características hereditárias e do saber instintivo, recebem dos adultos o saber cultural.

O Ócio Criativo

Quer dizer que há setecentos mil anos, depois de setenta milhões de anos desse tipo de vida, o cenário se transforma. Qual a causa dessa virada de época?

Antes de mais nada, é criada uma nova fonte energética: o cachorro. É a primeira vez que o ser humano aprende a transformar um consumidor em produtor. Os cães eram chacais e lobos selvagens que giravam em torno dos grupos dos primeiros homens e se alimentavam dos restos da caça. Aos poucos, eles constataram a conveniência de colaborar com o homem, em vez de agredi-lo. E o homem constatou a conveniência de, em vez de caçá-los ou afugentá-los, passar a educá-los. A domesticação começa com o cachorro. (Conhece aquele livrinho ótimo de Konrad Lorenz, *E l'uomo incontrò il cane* – E o homem encontrou o cachorro?) O que é, então, o cachorro para o ser humano? Para entender esta questão, devemos conhecer como era o território naquela época.

Nós atravessamos diversas grandes eras glaciais. E numa época de gelo se necessitava de alguma coisa que puxasse os trenós: o cachorro foi o primeiro motor a serviço do homem. Quando nos perguntamos por que a roda foi inventada tão tardiamente, a resposta é: porque a roda sobre o gelo não servia para nada. Foi inventada quando, uma vez derretidas as geleiras, em algumas zonas – as da Mesopotâmia –, tornou-se necessária alguma coisa que, em vez de deslizar, rodasse.

Assim, setecentos mil anos antes de Cristo, o ser humano inventou o cachorro. E, muito tempo depois, realiza uma outra invenção fundamental: o arco e a flecha. Os instrumentos anteriores se perdiam. Se eu atirava um machado contra um cervo e errava o alvo, a arma também ficava perdida. O arco e a flecha constituem uma máquina bélica extraordinária: não é por acaso que é uma das poucas que sobreviveram até os nossos dias. Toda

Como os Lírios do Campo

a energia é concentrada num só ponto e num só instante, mas a parte essencial da arma permanece em poder do caçador. A parte secundária, a flecha, pode até perder-se, porque é substituível. Se comparados à pistola de um só disparo, o arco e a flecha podem ser considerados uma metralhadora.

Ocorre-me que é justamente por essa relação única que se instaura entre homem, instrumento e alvo que o tiro com o arco foi escolhido pela filosofia Zen como metáfora do viver.

Exato, o arco é de fato uma invenção extraordinária.

Durante esse longo período do qual estamos falando, o ser humano aprende também a distinguir os animais segundo a utilidade que pode obter ao domesticá-los. Além do cão, domestica outros quatro animais, complementares, pois cada uma dessas espécies satisfaz necessidades diversas. Domestica o boi, pois graças à sua conformação óssea pode puxar o jugo; o porco, porque é uma reserva ambulante de carne; a cabra, porque é uma reserva ambulante de leite; e o carneiro, porque é uma reserva ambulante de lã. A lã tem uma presença recorrente na mitologia das mais diversas áreas geográficas e, por definição, vale ouro, pois é preciosa para sobreviver em regiões frias.

Mas, durante esse mesmo período, verifica-se também um outro acontecimento. Foram encontradas duas ou três pontas de flecha em forma de amêndoa, usadas no período da Idade da Pedra, decoradas com um desenho de folhas que se assemelham a folhas de louro. Esta é a primeira expressão estética do ser humano de que se encontrou um rastro. Pela primeira vez, um ser humano, além de empregar semanas de trabalho para esculpir uma lâmina, ou seja, um objeto útil, gasta dias e dias para decorar a lâmina com um enfeite.

O Ócio Criativo

Qual é a exigência que dá origem a essa evolução da nossa espécie: de ser passivo espectador da beleza natural de um mar azul ou de um céu cheio de estrelas, até se tornar ativo produtor de "beleza"?

A exigência de consolar-se. Por milhões de anos, os primeiros homens acreditaram que a morte era o único fim do indivíduo e que a dor, a tristeza e a melancolia eram inevitáveis e incuráveis. Estavam de tal maneira habituados a ver constantemente a morte e a dor (inclusive a morte de filhos e irmãos jovens), que as consideravam um fato corriqueiro e irremediável. E, assim, abandonavam os corpos e não os sepultavam, da mesma forma como fazem os animais ainda hoje.

Depois, em um certo momento, os seres humanos "descobrem" (isto é, inventam) o outro mundo: podemos inclusive datar essa descoberta, porque coincide com a construção da primeira sepultura. A mais antiga, de noventa mil anos atrás, foi encontrada em Belém, na Judeia, que é também o lugar de um famoso berço. Desde então, o homem é o único ser vivo que enterra seus mortos, talvez por medo do contágio, do mau cheiro e do nojo causados pela putrefação.

Mas isto não explica por que deixavam, ao lado dos corpos, também utensílios e objetos preciosos que deviam ajudar o defunto na outra vida. Fica evidente aqui a esperança de que o corpo ressuscite e de que exista uma vida ultraterrena num outro mundo que fica além deste.

Em resumo, há noventa mil anos criou-se esta primeira e grande consolação, que suaviza a ideia do fim definitivo.

Um pouco mais recentemente, entre dezessete e dezoito mil anos atrás, o ser humano criou um outro consolo: adicionar à estética da natureza, à beleza de uma nuvem, ou de um poente, uma estética artificial – a arte.

Como os Lírios do Campo

São portanto dois os momentos que assinalam a passagem do animal ao homem. O primeiro, conceituar a sobrevivência. E o segundo, conceituar o belo.

A evolução do animal ao homem é uma passagem muito lenta: dura oitenta milhões de anos e ainda não se concluiu. Dessa evolução também fazem parte a descoberta da eternidade (como compensação para a morte) e a descoberta da beleza (como compensação para a dor).

O primeiro e tímido testemunho da necessidade estética é constituído pelas pontas de flecha com as folhas de louro; o verdadeiro grande testemunho da descoberta da arte é constituído pelos ciclos de afrescos rupestres, como os das grutas de Lascaux. Trata-se de arte simbólica – cruzes, triângulos – e arte figurativa – bisões e pessoas, representados com uma vivacidade extraordinária. Foram pintados no escuro das cavernas, iluminando as paredes com tochas, porque pensavam que ali os afrescos estariam mais protegidos. Ou talvez porque sentissem a necessidade de pintar em um ambiente mágico, cheio de motivação e inspiração.

O conceito de estética aparece com frequência nos seus escritos. Por que o senhor lhe atribui tanto valor?

Por uma questão muito simples: porque, entre todas as formas de expressão humana, a estética é aquela que, mais do que qualquer outra, é responsável pela nossa felicidade. Como diz Marx nos seus *Manuscritos*, "o animal constrói somente seguindo a medida e as necessidades da espécie a que pertence, enquanto o homem é capaz de construir de acordo com as medidas de qualquer espécie...

As folhas de louro na ponta das lanças receberam, provavelmente, aquele a mais de trabalho porque eram incisões supersticiosas, com o sentido de aplacar a ira divina. Mas são feitas com tanto cuidado, que nossa imediata reação é dizer: "Este trabalho não melhora a eficiência ou a virulência da flecha, porém a embeleza." Ainda que fossem propiciatórias, sugerem a ideia de que, para conseguir a graça dos deuses, devemos realizar algo que seja belo, não de utilidade imediata. Se eu tivesse que roubar uma obra de arte, roubaria aquelas pequenas pedras.

Contudo, a estética não nos serve mais para "conseguir a graça dos deuses": é um componente menos mágico da nossa existência.

Mas, se pensarmos bem, ainda hoje delegamos uma grande parte da nossa felicidade à arte: quando desejamos nos sentir bem, nos divertir, vamos ao cinema, ao teatro, a um museu, ou vamos admirar uma bela paisagem.

Foi a sociedade industrial que isolou o belo, expulsando-o do mundo do trabalho: são pouquíssimos os empresários que deram valor à estética. Um exemplo raro é o de Robert Owen, que, no início do século XIX, construiu uma esplêndida fiação, New Lanark, na Escócia. Eu a visitei: é enorme, é quase uma cidade. Ali se encontram a casa da inteligência e a casa dos sentimentos: até mesmo a topografia foi planejada de modo a que, desde criança, o ser humano pudesse habituar-se a se tornar um ser pensante.

Depois de Owen, devemos avançar até Wiener Werkstäette, a cooperativa vienense do início do século XX. Lá, em 1905, jornalistas que a visitavam ficaram impressionados sobretudo com a beleza dos escritórios, com a sábia utilização da luz, com as cores que diferenciavam as áreas de trabalho.

Depois disso, é necessário chegar a Adriano Olivetti, com suas fábricas rodeadas de jardins e suas máquinas de escrever, cujo *design* ficava sob a responsabilidade de profissionais de alto nível, como Nizzoli e Sottsass. O ápice é seu estabelecimento em Pozzuoli, construído de tal maneira que o operário, ex-pescador, não se sentisse separado da natureza na qual estava habituado a viver. Mas estas são raras exceções do mundo industrial. Será a sociedade pós-industrial, que, ao contrário, recupera, decididamente, o gosto pela estética: não mais para uma pequena elite, mas uma estética destinada a todos. E não somente uma estética do vestuário ou dos ornamentos, mas também a do ambiente de trabalho e das boas maneiras: hoje em dia, um empresário exibe com orgulho a sua fábrica bela e espaçosa, enquanto, antes, se sentia orgulhoso de mostrar uma fábrica eficiente, aparelhada com o último modelo de torno. Penso, a título de exemplo, na surpreendente empresa de Semler, no Brasil.

O belo penetrou a deontologia, tornou-se um valor primário?

Sim, ainda que o salto de qualidade, naturalmente, não seja geral. A imensa maioria dos escritórios ainda é horrível, com cores neutras, móveis e decorações de tipo hospitalar. Mas, no conjunto, e em comparação à sociedade industrial, ocorreu uma grande melhora.

O senhor dizia que os homens pré-históricos usavam a estética para "conseguir a graça dos deuses". Atualmente, para nós, qual é a ação que corresponde àquela, antiquíssima, de "propiciação dos favores divinos"?

Planejar o futuro, que não depende mais do capricho dos deuses, mas do modo pelo qual nós o prevemos e o preparamos cientificamente.

O Ócio Criativo

O homem pré-histórico sabia planejar o futuro?

Os nossos longínquos antepassados viviam como os lírios do campo, dos quais fala o evangelho segundo São Mateus. Não trabalhavam, nem fiavam. Porém duvido que se vestissem melhor do que o Rei Salomão. Eles aprenderam a planejar o futuro só depois que descobriram a semente. O uso de sementes é uma descoberta que remonta a seis mil anos antes de Cristo e provoca uma verdadeira revolução. Desta vez as protagonistas foram as mulheres. É a grande fase matriarcal.

Uma divisão sexual do trabalho já tinha ocorrido: o homem saía para caçar e a mulher, impossibilitada de locomover-se devido às maternidades frequentes, usava o tempo livre para a colheita de frutas. Contudo, aos poucos, o macho aprende que pode substituir o cansaço da caça por aquele, menor, da criação de animais: a caça implica perseguir animais adultos, muitas vezes perigosos, rebeldes e que fogem. A atividade de pastor, ao contrário, permite dominar os animais desde o seu nascimento.

A mulher, por sua vez, aprende que melhor do que recolher as frutas caídas é "cultivá-las" com a agricultura: pode plantar as sementes, regá-las e ver crescerem as plantas.

Ambas as técnicas, pecuária e agricultura, produzem alimento dentro de um prazo previsível, diferido no tempo. Nesta fase, o ser humano aprende, justamente, a diferir, isto é, a adiar programando. Enquanto o animal deve satisfazer suas necessidades aqui e agora, o ser humano planeja o futuro e aprende que, trabalhando hoje, poderá obter alimento dali a seis meses.

E é também nessa fase que se descobre que o macho participa no nascimento dos filhos. Até então reinava a convicção de que as mulheres produzissem sozinhas os filhos. Nesta ocasião, talvez com a observação dos animais, alguém entende que existe uma ligação entre cópula, nove meses antes, e nascimento, nove meses depois.

Assim, passa-se do matriarcado ao patriarcado, que dura até hoje, mas que está acabando, justamente porque as mulheres agora têm condição de gerar filhos sem a participação de um marido, enquanto os homens não têm condição de gerar filhos sem uma mulher.

Outra descoberta: a produção em série. Remontam a esta época os restos de algumas garrafas, fabricadas não por estrita necessidade, mas, evidentemente, para serem conservadas, trocadas ou vendidas. Pois bem, o animal faz somente aquilo que é necessário, aqui e agora, para si mesmo e para a sua família. O ser humano, ao contrário, a partir dessa fase e daí para a frente, planeja o futuro e expande a produção, vendendo produtos a outros. Nasce o excesso de produção, um sistema econômico e de vida que dura até hoje.

Quando é que essas descobertas dão origem a novas formas de sociedade?

Três mil anos antes de Cristo, o ser humano, enriquecido com todas essas invenções, descobre a cidade e a escrita. Isto acontece na Mesopotâmia, onde tem início uma época extraordinária. É ali que nasce a nossa civilização e é por isso que, recentemente, a Guerra do Golfo nos atingiu de uma maneira mais ancestral do que, digamos, a guerra na Chechênia. Ur e Uruk, as duas cidades sumérias, são os umbigos da civilização ocidental.

Na Mesopotâmia, nesta fase, é descoberto o eixo e são fabricadas as primeiras rodas. Descobre-se a astronomia, que oferece a possibilidade de viajar também de noite e, portanto, de multiplicar o alcance das viagens. Nasce, desse modo, o comércio a distância. Inventa-se a matemática. Inventa-se a escola. E se inventam as primeiras leis.

Em suma, na Mesopotâmia de cinco mil anos atrás, aquele "atendimento cultural" que, milhões de anos antes, nos tornou diferentes dos outros animais passa a ser a regra e se institucionaliza?

Sim, o processo de aculturação torna-se mais extenso e generalizado. Evidentemente, a criação da escola é importantíssima. Pode-se ler a história da humanidade como uma história de aculturação progressiva: começa com o animal que socorre a prole, prossegue com o ser humano que a educa até a adolescência, em seguida com a criação da escola que prolonga ainda mais este período de aculturação, para finalmente chegarmos aos dias de hoje, nos quais os meios de comunicação de massa nos "educam" e nos "aculturam" desde o nascimento até a nossa morte.

Mas que significado o senhor atribui a esse termo "aculturação"?

Aculturar significa colonizar o cérebro com o objetivo de moldá-lo, de modo que faça aquilo que o grupo de referência considera útil. Não é um termo sempre positivo. Uma quadrilha de ladrões também é capaz de aculturar, ensinando a roubar.

Vamos voltar à Mesopotâmia.

Junto com a escrita, foi realizada uma outra invenção fundamental: o selo de acompanhamento. Tratava-se de um tijolinho de barro sobre o qual, com um canudo, era escrita a quantidade de mercadoria enviada. Assim, podia-se comunicar: "Atenção, este transportador lhe traz um saco com vinte quilos de trigo." O selo é uma síntese de comércio, de globalização e de cultura, e é com ele que nascem os números e as moedas. Da Mesopotâmia de cinco mil anos atrás nos chegam também os primeiros relatos de verdadeira poesia. E é também lá que nascem novas formas de organização social: o autoritarismo, a ditadura e o imperialismo. Formas que, a seguir, com os persas, atingirão uma estrutura excelente: o exército organizado em forma de quadrilátero, com o condutor no centro, protegido assim de forma perfeita.

Até esse momento, as organizações sociais tendem a permanecer de pequena dimensão para se autoprotegerem. Contudo, a partir de então, expandem-se: a proteção do centro, da capital, passa a ser assegurada pela quantidade de território conquistado. Até culminar no imperialismo romano: Trajano tenta fazer coincidir seu império com toda a superfície conhecida do planeta. Logo depois, com Adriano, a política muda: o sistema não deve mais expandir-se ao infinito, mas deve realizar-se completamente, como um *hortus conclusus*. Por isso são erigidas as muralhas, é criado o *Vallo Adrianeo*. O Império passa a ser uma zona protegida de civilização, de cidadania. O que está fora é pura barbárie.

Mas antes disso, na Grécia, no quinto século antes de Cristo, amadurece uma civilização que estamos habituados a considerar uma perfeição. Segundo a sua definição, ela é fruto de uma mudança de época?

A Grécia de Péricles é, naturalmente, o berço de uma nova fase que durará por muito tempo, até o século XI depois de Cristo. É sinônimo de democracia, filosofia, arte, teatro e poesia. E é também uma outra descoberta importante: a rede, o *network*, como a chamaríamos hoje em dia: um conceito importante para a nossa sociedade pós-industrial.

A Grécia, na prática, não existiu. Ela consistiu em uma rede de cidades que podiam se aliar ou guerrear, segundo o momento. Em comum, os habitantes possuíam a língua, o que significa que um texto de Aristófanes podia ser representado e compreendido tanto em Atenas como em Siracusa. Exatamente como aconteceu mais tarde com o latim e como acontece hoje com o inglês.

O que o leva a ler como uma única época mil e seiscentos anos de história, do quinto século antes de Cristo ao século XI d.C.?

O fato de este período ser caracterizado, inteiramente, pela rejeição da tecnologia. O progresso ocorrido na Mesopotâmia foi tal, que dava a sensação de que tudo já tivesse sido descoberto. É uma sensação cíclica na história humana e que retorna ainda hoje na leitura de alguns sociólogos. Naquela época, era sustentada por Aristóteles: como tudo aquilo que servia à vida prática já tinha sido descoberto, valia mais usar a energia para uma outra coisa.

A convicção de que o progresso já tivesse se exaurido determina o modo de viver dos gregos e dos romanos: um modo de viver que não era baseado na quantidade das coisas, mas na qualidade, no "sentido" a elas atribuído. No *Fedro*, de Platão, faz calor e Sócrates está sob um carvalho. Ele encontra uma fonte, refresca as mãos, repousa à sombra e encontra ali a perfeita consonância entre si e o que o circunda. Isto é dar "sentido" às coisas. Sócrates não precisa de nada mais, não é como Onassis ou Trump, que cortam o mar com seus iates e mil acessórios. As poucas coisas que um filósofo possui lhe bastam, já que ele sabe enriquecê-las de significado.

Este é um conceito atualmente determinante também para nós, pois caracteriza o pós-moderno, uma cultura na qual o "sentido" é mais importante do que a quantidade. Os gregos lapidaram ao máximo a arte de "dar sentido" às coisas. Platão, em *O Banquete*, chega até a nos sugerir a metodologia para atingir esse ponto: "Satisfeitas as necessidades, antes que tu fiques bêbado, naquela fase se coloca o método para a tua sabedoria..." E descreve aquele momento após o banquete, o "simpósio", durante o qual os comensais conversam. Quem fala segura o copo de vinho. O gesto de ter o copo nas mãos confere um sentido ao tempo que passa e ao que diz o comensal. Cada diálogo de Platão, seja sobre a amizade, o amor ou a guerra, é como uma transcrição estenográfica de um desses simpósios, desses *brain-storming*.

A rejeição da tecnologia que caracteriza a civilização grega tem uma origem somente filosófica, existencial?

Sua origem não é clara, e filósofos como Marcuse e Koyré discutiram a esse respeito. De seguro, sabemos que naquela época a tecnologia era desencorajada. Nessa rejeição do progresso tecnológico talvez não estivesse ausente uma razão prática: tinha sido criada a escravidão, logo, não havia necessidade de máquinas.

Considera este momento historicamente regressivo?

Para os homens livres é um passo avante, para os escravos um passo atrás. Os trezentos mil escravos da Atenas de Péricles, que permitiram aos quarenta mil homens livres escrever e dedicar-se à política e à arte, trabalharam, a longo prazo, também para nós. Porém a vida deles foi trágica e desumana.

De todo modo, o senhor considera regressiva a fase da história humana caracterizada pela rejeição da tecnologia?

A tecnologia não é um fim em si mesma. Serve para que se viva melhor. Do ponto de vista da saúde, por exemplo, da gestão da dor e do prolongamento da vida, rejeitar o aporte tecnológico equivale a regredir. Do ponto de vista das relações humanas entre cidadãos livres, com certeza a Grécia de Péricles marcou um grande passo adiante.

Mas o ser humano não pode prescindir de ajuda, seja esta na forma de escravos ou de tecnologia. E a relação numérica entre escravos e homens livres em Atenas e Roma, a massa de pessoas reduzida a "gado humano" (como diz Bloch), constitui um indicador de não civilização.

Porém, na realidade, não existe nunca uma época de total regressão ou total avanço: até mesmo a guerra pode ter algumas decorrências positivas, como, por exemplo, o progresso tecnológico. Permanece o fato de que, se não se usa tecnologia, se usam seres humanos: operários, servos, escravos. E isto não é civilizado.

Porém o uso da tecnologia não é indolor. Requer concentração e um certo esforço.

Claro, mas a contribuição global que ela fornece é muito superior ao cansaço, decorrente da concentração ou do esforço.

A verdade é que muitos intelectuais são afetados por um tipo de esnobismo antitecnológico. Porém, mesmo aqueles que se

Como os Lírios do Campo

gabam de usar a medicina alternativa, quando têm uma crise de apendicite ou contraem um câncer no pulmão, se operam com as mais modernas técnicas cirúrgicas.

Em suma, para o senhor a rejeição da tecnologia é puro esnobismo e masoquismo?

Com certeza. Até quem usa a tecnologia para matar o faz para se cansar menos, para não se sujar enquanto mata, ou para evitar o sofrimento da vítima. A tecnologia elimina cansaço e sofrimento.

Porém, o "mal tecnológico" dos gregos do século V parece ser um componente perene na natureza humana. Tanto é assim que Robert Pirsig escreveu a esse respeito em Zen e a Arte da Manutenção de Motocicletas, *um livro* cult, *durante os anos 70.*

Se eu tivesse tempo, escreveria um livro intitulado *A Motocicleta e a Arte da Manutenção do Zen*. Quem se perturba diante da tecnologia pode se limitar a não usá-la. Mas não tem o direito de impedir seu uso pelos outros. Se eu tenho medo de andar de avião, nem por isso posso proibir a aviação. A tecnologia é uma oportunidade, não uma obrigação. Aliás, o planeta está cheio de zonas não tecnologizadas: sobre a Terra hoje coexistem todos os níveis de civilização, desde a Pré-História até o ano 2000. Quem não gosta de tecnologia tem para onde ir, se quiser.

Em *As Memórias de Adriano,* Yourcenar conta que o imperador convocou o poeta Juvenal – que criticava os embelezamentos a seu ver excessivos da capital – e lhe perguntou se ele conhecia algum lugar do Império onde a vida fosse mais feliz do que em Roma. Se não me engano, Juvenal indicou a Trácia. Adriano ordenou que ele se transferisse para lá para sempre.

Quer dizer que a tecnologia se torna um diktat*?*

Para os despreparados sim. E, infelizmente, os despreparados existem em abundância, mesmo que nem todos tenham culpa de sê-lo.

Na época que se inicia com a Grécia de Péricles foram zeradas as pesquisas ou ocorreram outras descobertas e invenções?

Contam-se bem poucas invenções: o arco arquitetônico, o alistamento militar, o viaduto, a roldana. Em outros casos houve invenções que aconteceram, mas que não foram utilizadas: um exemplo é o moinho d'água, que foi inventado no século I a.C., mas não foi utilizado. Há um episódio que ilumina e explica bem esse comportamento. Sob Vespasiano, o Capitólio pega fogo e um cidadão, ao apresentar ao imperador um projeto de roldanas e correias para transportar as pedras necessárias à reconstrução, obtém como resposta do imperador: "Compro, desde que você não o divulgue. Senão, o que farão as pessoas que ficarem sem trabalho?" Hoje, nós também, para vender estoques ou para evitar o aumento do desemprego, retardamos a comercialização de novas tecnologias, como, por exemplo, os livros eletrônicos.

Naquela época existiam os escravos e nenhuma tecnologia, que, seja como for, é mais perfeita do que o escravo. A IBM está gastando milhões para construir uma máquina de ditafonia perfeita: eu falo e ela escreve. O escravo já fazia tudo isso. Obviamente, porém, o escravo não estava feliz com a sua condição.

O início da nova era, o século XII d.C., tem alguma coisa a ver com tudo isso?

Como os Lírios do Campo

Começa um período de grande explosão tecnológica que talvez possa ser relacionada com a dificuldade, que surgiu neste período, de conseguir escravos. Roma não é mais tão potente como antes e, fora dos confins do Império, os bárbaros se tornaram irredutíveis. No interior do Império, para quem possuía escravos passa a ser mais conveniente liberá-los, porque, ao fazê-lo, significava não ter mais o dever de alimentá-los. Na falta de escravos, os homens livres voltam a recorrer à tecnologia.

Inicia-se assim uma nova fase de descobertas e de invenções, similar àquela ocorrida na Mesopotâmia quatro mil anos antes: inventa-se a pólvora, se redescobre o moinho d'água, difundem-se a bússola e os arreios modernos dos cavalos. O cavalo, com o novo arreio, rende vinte vezes mais do que com o velho tipo de freio. São inventados os óculos, que logo duplicam a vida intelectual da humanidade. (Lembra-se dos quadros de Giotto? Todas as pessoas são retratadas com os olhos semifechados. Andavam assim, aguçando a vista, porque ainda não dispunham de óculos.) São inventados a imprensa e o relógio. Porém estas são reflexões já feitas por Bacon e Bloch. Depois disso se faz uma outra descoberta fundamental: a descoberta do Purgatório.

Isso é uma piada, uma frase de efeito?

Muito pelo contrário, é a pura verdade. Nada do que falamos teria se desenvolvido, nem difundido, sem uma acumulação econômica primária. Se, no início da sociedade industrial, a acumulação primária se dá graças às colônias, na Idade Média realiza-se graças ao Purgatório. Para constatá-lo, basta que se leia *La naissance du Purgatoire* (O nascimento do Purgatório), de Le Goff.

Até o século XIII, o Purgatório não existia no imaginário cristão, nem existia um lugar assim em nenhuma outra religião. Toda religião limita o fim do jogo, o *rien ne va plus*, com a morte. A Igreja Católica, pelo contrário, descobre ou inventa o Purgatório. Esse debate nasce com Gregório Magno: se existe ou não alguma coisa além do Paraíso e do Inferno. Chega-se, pouco a pouco, à definição de um terceiro lugar de mediação entre Inferno e Paraíso, mas também de mediação entre os vivos e os mortos. E, pela primeira vez na história da humanidade, os vivos passam a encontrar-se em situação de poder fazer alguma coisa em favor dos mortos: pagar missas e indulgências pelo resgate da alma deles. Inaugura-se assim uma época de especulação sobre as almas. O comércio das indulgências torna-se central na sociedade cristã e permite uma acumulação imensa por parte das igrejas. Pense que hoje em dia o santuário de Pompeia acumula milhões a cada ano. Imagine que, no jubileu dos 2.000 anos, milhões de peregrinos já chegaram a Roma para obter a indulgência plenária, ou seja, para evitar as penas do Purgatório.

Para gerir essas poupanças desmedidas nasceram bancos com nomes de santos e os montepios de caridade. E tudo isto preparou o advento da indústria.

Que expressão adquirem esses acontecimentos no plano teórico?

Os pensamentos de Bacon, de Descartes e de João Batista Vico são fundamentais porque invertem a filosofia de Aristóteles. Para Aristóteles, tudo aquilo que servia ao bem-estar material já tinha sido descoberto, portanto, tornava-se uma prioridade dedicar-se ao espírito. Bacon inverte este raciocínio e diz: "Chega de filosofia e poesia, é hora de dedicar-se ao progresso da vida cotidiana." É um utilitarista, não no sentido estrito de pertencer a essa escola filosófica, mas porque coloca a utilidade prática em primeiro lugar. É um político pragmático, um ministro de Estado.

Como os Lírios do Campo

Bacon considera a filosofia grega "um amontoado de tagarelice de velhos estonteados para jovens desocupados".

Bacon nasce sob Henrique VIII, numa Inglaterra arcaica e autoritária, e morre numa Inglaterra pronta para a revolução industrial. Indispensáveis a esta revolução serão as descobertas da eletricidade, da máquina a vapor e da organização taylorista, mas também a primazia da razão. O homem descobre que grande parte dos problemas tradicionalmente resolvidos de modo religioso ou fatalista podem, ao contrário, ser administrados racionalmente: seja o medo do temporal e do raio, seja a carestia, seja a ditadura.

É neste ponto que se impõe o cruzamento entre desenvolvimento tecnológico, desenvolvimento organizacional e desenvolvimento pedagógico. Porque cada progresso tecnológico é acompanhado da necessidade de ser transmitido, através do ensino, às gerações futuras. A Mesopotâmia tinha inventado a escola para as elites, a sociedade industrial inventa a escolarização e o consumo de massa.

Durante toda a longa era pré-industrial os seres humanos eram mais felizes?

Com certeza a duração da vida deles era menor, assim como trabalhavam menos horas por dia. No seu *Tableau de l'etat physique et moral des ouvriers dans les fabriques de coton, de laine et de soie*, ou seja, Tratado sobre o estado físico e psíquico dos operários nas fábricas de algodão, lã e seda, de 1840, Villarmé referia que naqueles tempos os escravos das Antilhas trabalhavam nove horas por dia, os condenados ao trabalho forçado nas instituições penais, dez, e os operários de algumas indústrias de manufaturas trabalhavam dezesseis horas por dia. Operários daquela mesma França que com sua revolução tinham proclamado os Direitos do Homem. Porém é impossível comparar o grau de felicidade de duas pessoas, de dois mundos ou de duas épocas diversas. A felicidade, apesar de ser uma aspiração humana universal e perene, continua a ter uma definição difícil, e mais difícil ainda é quantificá-la. Eu seria muito mais cauteloso que Paul Lafargue em acreditar na felicidade manifesta das populações rurais. Lembro-me de uma passagem daquele célebre panfleto *O Direito ao Ócio*, na qual ele diz: "Onde estão aquelas mulheres vivazes e robustas, sempre em movimento, sempre na boca do fogão, sempre cantando, eterna fonte de alegria, que davam à luz filhos sadios e fortes sem sequer sentir dor? No lugar delas o que nos vemos hoje são moças e mulheres de fábrica flores murchas e descoloridas, anêmicas, com as barrigas vazias e os membros fracos."

Segundo Capítulo

O Imbecil Especializado

> *Continuamos a desperdiçar tanto tempo e energia como os que eram necessários antes da invenção das máquinas; nisto fomos idiotas, mas não há motivo para que continuemos a ser.*
>
> Bertrand Russell

Nós nos encontramos agora diante do nascimento da sociedade que a todos nós (com exceção somente daqueles que hoje são ainda muito jovens) parece um habitat *natural: a sociedade industrial. No começo não foi absolutamente considerada como "natural", mas sim como um abalo. Quão profunda é a revolução iniciada no século XVIII?*

Como já disse, quando na nossa história coincidem três tipos de mudança – a descoberta de novas fontes energéticas, uma nova divisão do trabalho e uma nova organização do poder –, estamos diante de um salto de época. E estes três tipos de mudança trazem consigo uma nova epistemologia, um novo modo de ver o progresso e o mundo. A sociedade industrial foi tudo isso.

Mais ou menos na metade do século XVIII nasce um novo movimento, o racionalismo, que confia na razão humana para a solução dos problemas, em contraposição a soluções através de um enfoque emotivo, religioso ou fatalista. A vida prática do homem do século XVIII não é diferente da dos seus antepassados, dos tempos de Júlio César ou de Hamurábi. Ele também tem medo de raios e trovões, das pestes e de eventos que, apesar de serem naturais, lhe parecem de ordem sobrenatural, para os quais não possui uma explicação que não seja de caráter religioso ou, como dizia, fatalista.

No século XVIII insinuam-se, pela primeira vez, a dúvida e a esperança de que a razão possa compreender, para depois administrar, os eventos. Talvez, é dito com confiante otimismo (aquele otimismo que o *Candide* de Voltaire ironiza), venha o dia em que o homem saberá, com antecedência, se choverá ou se virá um tempo de seca, e saberá, além disso, como conter um raio. Para chegar a tal ponto, é necessário estudar racionalmente, é necessário nutrir nossa mente, é necessário "cultivar o nosso jardim".

A dúvida brota como dúvida teórica, isto é, em uma linha puramente intelectual?

Sim, a dúvida brota daquela imensa floração de clubes, salões e iniciativas que deram vida ao Iluminismo. Nasce daquela mistura de cientificismo, racionalismo, ironia e autoironia que fez do século XVIII o "século das luzes".

Examinemos esse século, por um instante, através do advento da *Encyclopédie*: um grupo de pessoas cultíssimas que decidem transmitir o saber que possuem para aqueles que não sabem. Decidem coletar o saber num *corpus* de livros, não para que seja contemplado ou mesmo utilizado em um sentido apenas intelectual, mas para que seja usado como fonte de saber técnico. A *Encyclopédie* oferece uma série de *planchettes*, de tábuas ilustrativas com desenhos detalhados e medidas exatas de maquinarias diversas. Portanto, o que os inspira é a vontade de permitir, a quem quer que possua tais livros, reproduzir um universo tecno-

O Jmbecil Especializado

lógico que até então era um patrimônio restrito aos iluminados. Os iluminados, enfim, iluminam, tornam-se *lumi*. Porém a *Encyclopédie* é um evento interessante também por outros motivos. Além da intenção de divulgar o saber técnico e científico contra o saber irracional, seu interesse deve-se também ao fato de ter criado uma máquina organizacional capaz de produzir ciência com um método original de trabalho coletivo.

Vale a pena estudar o método com o qual trabalham os enciclopedistas – Diderot, Rousseau, D'Alembert e outros – que se reuniam na casa de campo de d'Holbach. De manhã, cada um permanecia no próprio quarto, estudando. Durante a tarde se encontravam, cada um lia para os outros aquilo que tinha escrito e, à noite, dedicavam-se à música e ao entretenimento. Desse modo, junto com um sistema de difusão do saber, aperfeiçoaram também um método para incrementar a criatividade científica. Um método possível graças ao fato de que esses *lumi* não tinham qualquer preocupação de ordem econômica ou prática. Depois dos gregos, os iluministas são os maiores cultores do "ócio criativo".

Porém, o século XVIII não é só um século de sistematização do saber. É um século de descobertas.

De fato, outra peça da iminente sociedade industrial que se estava formando é constituída pela descoberta da energia elétrica e da locomotiva. Inclusive do para-raios: Franklin consegue dar ao novo homem, o homem racional, a consciência de que é capaz de domar a natureza até nas suas manifestações mais terríveis e caprichosas.

Ocorrem progressos em quase todos os campos científicos – na física, na filosofia, na biologia –, enquanto a literatura, a arte e a poesia não efetuam outros passos além dos já realizados durante o Renascimento. A música, ao contrário, atravessa um momento mágico: Bach tinha acabado de morrer e Mozart, Beethoven e Haydn estavam vivos.

No plano econômico, o que acontece?

O colonialismo tinha começado a fornecer aos países hegemônicos – Espanha, Portugal, Inglaterra e Holanda – grandes quantidades de matéria-prima e de ouro: a acumulação primária. As outras peças que vêm se somar são as duas revoluções: a americana e a francesa, que liberam imensos potenciais. Cada vez que uma revolução concede o acesso à "sala de controle" a novas classes sociais – classes estas que, até então, eram oprimidas e, num certo sentido, "virgens" –, enormes potencialidades são liberadas. Foi o que aconteceu naquele tempo com o advento da burguesia. É o que está acontecendo agora com a liberação feminina.

Naquela época, foi a burguesia, uma classe social inteira, que compreendeu que tinha chegado a sua vez. E se aproveitou disso: através das revoluções burguesas, milhares de novos cérebros atingiram a liderança das diversas nações.

A que necessidades fundamentais, no final das contas, responde essa sociedade nascente?

À necessidade objetiva de produzir, com menor esforço, uma quantidade de bens materiais suficiente para satisfazer as necessidades crescentes de uma crescente massa de consumidores: exatamente os burgueses. Há um exemplo muito interessante a este propósito, o do fabricante de móveis Michael Thonet.

Thonet é convocado em Viena, pelo príncipe de Liechtenstein, para que lhe fabrique móveis e parquês. Estamos em torno da metade do século XIX e o industrial descobre que, na capital,

O Imbecil Especializado

além do príncipe, encontra-se um imenso mercado em potencial. Trata-se de gente que ainda não tem dinheiro em demasia, que não possui ainda uma cultura própria e, por isso, imita os aristocratas. Mas em seu conjunto já constitui um alvo vasto e suficientemente rico de pessoas que estão "bem de vida", desejam viver mais comodamente e querem ostentar o próprio *status* de classe média recém-nascida.

Thonet dará a esta nascente burguesia vienense exatamente aquilo a que ela aspira. Cria um estilo que não é imitação do aristocrático, como era o Biedermeier, mas sim construído sob medida para a burguesia emergente. São móveis pouco caros, práticos, facilmente montáveis e, logo – eis a novidade –, vendáveis a partir de um catálogo.

Thonet, em síntese, inventa um estilo, um *marketing* e um modo de produção em série. O catálogo é infinito: 14.000 objetos diversos, cada um acompanhado de preço e medidas. Thonet possui uma visão unitária do produto, do mercado e da produção. E a sociedade industrial é exatamente isso.

Mas quando é que aflora a consciência de que a sociedade mudou? Quando é que as pessoas começam a se dar conta de que habitam um novo mundo, diferente daquele artesanal e rural?

Por muito tempo a mudança é percebida apenas em partes pelos estudiosos. Há quem, como Owen, denuncie a exploração; quem, como Fourier, fantasie utopias; outro ainda, como Smith, enfatize o tamanho das fábricas, e há quem, como Engels, Dickens e, em seguida, Zola, preste atenção na miséria dos trabalhadores. A consciência de que foi *toda* a sociedade que mudou só aflora, aqui e acolá, em torno de 1850. É então que se começa a falar não mais somente de indústrias, mas de "sociedade industrial", e percebe-se *a globalidade* da mudança de época que acabou de acontecer.

Exatamente como ocorreu nestas últimas décadas: a sociedade pós-industrial nasce em 1950, mas só alguns poucos, como Bell ou Touraine, perceberam logo este advento e suas dimensões, tratando-o como um novo sistema global, único. Em vez disso, a massa de intelectuais percebeu somente aspectos singulares da mudança (a tecnologia, ou os meios de comunicação de massa, ou a tecnoestrutura, a globalização, etc.), mas não entendeu que todo o paradigma tinha mudado completamente.

A sociedade industrial significa, desde o começo, e significará por muito tempo, a hegemonia de uma categoria: a dos engenheiros. Originalmente com Frederick W. Taylor.

Geralmente tem-se uma imagem deformada de Taylor, um pouco caricata. Na verdade, ele nasceu rico, trabalhava por hobby e estudava a organização do trabalho porque era sua paixão. Foi o maior importador do racionalismo para o interior dos Estados Unidos e das fábricas.

Na história da humanidade, somente um tipo de trabalho antes da indústria tinha aglomerado tantas pessoas num só lugar: o exército. Mas, em 1804, a fábrica de Owen, na Escócia, possuía três mil empregados, e, em 1901, a United States Steel, na América, cem mil dependentes.

Na realidade, o projeto organizacional e existencial de Taylor, a longo prazo, não tende absolutamente a tornar mais cruel o trabalho, mas sim a liberar as pessoas do cansaço e a lhes permitir um lazer criativo. Quanto a ele, pessoalmente, retirou-se em sua mansão, aos quarenta e cinco anos, passando a dedicar-se aos seus jardins, que eram cuidados por trinta e cinco jardineiros.

O Imbecil Especializado

Para Taylor, o trabalho é uma coisa que pode ser evitada. Entre as visões do trabalho que se confrontavam naquele período, a sua era a mais liberadora e cheia de vitalidade. No final das contas, pensando bem, Taylor é mais próximo ao Lafargue do "direito ao ócio" do que ao sogro deste, Karl Marx, com seu "direito ao trabalho", ou ainda a Smith ou até mesmo ao próprio Proudhon.

Porém isto não impede que, por pelo menos cem anos, o cronômetro de Taylor e a linha de montagem de Ford tenham parcelado o trabalho até o ponto de privá-lo de toda e qualquer forma de inteligência. Marx já havia dito que "o trabalho produz coisas espirituais para os ricos, idiotices e imbecilidades para o trabalhador". Porém, a partir de Taylor, há o agravante de que o imbecil é especializado.

Quais são as teorias sociais que se enfrentam no final do século XIX e início do XX?

Para os católicos, o trabalho é uma sentença condenatória, como reafirmará a *Rerum Novarum*, em 1891. Para os liberais, é uma disputa mercantil. Para Marx, é a única possibilidade de redenção, junto com a revolução, e por isso é um direito a ser conquistado. Somente Taylor, no plano prático, e Lafargue, no plano teórico, consideram o trabalho um mal que deve ser reduzido ao mínimo, ou evitado.

As teorias sociais dessa época se diversificam segundo a posição que defendem em relação ao conflito. A burguesia teme perder o poder que acabou de conquistar com a Revolução Francesa, e assim passa a ter medo de outras revoluções. De um lado, encontram-se a teoria liberal e o cristianismo, baseados no medo do conflito. De outro, a teoria marxista, fundada, ao contrário, na esperança da revolução. Somente no nosso século, com a teoria dos sistemas e com Dahrendorf, vai se chegar a afirmar que o conflito, se contido dentro de certos limites e arbitrado pelo Estado, é útil às organizações, pois determina seu dinamismo e crescimento.

A Rerum Novarum *intervém tardiamente nesse debate ao final do século. Por que mesmo assim é importante?*

Porque é a teoria de maior difusão entre as massas católicas do final do século XIX e início do século XX. Os milhares de deserdados que aportam na América trazem consigo essa cultura. A revolução industrial na América enraíza-se tão rapidamente porque existe uma minoria, a dos patrões, que está convencida de que quem possui fortuna neste mundo a merece, já que é esta a vontade de Deus. São convictos de que Deus está do lado dos *wasp*, isto é, dos "brancos anglo-saxões protestantes". Mas se era fácil encontrar gente convicta do próprio direito de comandar, era, no entanto, difícil encontrar gente disposta a obedecer.

E, assim, essas massas católicas, impregnadas da *Rerum Novarum* que tinham ouvido em todas as igrejas, estavam convencidas de que tinham o dever de sofrer em silêncio e trabalhar. Tenha-se presente que as massas que emigraram para a América provinham sobretudo do Caribe, Irlanda, Espanha, Itália, Polônia e Hungria, todos países católicos.

O que lhes havia ensinado a encíclica?

Leão XIII estava apavorado tanto com o conflito quanto com os socialistas e os liberais. A encíclica começa assim: "Os prodigiosos progressos das artes e os novos métodos industriais, as relações mudadas entre patrões e operários, a riqueza acumulada em poucas mãos e a grande expansão da pobreza, o sentimento da pró-

O Imbecil Especializado

pria força que se tornou mais vivo nas classes trabalhadoras, assim como a união entre elas mais íntima, este conjunto de fatores, aos quais se soma a corrupção dos costumes, deflagrou o conflito..."
O papa tem plena consciência do verdadeiro motivo, pois acrescenta: "Um número muito restrito de ricos e de opulentos impôs a uma multidão infinita de proletários um jugo que é quase de servidão." Porém, para ele, tal desigualdade não justifica o conflito, que deve ser evitado de qualquer jeito, graças a algumas condições que veremos a seguir.

A *Rerum Novarum* é equânime em seu ódio contra liberais e socialistas. Destes últimos, diz: "Esta conversão da propriedade particular em propriedade coletiva, tão preconizada pelo socialismo, não teria outro efeito senão tornar a situação dos operários mais precária, retirando-lhes a livre disposição do seu salário e roubando-lhes, por isso mesmo, toda a esperança e toda a possibilidade de engrandecerem o seu patrimônio e melhorarem a sua situação."

A encíclica deixa claro, desde o começo, que a propriedade privada é um direito natural – logo, divino. E o faz com o seguinte raciocínio abstruso: como os animais têm o direito de usar as coisas, mas não de possuí-las, o homem, que é superior aos animais, deve ter um direito a mais. Por conseguinte, o direito à propriedade.

Um raciocínio, digamos, baseado na doutrina jurídico-filosófica do direito natural?

Digamos a verdade: um raciocínio ridículo. A encíclica fala a seguir da família e do Estado. Depois disso, começa a parte sobre a "necessidade das diferenças sociais e do trabalho pesado". Diz: "É impossível que na sociedade civil todos sejam elevados ao mesmo nível... o homem, mesmo que no *estado de inocência*, não era destinado a viver na ociosidade, mas ao que a vontade teria abraçado livremente como exercício agradável" – e eis o meu ócio criativo –, "a necessidade lhe acrescentou, depois do pecado, o sentimento da dor e o impôs como uma expiação: 'a terra será maldita por tua causa; é pelo trabalho que tirarás com que alimentar-te todos os dias da vida'".

Se não se aceitam as desigualdades sociais e o trabalho como expiação, nasce a luta de classes: "O erro capital na questão presente é crer que as duas classes são inimigas natas uma da outra, como se a natureza tivesse armado os ricos e os pobres para se combaterem mutuamente num duelo obstinado." E aqui o papa ataca Marx, diretamente, ainda que tome o cuidado de não o nomear.

Como se a natureza criasse alguns homens patrões e outros operários, do mesmo modo que cria raposas e galinhas. Qual é o remédio que o papa oferece como alternativa ao pensamento de Marx?

A encíclica propõe que as diversas classes entrem num acordo, em nome de um organicismo, resgatado tal e qual o de Menemio Agrippa.

O texto original, que vale a pena reportar por extenso, é o seguinte: "É necessário colocar a verdade numa doutrina contrariamente oposta, porque, assim como no corpo humano os membros, apesar da sua diversidade, se adaptam maravilhosamente uns aos outros, de modo que formam um todo exatamente proporcionado e que se poderá chamar simétrico, assim também na sociedade as duas classes estão destinadas pela natureza a unirem-se harmoniosamente e a conservarem-se mutuamente em perfeito equilíbrio. Elas têm imperiosa necessidade uma da outra:

O Imbecil Especializado

não pode haver capital sem trabalho, nem trabalho sem capital. A concórdia traz consigo a ordem e a beleza; ao contrário, do conflito perpétuo só podem resultar confusão e lutas selvagens. Ora, para dirimir este conflito e cortar o mal na sua raiz, as instituições possuem uma virtude admirável e múltipla."

E eis que se ajusta o papel superior da Igreja tanto contra os socialistas fomentadores de ódio entre as classes quanto contra os liberais: "E, primeiramente, toda a economia das verdades religiosas, de que a Igreja é guarda e intérprete, é de natureza a aproximar e reconciliar os ricos e os pobres, lembrando às duas classes os seus deveres mútuos e, primeiro que todos os outros, os que derivam da justiça. (...) O que é vergonhoso e desumano é usar dos homens como de vis instrumentos de lucro, e não os estimar senão na proporção do vigor dos seus braços." O papa, portanto, coloca-se como defensor do *status quo* e inimigo da luta de classes, propondo o cristianismo como o melhor dos meios para garantir a paz social.

Uma mensagem "conservadora", em sentido literal: almeja manter o que já existe. Porém, é preciso admitir que a Igreja, do alto da sua tradição milenar, empenha-se neste ponto em discutir uma sociedade recém-nascida: a sociedade industrial tinha então pouco mais de um século e o conflito entre o capital e o trabalho tinha se iniciado somente uns setenta anos antes, na Inglaterra.

A Igreja compreende que a indústria é sua inimiga: porque racionaliza o mundo, substitui a magia pela ciência e o raciocínio, torna vã a fé na vida depois da morte com a confiança no progresso. E o papa adverte para o perigo de que as classes pobres pretendam enriquecer. Quanto menor for o número de pobres, menor será o número de fiéis com o qual a Igreja poderá contar: de fato, nas zonas rurais, o camponês era submisso ao padre, enquanto nas cidades industriais o operário pobre se emancipava e passava da pregação dos padres à das vanguardas políticas.

Na prática, qual é a solução que a encíclica papal propõe à sociedade?

O dever do rico é, "em primeiro lugar, o de dar a cada um o salário que convém" e agir segundo "a caridade cristã". O proletário, por sua vez, faz bem em contentar-se com o que tem, pois, diz o papa, "que abundeis em riqueza ou outros bens, chamados de bens de fortuna, ou que estejais privados deles, isto nada importa à eterna beatitude: o uso que fizerdes deles é o que interessa. (...) Assim, os afortunados deste mundo são advertidos de que as riquezas não os isentam da dor; que elas não são de nenhuma utilidade para a vida eterna, mas antes um obstáculo...". Em suma, é melhor ser pobre do que rico.

Se, entretanto, a caridade dos ricos e a resignação cristã dos pobres não bastarem para evitar a luta de classes, que se recorra, então, à força pública: "Hoje, especialmente, no meio de tamanho ardor de cobiças desenfreadas, é preciso que o povo se conserve no seu dever. (...) Intervenha portanto a autoridade do Estado, e, reprimindo os agitadores, preserve os bons operários do perigo da sedução e os legítimos patrões de serem despojados do que é seu."

A Rerum Novarum *lhe parece brutalmente ditada pelas exigências do momento, ou inspirada também em valores evangélicos, digamos, eternos? No final das contas, a doutrina católica para*

O Imbecil Especializado

a sociedade industrial, cem anos depois, tem ainda algum valor ou deve ser jogada fora, completamente, como resíduo de uma época superada?

Evidentemente, o alvo dela é a sociedade que nasceu com as fábricas: o marxismo de um lado e o liberalismo do outro. Parecido com o que acontecerá depois com a *Centesimus Annus* de João Paulo II: ele também ataca os comunistas, por um lado, e o consumismo, sobretudo o americano, por outro. Também ele volta a propor o papel central da Igreja. Afirma que as desigualdades não podem ser eliminadas, que a caridade precisa ser exercida pelos ricos, e a paciência, pelos pobres.

Mas a *Rerum Novarum*, mesmo se contextualizada no período histórico em que foi escrita, continua a surpreender pelo seu conservadorismo explícito. Tomemos como exemplo esta passagem: "Certos tipos de trabalho não se adequam às mulheres, feitas por natureza para os trabalhos domésticos, os quais são uma proteção à honestidade do sexo fraco e têm natural correspondência com a educação dos filhos e com o bem-estar do lar."

Ou em outra parte, onde se lê: "Trabalhos há também que se não adaptam tanto à mulher, à qual a natureza destina de preferência os arranjos domésticos, que, por outro lado, salvaguardam admiravelmente a honestidade do sexo, que correspondem melhor, pela sua natureza, ao que pedem a boa educação dos filhos e a prosperidade da família."

É o conceito de trabalho como sacrifício e como parte central da vida. Mas toca também na ideia da divisão social do trabalho: pela primeira vez se tem consciência de que a fábrica, ao contrário da atividade agrícola ou artesanal, divide a família. E, já que deve ser dividida, é melhor que o marido vá trabalhar na linha de montagem, mas que ao menos a mulher fique em casa.

Terceiro Capítulo
A Razão do Lucro

*Dado que uma sociedade, segundo Smith, não é feliz
quando a maioria sofre... é necessário concluir que a
infelicidade da sociedade é a meta da economia política.
As únicas engrenagens acionadas pela economia política são
a avidez pelo dinheiro e a guerra entre aqueles
que padecem disso, a concorrência.*

Karl Marx

*Introduzimos algumas distrações para as crianças.
Ensinamos elas a cantar enquanto trabalham; isso as
distrai e faz com que enfrentem com coragem essas
doze horas de esforço e cansaço que são necessárias
para que obtenham os meios de subsistência.*

Relatório de um empresário durante o primeiro congresso
de filantropia de Bruxelas, em 1857

*Falávamos das ideologias da era industrial: católica, liberal,
comunista. Quais são os valores que, aos poucos, a indústria vai
destilando por conta própria?*

A fábrica, caracterizada pelos muros que a circundam e que interditam o ingresso de estranhos, destila seus princípios no interior do seu próprio universo tecnológico. Uma vez que entra na fábrica, o trabalhador não tem mais, durante o dia todo, contato algum com o exterior: não dispõe de telefone, e seu corpo e sua alma ficam segregados.

Os princípios instaurados no interior da fábrica são completamente novos em relação ao trabalho agrícola ou artesanal. E são tão fortes que, embora formulados para a oficina, serão em seguida aplicados também nos escritórios e, aos poucos, em todos os setores da sociedade. Depois da descoberta da agricultura e da criação de animais, pela primeira vez na história da humanidade repensar o trabalho significa repensar e reorganizar a vida inteira.

Não se pode organizar o trabalho na grande indústria sem obrigar milhares de pessoas, que antes desenvolviam uma outra atividade no próprio lar, a sair de casa e ir para a fábrica. Mas estes milhares de pessoas, além de modificar o próprio ritmo de produção, deverão também modificar suas relações afetivas com os outros, sua relação com o bairro em que vivem e com a própria casa.

É importante refletir hoje sobre tudo isso, pois estamos às vésperas de uma revolução nova e, igualmente, drástica: a da reorganização informática, graças ao teletrabalho e ao comércio eletrônico, que trarão de volta o trabalho para dentro dos lares e, assim, nos obrigarão a rever toda a organização prática da nossa existência.

Falamos antes da "estandardização": o princípio inventado pelo construtor de móveis Thonet. Quais são as outras leis ditadas pela indústria?

Quase todas foram escritas e aperfeiçoadas por Taylor. Alvin Toffler as sintetiza muito bem no seu livro *A Terceira Onda*. Thonet, como vimos, descobriu que, em vez de fabricar cem cadeiras, cada uma diferente da outra, é muito mais lucrativo

A Razão do Lucro

fazê-las todas iguais: o desperdício é menor, a produção é mais rápida e a menor custo. É um ciclo contínuo: se usam métodos estandardizados para fazer produtos estandardizados, vendidos a preços estandardizados. Portanto, podem ser vendidos em supermercados ou grandes lojas tipo *self-service*, em vez de lojas pequenas que mantêm atendimento personalizado ao cliente. Toda a economia é completamente reestruturada: da planificação à produção e às vendas.

Porém, para se obter a venda de produtos feitos em série, deve-se, naturalmente, padronizar também o gosto dos consumidores, fazendo-os desenvolver um gosto padrão. Até aquele momento, todo aristocrata desejava que a sua carruagem fosse "personalizada", tivesse uma insígnia original, com desenho e cor escolhidos por ele. Dali para a frente, as pessoas deverão se contentar com automóveis todos idênticos.

O emblema deste novo ciclo econômico é o Modelo T, o automóvel inventado por Ford em 1908. Até 1932, foram produzidos dezesseis milhões de exemplares que sofrem pequenas variações sucessivas, mas cuja estrutura permanece basicamente igual.

O *slogan* da Ford era: "Os americanos podem escolher carros de qualquer cor. Desde que seja preta." Um *slogan* que pressupõe uma massificação do gosto sem contestação. Hoje em dia, a Benetton não poderia jamais fazer o mesmo tipo de propaganda para os seus suéteres.

Quer dizer que a estandardização produtiva implica que as pessoas adquiram um novo valor: o desejo de se sentirem iguais umas às outras, em vez de aspirarem a ser diferentes?

Exatamente. A estandardização traz depois consigo o segundo princípio da sociedade industrial: a especialização levada às máximas consequências, muito diferente da adotada nos séculos anteriores, quando o guerreiro se distinguia do médico e este se distinguia do sacerdote. No interior de cada uma dessas profissões ainda não existiam excessivas especificações. Taylor chega ao ponto de defender que cada trabalhador deva repetir, milhares de vezes por dia, *um só* gesto (enroscar um parafuso, por exemplo, ou fixar um objeto), exatamente como fará Chaplin, ironicamente, em *Tempos Modernos*, filmado, se não me engano, em 1936.

Da especialização profissional dos cargos deriva a especialização funcional dos espaços: em lugar do armazém, onde se produzia, por inteiro, um vaso ou uma carroça, surgem departamentos adequados a cada fase da produção. Aqui se produzem só parafusos, ali só tornos e lá somente brocas.

A cidade, por sua vez, também se especializa: desenvolve-se a zona industrial, local onde se produz; os bairros residenciais, onde se descansa; os bairros comerciais, onde se fazem as compras; as zonas de lazer, lugar de diversão, etc. Trata-se da cidade funcional, tão cara a Corbusier, que a teoriza num livro de urbanística em 1923. Significa que trabalho, vida, oração, diversão e embriaguez não se encontram mais concentrados numa só casa, nem num só bairro. Agora é o ser humano que se desloca rapidamente de um lugar para o outro. E assim nascem também os sistemas de transporte da cidade moderna: metrôs, avenidas, autoestradas.

E qual é o terceiro princípio?

A "sincronização". Se fôssemos artesãos numa oficina de vasos, cada um fabricaria um vaso inteiro. Se, ao contrário, trabalhássemos numa linha de montagem, você enroscaria um parafuso e, cinco segundos depois, eu deveria apertar outro: logo, deveríamos ambos estar presentes no instante em que a cadeia se inicia. E bastaria que um de nós dois falhasse para que fracassasse toda a produção.

A fábrica sincronizada requer uma cidade sincronizada: para que todos estejam presentes na mesma hora, na própria linha de montagem (seja ela a autêntica cadeia de montagem das fábricas, seja a dos empregos burocráticos, nos escritórios), todo mundo tem que sair e voltar para casa no mesmo horário. "Na hora do *rush* até o adultério torna-se impossível" – dizia o escritor Flaiano. A cidade congestiona-se, bairro após bairro, devido ao deslocamento de todos os seus habitantes num só horário, e esse é um dos grandes desperdícios da sociedade industrial: em nome da eficiência, uma parte da cidade fica completamente deserta da manhã até a noite, nos dias úteis, e outra parte fica vazia de noite e nos feriados. Cada um de nós é obrigado a desenvolver atividades diferentes em dois ou três pontos afastados da cidade.

Além da sincronização do dia, há uma outra sincronização que vem desse período histórico: a das fases da existência. E, nesse caso, o motivo é menos claro. Por que nesse tipo de sociedade convém que as pessoas sigam uma vida estereotipada: de estudo na juventude, trabalho forçado e procriação na idade madura e coação ao descanso na terceira idade?

Comecemos da formação: nas oficinas artesanais, a criança crescia ao mesmo tempo que aprendia, com o pai ou com a mãe, e, mesmo enquanto ainda era aprendiz, já produzia. Com a divisão do trabalho, esta mistura é abolida. Também na sociedade industrial aquilo que se aprende como estagiário serve por muito tempo, de modo que a formação pode limitar-se a um tempo circunscrito. Na sociedade pós-industrial, este esquema entra de novo em colapso, pois, como as mudanças são contínuas, requerem uma formação também ininterrupta: seja na escola ou na universidade, seja, no trabalho.

Por exemplo, atualmente na escola de executivos da Telecom, a empresa estatal italiana de telefonia, os engenheiros fazem cursos de atualização que duram nove meses. Mas, no final do curso, parte do que aprenderam já se tornou ultrapassada, porque no meio tempo um novo tipo de celular ou fibra ótica foi introduzido no mercado.

Na sociedade industrial, pelo contrário, o saber acumulado na juventude, durante a formação técnica ou universitária, bastava para toda a parte da vida dedicada ao trabalho?

Sim, era calculado de modo que bastasse até a aposentadoria e até a morte.

A sociedade taylorista estabelece também que a uma certa idade, entre os cinquenta e cinco e os sessenta e cinco anos, as pessoas se tornam inúteis e são então constrangidas ao ócio forçado. Por quê?

Na verdade, antes as pessoas eram aproveitadas até o dia em que morriam. A vida média até duas gerações atrás era de trezentas mil horas, e o início da aposentadoria quase sempre coincidia com o fim da vida. As companhias de seguro, até pouco tempo, estavam financeiramente equilibradas porque as pessoas morriam quando atingiam a idade para usufruir a apólice. Os nossos bisavós trabalhavam durante quase a metade de sua vida. Na segunda metade do século XIX, a vida média dos homens era de trinta e quatro anos, e a das mulheres, de trinta e cinco: menos da metade da atual expectativa de vida na Itália.

A Razão do Lucro

Mas tem mais: segundo as hipóteses dos paleontólogos mais respeitados, o homem de Neandertal vivia em média vinte e nove anos. Portanto, a expectativa de vida entre ele e nossos bisavós aumentou somente de cinco ou seis anos, segundo o sexo, ao longo de oitocentas gerações. Agora, em apenas duas gerações, aumentou de quarenta anos, e cada um de nós trabalha só durante um décimo da própria existência.

A sincronização da cidade faz com que o horário de abertura dos escritórios públicos, bancos e fábricas seja o mesmo. Somente as donas de casa ou os aposentados podem pagar as contas ou requerer documentos em horários impraticáveis para o operário ou empregado.

A divisão sexual do trabalho e da vida tornou-se exasperada com a produção industrial. Além disso, com a sincronização das funções, foram criados métodos absurdos para o uso do tempo. Alguns trabalham demais, outros não trabalham; alguns oferecem seus serviços num horário completamente inacessível a quem os usa, já outros tiram férias exatamente quando são requisitados pelos clientes (pense nos guardiães dos museus, que são abundantes de segunda a sexta e escassos nos fins de semana e feriados. É o mundo de *Amores Difíceis*, de Italo Calvino, que descreve a história de um casal que não se encontra nunca, pois um deles trabalha de dia e o outro de noite.

Vamos voltar às donas de casa. A impressão que se tem é de que são uma espécie humana que existe desde sempre. No entanto, na Itália, onde a industrialização deu-se tardiamente em muitas regiões, os gráficos referentes à ocupação feminina mostram uma outra coisa: na Itália, até o fim da Segunda Guerra Mundial, ses-

senta a setenta por cento das mulheres trabalhavam na lavoura ou como artesãs. *As mulheres passaram a refugiar-se dentro de casa e a tornar-se invisíveis no pós-guerra. Essa nova situação é acompanhada da seguinte mentalidade: a mulher invisível faz todas as tarefas domésticas, enquanto o marido explica ao mundo: "Minha mulher? Não faz nada. É uma madame." Foi a industrialização que causou tudo isso?*

Sim. Antes, a maioria dos homens e mulheres era de camponeses e, como camponesas, as mulheres constavam das estatísticas como trabalhadoras. A indústria, como dizíamos, traz consigo uma divisão sexual do trabalho que antes não existia. E a tecnologia também extingue os poucos tipos de trabalho elementar que eram antes confiados às mulheres: por exemplo, as centrais automáticas de telefone tornaram inúteis as telefonistas, figuras tipicamente femininas.

É também nesse período que surge a figura social do desempregado?

Sim, nasce com a indústria, é a outra face do trabalho codificado. Para que se saiba que eu sou um desempregado, deve estar claro que você tem um emprego. Enquanto não surge o contrato de trabalho como funcionário, não existe nem mesmo o conceito de desemprego.

Vejamos agora a quarta lei da sociedade industrial: a maximização.

Ou melhor, um outro fruto importante da indústria: o ritmo cada vez mais opressivo do trabalho. Taylor concebe a fórmula

A Razão do Lucro

E = P/H, que quer dizer que a eficiência (E) é igual a P, de produção, dividido por H, horas de trabalho. O grande desafio do século XXI será: como aumentar a produção reduzindo as horas de trabalho. O sonho é conseguir fazer com que H seja zero, ou seja, o total desemprego. Isto já era o sonho de Aristóteles há dois mil e quinhentos anos, quando divagava: "Ah, se um dia os teares pudessem se mover sozinhos, sem o auxílio de qualquer escravo..." Hoje, o sonho de Aristóteles é realidade numa fábrica japonesa, completamente robotizada.

A principal tarefa do empresário, ajudado pelo próprio trabalhador, é reduzir cada vez mais os fatores necessários à produção. Na sociedade industrial, o principal destes fatores é o tempo, enquanto na nossa, pós-industrial, será o espaço, no sentido que com o teletrabalho poderemos produzir em toda e qualquer parte.

Um outro fator importante na sociedade industrial é a "concentração", a economia de escala: se eu compacto dez empresas de mil pessoas numa única megaempresa de dez mil pessoas, será necessário um número menor de dirigentes, de empregados, de fiscais, e o lucro será maior. Também este princípio se inverte na sociedade pós-industrial, onde a mola que impulsiona a produção é a motivação. A motivação que prevalece na micro ou na pequena empresa incrementa a criatividade, enquanto a burocracia da grande empresa, ao contrário, a sufoca.

Há ainda um último princípio da sociedade industrial do qual Toffler fala.

É a "centralização". Isto é, a organização deve ter a forma de uma pirâmide: o vértice sabe tudo e pode tudo. Entre quem pensa e quem executa, a divisão é cristalina. Quem pensa vem colocado antes ou fora da produção em série: Ford inventa o Modelo

T. A partir daquele momento, se começa a produzi-lo e não se inventa mais nada, todos devem limitar-se a executar milhões de vezes a brevíssima operação programada por Ford.

Lembre-se de que na empresa à qual estamos nos referindo a proporção entre operários e funcionários de "colarinho branco" é completamente desequilibrada a favor dos operários: na época de Marx existem quatro empregados para cada cem operários; na época de Taylor, quinze para cem. Atualmente, na IBM italiana, que é uma empresa industrial, existem dez mil dependentes, dos quais somente seiscentos são operários. Por "operários" entendemos "empregados tecnológicos", que em nada se assemelham aos operários analfabetos de tempos atrás.

Outra peculiaridade da sociedade industrial "clássica" era um mercado caracterizado por uma oferta muito inferior à procura. Os americanos que requeriam o Modelo T eram muito mais numerosos do que os automóveis que a Ford conseguia tirar do forno. Portanto, o modelo industrial era orientado para o produto.

E o sustentáculo da organização era o controle, cada vez mais aperfeiçoado, até chegar à obra-prima absoluta e mortífera, representada pela linha de montagem, que não requer nem mesmo o chefe de seção, aquele tirano que vigiava. Pois cada trabalhador se transforma, de fato, no fiscal do trabalhador que o precede: se você deve colocar o parafuso "a" e eu devo colocar o parafuso "b", não poderei colocá-lo bem e em tempo hábil se você, por sua vez, não tiver colocado bem e no tempo justo o seu.

O que significa exatamente orientado para o produto?

Significa que uma empresa produz bens ou valores e depois disso os impõe à sociedade. Não impõe apenas geladeiras e Modelos T, mas também todas aquelas leis de que falamos: sincronização,

A Razão do Lucro

estandardização, maximização, especialização, centralização e concentração. Tudo isso resumido significa "racionalização".

Trata-se da razão dos enciclopedistas do século XVIII, concentrada na racionalização que dá forma à empresa?

A fábrica expulsa tudo aquilo que não é "racional": a dimensão emotiva, estética e, em parte também, a ética. A nova lei estabelece que estas são coisas de mulher, que devem ser geridas dentro das paredes da casa. A esfera pública é gerida pelos homens, que para isso usam, justamente, a razão. A sociedade é masculina, por definição. A sociedade nunca foi tão masculina como na idade industrial.

A mulher só poderá se sentar na poltrona de quem decide se adotar para si os valores masculinos e tiver dado, sobretudo, ampla demonstração de ser capaz de assumi-los. Só se demonstrar que não é movida pela estética, ética, moderação e emotividade, valores contrastantes com o ideal taylorista do bom executivo, mas que são válidos e úteis para que se seja criativo.

Portanto, a mulher reemerge no mercado de trabalho e adquire o direito à cidadania só hoje, na nova sociedade pós-industrial, de tipo andrógino. E num tipo de profissão ligado à moda, à pesquisa científica ou ao jornalismo.

Contudo, no seu livro A Emoção e a Regra, *o senhor identifica as primeiras fissuras na filosofia industrial já no início do século XX, ou melhor, em seu pleno apogeu. O senhor estuda também o nascimento de grupos como o Instituto Pasteur de Paris ou a Wiener Werkstätte de Viena, cujos núcleos apresentariam as características da sociedade sucessiva, ou seja, a nossa, que é pós--industrial. Quais eram essas características?*

O Ócio Criativo

No mesmo ano de 1903 – em que Taylor anuncia em Saratoga, numa reunião de engenheiros, a publicação do seu livro mais importante e Ford inaugura a sua fábrica de Detroit – inaugura--se em Viena a Wiener Werkstätte. Trata-se da cooperativa, que mencionei antes, fundada por Klimt, Schiele, Hoffmann e outros gênios da arte. Ali se produz de tudo, de cartões-postais a papel de parede, de talheres a móveis, de um completo edifício a bairros urbanos inteiros. E sua produção obedece a critérios completamente diferentes daqueles de Taylor: escassa divisão do trabalho, pouca padronização, pouca especialização, pouca sincronização, pouca centralização, pouca maximização. Com resultados criativos realmente extraordinários.

Grupos como esse seriam considerados o último esplendor do artesanato do Renascimento. Em vez disso, porém, eram os primeiros germes da sociedade pós-industrial. Atualmente, uma empresa organizada nos termos de Taylor e de Ford é condenada à falência. Se, ao contrário, é organizada seguindo os princípios da Wiener Werkstätte, pode prosperar.

Junto a isso, na virada do século aconteceu toda uma série de inovações muito profundas, cuja extensão não foi totalmente percebida na época. Bem antes, Labacenskij tinha demonstrado a imperfeição do postulado sobre a reta e tinha também demolido as bases da geometria euclidiana. Em 1899, Schoenberg compõe *A Noite Transfigurada,* com a qual desmantela os pressupostos da música tonal, estabelecendo as bases da dodecafonia. Em 1900, Freud publica *A Interpretação dos Sonhos,* revolucionando toda a psicologia clássica. Em 1905, Einstein publica os seus primeiros artigos a propósito da relatividade, obrigando a uma completa revisão da ciência física. Em 1907, Picasso expõe *Les Demoiselles d'Avignon,* obra com a qual inaugura o cubismo, destrói o equilíbrio da composição e com ele a unidade per-

A Razão do Lucro

ceptiva da simetria. Em 1918, Le Corbusier concebe o Modelo Dominó, com o qual elimina, de um só golpe, todos os critérios de construção da arquitetura tradicional. Em 1922, Joyce publica *Ulisses*, com o qual substitui o romance acabado pela obra aberta. Em 1934, Enrico Fermi provoca a fissão do átomo de urânio, inaugurando a era nuclear. Em 1953, Watson e Crick descobrem a estrutura do DNA, abrindo estrada à biologia molecular, que é destinada a ser a grande ciência do século XXI.

Assim, no interior da sociedade industrial, aninham-se e crescem os germes da sociedade pós-industrial. Justamente nos campos da arte e da ciência que a indústria tinha esnobado.

Quarto Capítulo

Nem Rir nem Chorar mas Entender

> *Viemos para cá para rir ou para chorar, estamos para nascer ou estamos para morrer?*
>
> Carlos Fuentes

Vivemos num mundo novo? Ou a sociedade industrial, apesar de ter se transformado, ainda não chegou ao ponto final? A discussão entre os intelectuais prossegue. Na Itália, o senhor foi o primeiro – e permanece o mais convicto – defensor da primeira tese. Porém, curiosamente, diz também que chamar essa nova paisagem de "sociedade pós-industrial" não o satisfaz. Por quê?

Porque é uma definição cômoda, adequada a uma fase ainda confusa. Indica simplesmente que quem a usa, como eu, tem consciência de que o contexto no qual vivemos não pode ser considerado uma continuação da sociedade industrial. E que neste contexto não mudaram só alguns aspectos: mudou todo o conjunto.

Logo, quem usa o termo "pós-industrial" se dá conta da mudança, mas não consegue ainda identificar seus pontos cruciais, que são essenciais para que se possa conotá-la com exatidão.

Como eu já disse, quando se passou da sociedade rural à sociedade industrial, foram necessários muitos anos para que pudesse ser apreciado o núcleo da metamorfose que tinha se dado: nem Proudhon nem Owen, que era um proprietário de fábrica, falam de "sociedade industrial". Só na segunda metade do século XIX se tomará consciência da totalidade da mudança: não apenas dos códigos, dos modos de produzir, ou da maneira de iluminar as cidades.

Hoje nós somos igualmente lentos para compreender. Até porque a sociedade industrial veio depois de uma sociedade rural, que durou milênios, enquanto a sociedade pós-industrial chega somente depois de duzentos anos. É difícil acreditar que toda uma época histórica tenha se exaurido em apenas dois séculos. Alguns, como Alvin Toffler, se arriscam a considerar a sociedade industrial como um simples e breve parêntese entre os milênios do mundo agrícola que a precederam e os milênios do mundo pós-industrial que a sucederão.

Prevê-se já quanto tempo durará essa sociedade pós-industrial, sem que nem tenha ainda sido encontrado o modo mais adequado para denominá-la?

Negroponte sustenta que ela já acabou. Do meu ponto de vista, não podemos prever sua duração porque não conhecemos seus desdobramentos. Se um dia se conseguir clonar completamente um corpo humano, será inaugurada uma nova fase, caracterizada por problemas e fenômenos radicalmente diversos. E isto poderia acontecer, talvez, daqui a uns cinquenta anos, decretando rapidamente o fim também do nosso "mundo novo".

Não se corre o risco de "historicizar" um mundo demasiado recente, no qual estamos completamente imersos? De considerar

Nem Rir nem Chorar mas Entender

como macromudança ou salto de época acontecimentos que, com um distanciamento de séculos ou milênios, poderão revelar-se microeventos, simples ajustes?

Claro que se corre este risco. Nada porém nos garante que os ciclos históricos tenham todos a mesma duração. Entre a fase reconhecidamente rural e aquela reconhecidamente industrial houve matizes progressivos, com o predomínio ora da ignorância, ora da consciência. E é o que acontece também agora. Entre os anos 50 e 70, por exemplo, falou-se muito de "sociedade de massa". Registravam-se as mudanças e os efeitos que produzia: para uns trazia uma sensação de autorrealização; para outros, de temor. Os pensadores "integrados", ou seja, os então chamados "do sistema" (todos americanos, como Kornhauser, Shils, Bell, Brasson), constatavam que a nova sociedade preferia, escancaradamente, a democracia ao totalitarismo. Tinha apenas terminado a Segunda Guerra Mundial e três grandes ditaduras – a japonesa, a alemã e a italiana – acabavam de desabar. A sociedade industrial tinha acabado, mas a pós-industrial ainda não havia começado. Estes estudiosos constatavam que nunca, até então, o cidadão tinha participado tanto da gestão da coisa pública. E nunca se tinha chegado tão perto de derrotar algumas escravidões atávicas: a miséria, o autoritarismo, a dor, a tradição, ou seja, os grandes condicionamentos atávicos.

Por que o senhor considera a tradição uma coisa negativa?

Durante todo o período rural e na época que se seguiu, ainda que indústria fosse sinônimo de modernidade, valorizava-se tudo aquilo que as gerações anteriores tinham realizado. As tradições constituíam um elemento de persistente prevaricação do passado sobre o presente e o futuro.

Na casa da minha família, no domingo de Páscoa, comíamos legumes porque era o que tinham comido os meus avós e os meus bisavós. Existiam milhares dessas pequenas, petulantes, tenazes e retrógradas persistências do passado no nosso presente. Lembre-se de como eram consideradas a mulher e a virgindade feminina, e a importância que se dava ao nome de família, ao clã e também aos provérbios. Tudo isso perdurou ainda por muito tempo também na sociedade industrial.

Mas a indústria não tinha provocado sobretudo um desarranjo, uma revolução?

Sim, ela operou uma grande ruptura com o passado através do que chamamos de "modernismo". Pense nas artes e nos estilos arquitetônicos: a *Secessão* na Áustria, a *Art Nouveau* na França, o *Jugendstil* na Alemanha. E ainda, alguns anos depois, o racionalismo da Bauhaus e de Le Corbusier. As próprias palavras *nouveau* e *jugend* indicam salvação, liberdade.

A revolução industrial foi vivida por muitos como uma grande liberação, tanto é assim que as grandes instituições conservadoras, como por exemplo a Igreja, continuaram a ser partidárias da agricultura: a indústria era vista como uma ameaça à união familiar, pois trazia consigo bem-estar e consumismo, rompendo aquela "frugalidade" exaltada na *Rerum Novarum* e que constituía o húmus no qual a Igreja garimpava.

Mais tarde, quando também a indústria se burocratizou e as grandes empresas tornaram-se iguais a grandes ministérios, produziram também fenômenos de estagnação, tradicionalismo, obscurantismo e conservadorismo.

Nem Rir nem Chorar mas Entender

Vamos voltar àquela primeira hipótese sobre o nascimento de um mundo novo: o advento de uma "sociedade de massa", decretado pelos intelectuais americanos dos anos 50.

Os teóricos "do sistema" falam disso num sentido positivo: observam que nunca antes desse momento as massas tinham irrompido com tanta força na história humana, que até então era uma história de elites e de príncipes, de caudilhos e de governantes.

Houve vozes críticas?

Lembro-me de um belo livro de Cesare Mannucci intitulado *A Sociedade de Massa*, no qual as diversas posições eram muito bem descritas. Para simplificar, podemos dizer que na corrente dos chamados "apocalípticos" existiam os críticos "de direita" e os críticos "de esquerda".

Da direita, contra o conceito positivo de sociedade de massa, se levantavam vozes como as de Ortega y Gasset, Eliot, Raymond Aron, autores elitistas que objetam: por que o imiscuir-se das massas na gestão da democracia é um sinal de liberdade e de progresso? O voto de um sapateiro pode ter o mesmo valor que o de Sartre ou Borges? A quantidade, dizem, levou a melhor sobre a qualidade. E Ortega y Gasset chama tudo isso de "hiperdemocracia", *"rebelión de las masas"*. John Stuart Mill teria dito a seguinte frase lapidar: "Uma massa, isto é, uma mediocridade coletiva."

Da esquerda, por sua vez, surge a Escola de Frankfurt, sobretudo Horkheimer, Adorno, Marcuse e Fromm, mas aparecem também alguns radicais americanos como Wright Mills, que negam o presumido excesso de democracia e denunciam a ação dos manipuladores por trás da falsa participação popular. Segundo eles, as massas *acreditam* que se encontram no centro do sistema, mas, na realidade, são rebanhos de ovelhas, administrados pelos meios de comunicação de massa. Na verdade, a opinião do indivíduo só vale quando coincide com o parecer dos poderosos. Como observa, justamente Edward Shils, os estudiosos do Frankfurt Institut alimentavam "uma repugnância estética pela sociedade industrial". Devo admitir que eu também compartilho esta repugnância, mas acredito que a questão deva ser enfrentada com mais sangue-frio. Como diria Espinosa, "nem rir nem chorar, mas entender".

A partir de quando o senhor localiza o nascimento de um real poder condicionante por parte desses meios de comunicação de massa?

Na metade dos anos 50. A televisão já existia nos Estados Unidos. Eu me lembro que, quando um primo que vivia na Filadélfia vinha nos visitar, nós lhe perguntávamos: "Mas como é essa tal televisão?" Lembro-me também a primeira vez que vi uma televisão, em 1954 ou 1955: estava fazendo uma excursão com a minha escola em Turim e numa vitrine encontrava-se aquele aparelho reluzente diante do qual dezenas e dezenas de pessoas olhavam encantadas.

A primeira transmissão televisiva se deu em Berlim, na noite de 22 de março de 1935. Recentemente, os jornais recordaram que o nazismo sonhava com o uso generalizado da TV e que a guerra foi a única causa que desviou os recursos técnicos e econômicos desse projeto. Assim nasceu a televisão: com uma senhorita alemã, Ursula Patschke, uma empregada dos Correios, que apareceu no vídeo e anunciou aos dez aparelhos receptores que existiam em Berlim que estava tudo pronto para "fazer penetrar nos corações

Nem Rir nem Chorar mas Entender

dos camaradas do povo a imagem do Führer". Não lhe parece constrangedor? Enfatiza que a TV nasceu como instrumento de consenso e de dominação.

Na Alemanha nazista, como você disse, a televisão não foi difundida em larga escala. Porque a televisão, diferente do rádio, requer antenas de repetição visíveis, necessita de instalações complexas e grandes investimentos. Os filósofos da Escola de Frankfurt, quando falavam das massas e da mídia, não se referiam quase nunca à televisão, mas sim ao rádio e aos comícios com multidões. Como tinham fugido de países fascistas e nazistas, estudavam os meios de comunicação que eram realmente usados por aquelas ditaduras: Hitler e Mussolini usaram amplamente, além do rádio, o cinema de ficção e o documentário. Basta que nos lembremos de filmes como *Scipione l'africano* ou de documentários como aqueles realizados por Leni Riefenstahl. Sim, é verdade que a potência da mídia foi intuída e aproveitada sobretudo pelos regimes autoritários e hierárquicos. A primeira estação radiofônica criada no mundo foi a do Vaticano.

Os chamados pensadores da Escola de Frankfurt não eram contudo como o Karl Popper dos últimos anos, que já tinha mastigado, digerido e rejeitado a televisão. Eles vinham de uma experiência completamente radiofônica. E o próprio rádio já era para eles um tremendo espantalho, uma inédita possibilidade de massificação. O que aliás era verdade, pois antes do rádio um pregador, digamos um Savonarola ou Tiradentes, podia ser ouvido no máximo por alguns milhares de pessoas. Não existia, tecnicamente, a possibilidade de uma audiência maior. Ora, passou-se dos milhares aos milhões e, em alguns casos (como nas Olimpíadas ou no desembarque na Lua), atingiu-se até a casa de bilhões de ouvintes e telespectadores.

Tenha em conta, além disso, que até a metade dos anos 50 o rádio ainda era um luxo na Itália para a maioria das pessoas. Eu me lembro que no andar de baixo da nossa casa vivia uma velhinha cuja ambição de toda a vida era ter um aparelho radiofônico e nunca conseguiu. Naqueles mesmos anos chega também a televisão, um meio que surge de repente, exercendo um fascínio inaudito. Imagine uma cidadezinha italiana durante o inverno: às cinco da tarde já é escuro, os bares estão todos fechados, todo mundo está em casa. A televisão cria, de fato, a aldeia global. De uma hora para outra, oferece a todos a possibilidade de entrar por toda parte: nas ricas mansões e nos grandes teatros, até mesmo no Eliseu ou na Casa Branca. E, de repente, Bill Gates, Roberto Marinho e um camponês do Rio Grande do Sul assistem ao mesmo telejornal. Na hierarquia do meio televisivo basta possuir um televisor para ser igual aos outros. Personagens completamente desconhecidos tornam-se ídolos de uma hora para outra. Depois de dois ou três capítulos de *Terra Nostra*, Paola se torna uma estrela no Brasil inteiro. Com um simples anúncio publicitário, Megan Gale virou uma celebridade na Itália.

A televisão zera o tempo, além do espaço?

Tempo, espaço, culturas: começa a grande homogeneização. Adorno, que morre em 1969, não teve tempo suficiente para adquirir esta perspectiva: além de se interessar pela massificação, estuda sobretudo a ação massificante do horóscopo nos jornais. A televisão não entra no seu universo cultural. Todos os seres humanos aos quais Adorno se referia tinham nascido num mundo sem televisão.

Eu mesmo vivi dezoito anos sem televisão, enquanto as minhas filhas tiveram acesso a ela desde o nascimento, e minha neta nasceu num universo já completamente informatizado e telemático. São portanto três etapas rapidíssimas: rádio, televisão, informática, todas ao longo de um único século. Três etapas que conduzem a três níveis progressivos de informação e de homogeneização.

A propósito dessa dialética entre tradição e inovação: antes o senhor dizia que a indústria e a sociedade industrial, que nasceram modernistas, se tornaram um obstáculo ao progresso quando se burocratizaram. O que significa para uma empresa "se burocratizar"?

Significa, acima de tudo, impedir a criatividade. Os sistemas públicos administrativos já nascem burocráticos, é a natureza deles. Com a indústria é diferente, pois ela se torna burocrática contra si mesma. Se a empresa se expande e o trabalho se torna repetitivo, padronizado, estandardizado, a burocratização avança de uma maneira muito rápida: as grandes indústrias se transformam em grandes ministérios, não existe muita diferença entre a Fiat e o Ministério das Finanças italiano.

Sobrevivem velhas tradições e criam-se novas: além do presépio, passa-se a decorar também a árvore de natal para os filhos dos funcionários. Estas ainda são, contudo, tradições locais. Mas o advento da televisão fará com que todo e qualquer patrimônio antropológico se propague, atingindo completamente a reserva planetária: acabam organizando um carnaval numa cidadezinha de Connecticut, imitando o carnaval carioca.

Referimentos, citações são características da cultura pós-moderna.

O pós-moderno é exatamente a cultura da sociedade pós--industrial. Em todo sistema social podemos identificar os elementos de base, elementos estruturais, superestruturais e culturais. Numa nação, por exemplo, os elementos de base são a população, o território e a modificação destes.

Elementos estruturais, mais ou menos como o esqueleto do corpo humano, são a distribuição do trabalho e a distribuição da riqueza: quantos trabalham, quantos são desempregados, quantos são os pobres, quem ganha e quem gasta, se prevalece a agricultura, a indústria ou o setor terciário.

Depois disso vêm os fatores superestruturais, que têm a ver com a divisão do poder: democracia ou ditadura, sistemas eleitorais, o poder das elites formais. Mas têm a ver também com o poder das elites informais, tais como atores famosos, líderes religiosos, professores universitários, etc.

Por fim, restam os fatores culturais: a cultura *ideal* de um povo (língua, ideologias, preconceitos, etc.), a cultura *material* (bens imóveis e móveis, como máquinas, etc.), a cultura *social* (usos, costumes, protocolos, modas, tradições, inovações, etc.).

Junto a todos esses elementos existem os fatores de solidariedade (pactos, clãs, religiões, etc.) ou de conflito (disputas entre ideologias, sexos, gerações).

Se a mudança que invade a sociedade é uma mudança de época, incide então em *todos* esses aspectos, ao mesmo tempo. Ora, nós, que estamos no meio de uma mudança de época, chamamos a nossa cultura de "pós-moderna" porque vem depois da "moderna". Do mesmo modo que a sociedade "pós-industrial" vem depois da sociedade "industrial".

O pós-moderno, repito, é a dimensão cultural da sociedade pós-industrial. A esse respeito têm-se à disposição textos fundamentais como *Crítica da Modernidade*, de Alain Touraine, ou *Cultura da Modernidade*, de David Harvey, ambos publicados nos anos 90.

Nem Rir nem Chorar mas Entender

Vamos voltar justamente ao mundo em que vivemos. No começo o senhor dizia que nos anos 50 os intelectuais americanos se deram conta de que a sociedade nascente provocava temor em algumas pessoas. É uma característica do mundo pós-industrial fazer com que as pessoas se assustem, se sintam menos seguras de si, mais desorientadas?

Diante da mudança, dois tipos de reação são sempre possíveis: euforia ou temor. Diante da possibilidade de gerar um filho com técnicas artificiais, por exemplo, há quem se entusiasme, porque vê nisso tudo uma grande oportunidade: oferecer também aos casais estéreis a possibilidade de procriar. E há quem se atemorize, vendo nisso tudo uma subversão da natureza.

Esses dois comportamentos sempre existiram. Por exemplo, a Igreja no início rejeitou a teoria de Copérnico e até mesmo a luz elétrica, assim como nos anos mais recentes não viu com bons olhos o cinema, a televisão, o telefone celular e a biotecnologia.

Há sempre quem veja em toda e qualquer inovação só o aspecto de subversão das leis da natureza. Pessoas que prefeririam uma cultura imóvel como a natureza. Porém, observando bem, a própria natureza se move com grande velocidade. Nem existe mais no mundo um lugar sequer que não tenha sido alterado pela civilização ou pela poluição.

Porém, a gangorra entre euforia e temor parece ser particularmente intensa nestes últimos anos, porque grandes dilemas bioéticos precisam ser resolvidos: reprodução artificial, fronteira entre vida e morte...

A mudança assusta sempre. E assusta tanto mais quanto mais se aproxima do âmbito genital, no sentido etimológico da palavra, isto é, da origem da vida. Parece-nos a violação de uma esfera sagrada, porque desconhecida. Como eu já disse, adquirimos relativamente tarde, só há sete mil anos, a consciência de que, para ter filhos, os machos também eram necessários. E esta esfera, circundada de mistério e sacralidade, permaneceu como o tabu mais inviolável, quase como se não dependesse de fatores físicos, mas somente da intervenção divina. Imaginar que até o amor, que é uma emoção, possa depender de fatores bioquímicos atormenta todo aquele que tenha escolhido o atalho explicativo feito de sagrado e mistério.

Afirmar que "tudo depende de Deus" é uma explicação cômoda: não há nada que deva ser feito, pode-se cruzar os braços. Em muitas culturas, transforma-se em fatalismo. Tome, por exemplo, as testemunhas de Jeová, que afirmam: "A saúde me vem de Deus, se ele quiser me salva, portanto não devo interferir com tratamentos, nem transfusões."

No entanto, a história da humanidade é a história da intervenção humana na natureza para domá-la. Para isto desviamos rios, inventamos o para-raios, casas e remédios. Há quem veja e tema nessa domesticação a sua dimensão aterrorizante. Outros, no entanto, e eu me encontro entre eles, valorizam a sua dimensão salvadora. Não excluo os perigos do progresso tecnológico, porém dou maior peso aos seus aspectos positivos. Por exemplo, o fato de o homem ter conseguido duplicar a duração da própria vida me parece uma conquista extraordinária. E como teria realizado tal feito sem o auxílio tecnológico?

Quinto Capítulo

"Jobless Growth" e "Turbocapitalismo"

O amor pelo dinheiro como possessividade... será reconhecido por aquilo que é: uma paixão doentia, um pouco repugnante, uma daquelas propensões em parte criminosa e em parte patológica, que geralmente são delegadas, com um frio na espinha, ao especialista em doenças mentais.

John Maynard Keynes

Dar um nome ao mundo novo, como o senhor dizia, é ainda difícil. Mas quais são as interpretações que a esse respeito foram se acumulando nestes últimos anos?

Alguns pensadores enfatizam sobretudo a passagem de uma economia de produção para uma economia de serviços. São sociólogos, economistas e especialistas em informática. Porém nenhum deles chega a afirmar que esta seja a única característica da metamorfose. Consideram-na, entretanto, um aspecto importante. Daniel Bell, em seu livro *The Coming of Postindustrial Society* (O advento da sociedade pós-industrial), se pergunta qual seria a possível data de nascimento da sociedade pós-industrial e escolhe 1956. Nesse ano, pela primeira vez num país do mun-

O Ócio Criativo

do – os Estados Unidos –, o número de trabalhadores do setor terciário, isto é, o setor que oferece serviços, superou a soma do número de trabalhadores dos setores industrial e agrícola.

Para outros estudiosos, a nossa sociedade é simplesmente aquela que, mais do que qualquer outra anterior, tem que se encarregar dos problemas ligados à ecologia, porque é uma sociedade capaz de ver o planeta como um sistema fechado, finito. Logo, um sistema que não poderá suportar tudo, mas somente um "desenvolvimento sustentável". Esta visão é compartilhada por personalidades como Illich, Schumacher e Goodman e pelos grupos de pessoas que colaboram com revistas como *The Ecologist* ou *Resurgence*.

Já Jeremy Rifkin, autor de *O Fim do Trabalho*, merece um lugar à parte. Também ele, como eu, pensa que o trabalho de tipo tradicional continuará a diminuir cada vez mais e que, portanto, teremos sempre mais tempo livre. Rifkin elabora a hipótese de que o uso do tempo se dará sobretudo através de ocupações voluntárias: a sociedade do tempo livre estará, diz ele, empenhada em atividades que não mais produzam riqueza, mas solidariedade.

Por que temos hoje uma consciência diversa dos limites da Terra?

Graças aos novos meios de transporte e de comunicação, a nossa sociedade se percebe, pela primeira vez, como uma aldeia global. Através do telejornal, podemos entrar em contato com Nova York, Tóquio, Sydney ou Nova Déli, num intervalo de poucos instantes. É uma visão quase tátil da "finitude" do nosso planeta.

Além disso, para o imaginário coletivo, houve um outro fato determinante: o Sputnik. Foi no ano de 1957, e, pela primeira vez, foi possível perceber-nos como um conjunto que podia ser fotografado, em poucos minutos, de todos os lados. Pela primeira

"Jobless Growth" e *"Turbocapitalismo"*

vez nosso planeta nos apareceu como um mundo completo em si mesmo, como um objeto que podia ser contemplado a distância. A impressão seguinte, igualmente traumática, foi determinada pela primeira viagem à Lua. Para resgatar uma percepção tão extraordinária como essa, talvez seja preciso retroceder até o trauma epistemológico provocado por Copérnico e pelo declínio da visão geocêntrica do universo.

E, também neste caso, mais impressionante que ver Neil Armstrong pisando no pó lunar era poder ver a Terra no fundo, de longe, verde-azulada.

Exatamente. Nós tivemos, pela primeira vez, uma visão do planeta diferente daquela do Ulisses dantesco que ultrapassa as colunas de Hércules. Aquele Ulisses tinha a sensação de que, para além das colunas, abria-se o infinito. Enquanto nós, filhos do Sputnik, "sabemos" que a Terra é finita. A isto se acrescenta a ação educativa dos ecologistas, que começaram a quantificar tecnicamente os recursos do planeta e a prever o seu esgotamento.

"Recursos": para alguns riqueza, para outros pobreza. Ao menos oitocentos milhões de seres humanos sofrem hoje, no mundo, de subnutrição crônica. E o Banco Mundial constatou, recentemente, que a crise das Bolsas asiáticas fez com que o número de pessoas pobres, que vivem no máximo com um dólar por dia, voltasse ao nível de 1987.

Porém, há somente trinta anos, a percentagem de seres humanos subnutridos (em números relativos) era mais do que o dobro: passamos de 70% de famintos para 30%. Na realidade, estamos condicionados por uma teoria sobre a relação entre desenvolvimento e subdesenvolvimento. Esta teoria era correta para os anos 60, mas, trinta anos depois, só é parcialmente válida: a tese de que o desenvolvimento progressivo de países como o nosso, que aderiram à OCDE (Organização para a Cooperação e o Desenvolvimento Econômico), provoque um progressivo atraso e subdesenvolvimento nos países do terceiro mundo. Era a ideia, então correta, de sociólogos africanos e latino-americanos como Samir Amin, Gunder Frank, Fernando Henrique Cardoso, o atual presidente do Brasil, e Gino Germani.

Germani eu conheci bem, porque depois de ensinar em Harvard e Buenos Aires tornou-se professor de Sociologia na Universidade de Nápoles, onde eu também lecionava.

Por que a teoria daqueles sociólogos terceiro-mundistas – a do desenvolvimento como usurpação – tornou-se hoje infundada, ao menos em parte?

O produto interno bruto do planeta aumenta a um índice superior a 3% ao ano. E a riqueza atinge até mesmo as zonas mais pobres: talvez sob a forma de remédios e alimentos com a validade vencida, ou ainda sob a forma de anticoncepcionais. Enquanto os países ricos continuam a progredir, existem alguns países que eram pobres no passado e entraram numa via muito rápida para o desenvolvimento: na Coreia, Cingapura, Taiwan e Malásia, o perfil do PIB, que já dura alguns anos, registra um aumento anual de 10%.

São países que hoje se acham numa situação equivalente à da Inglaterra do século XIX, com a mesma exploração dos trabalhadores. Posso parecer cínico, mas isso significa, mesmo assim, um alvorecer de progresso. Até porque, em relação à velha Inglaterra, esses países vivem um outro tipo de desenvolvimento, além

"Jobless Growth" e "Turbocapitalismo"

do industrial: o desenvolvimento dos meios de comunicação, graças ao qual podem ter notícias e ser informados, em tempo real, sobre o que acontece em outras partes do planeta.

Desse modo, os conflitos de classe que sacudiram a Coreia, dez anos depois do início da sua industrialização, são mais ou menos equivalentes aos que sacudiram a Inglaterra, cem anos depois da invenção da máquina a vapor: diminui o tempo que dura a exploração, assim como aquele necessário para que se deflagre a rebelião.

Além disso, existem partes da América Latina, do centro e do sul da Índia e da China que estão caminhando numa direção semelhante. Imagine que a China já ocupa o quinto lugar no mundo, depois da Itália, em relação ao número de turistas estrangeiros que visitam o país. Apenas há dez anos, ocupava a décima terceira colocação. A China significa um bilhão de pessoas (um sexto da humanidade), com uma população ativa de quatrocentos e cinquenta milhões de trabalhadores, com uma boa educação e habituados à disciplina de um comunismo duro, como o de Mao.

A questão é que as exigências dos países ricos mudaram: antes precisavam de matéria-prima, agora necessitam de mão de obra e mercado para suas exportações. É exploração? Sem dúvida. Mas, apesar disso, é uma exploração inferior à exploração colonial, na qual as grandes potências se apropriavam das matérias-primas e reduziam as populações nativas à escravidão. Representa, portanto, uma melhora, nem que seja pelo simples motivo de que o trabalho é de alguma forma remunerado.

Mas a manifestação de Seattle contra a OMC (Organização Mundial do Comércio), em dezembro de 99, finalmente colocou na ordem do dia, para a mídia, o problema do trabalho infantil, que

O Ócio Criativo

até aquele momento merecia a atenção só de algumas organizações humanitárias. Um caso flagrante é, por exemplo, o das crianças, sobretudo as asiáticas, que ganham um dólar por dez horas de trabalho, fabricando os tênis com os quais nós fazemos jogging.

Em 1992, o salário anual de um simples empregado de meio expediente da Nike, nos Estados Unidos, era superior à soma dos salários de todas as moças da Indonésia que no mesmo período tinham trabalhado nas empresas fornecedoras da Nike americana. Nos últimos vinte anos, a Nike transferiu suas fábricas primeiro para a Coreia e Taiwan e, depois, quando os trabalhadores desses países começaram a se sindicalizar, para a China e para a Tailândia, onde os salários são ainda mais miseráveis.

Ainda assim há alguma coisa que não me convence nessa batalha "civil" que os países ricos empreenderam contra o trabalho infantil no terceiro mundo. Esses mesmos países enriqueceram, na sua primeira fase de industrialização, graças também à exploração intensa da mão de obra infantil. Basta recordar a longa batalha de Owen, no início do século XIX, para impedir que as crianças inglesas trabalhassem mais de dez horas por dia nas minas, onde eram tratadas como animais. Por que é que esses países, depois que ficaram ricos, descobrem o humanitarismo e passam a exigi-lo dos países pobres? Não existirá por trás disso uma intenção velada de reduzir o potencial produtivo dos países pobres e, com isso, reduzir suas possibilidades de desenvolvimento?

Além disso, eu me pergunto: se essas crianças não trabalhassem (mesmo que seja nas péssimas condições nas quais são exploradas), o que fariam? Frequentariam uma escola Montessori? Teriam outras oportunidades de conseguir uma renda melhor? Morreriam de fome? Ou seriam obrigadas a se prostituírem para sobreviver? Uma criança que leva para casa um salário, ainda que

"Jobless Growth" e "Turbocapitalismo"

mínimo, numa família subproletária reduzida à fome, tem de qualquer forma uma certa força contratual e goza de algum respeito.

Não quero ser mal entendido: estou longe de defender a exploração do trabalho infantil, porém trata-se de uma praga que muda de significado quando é olhada com a ótica de quem morre de fome.

Voltemos à relação entre países ricos e países pobres. O que o senhor está dizendo é que o terceiro milênio será uma idade áurea: que a redistribuição mundial do trabalho implicará uma progressiva redistribuição da riqueza do planeta?

Deixemos em paz a idade áurea. A única coisa certa é que o primeiro mundo comprará, cada vez mais, o esforço humano do terceiro mundo e ainda pagará baixos salários por ele.

A produção se miniaturizou: um avião cargueiro transporta milhões de *chips* de um lado para o outro do mundo, o que faz com que o custo do transporte incida sempre menos sobre o custo total. Na Itália, uma hora de trabalho custa vinte e quatro dólares, no Brasil, doze, em Cingapura, sete, na China, um, e na Malásia, sessenta e cinco centavos de dólar. Logo, produzir na região do Vêneto, em vez de produzir em Pequim, mais cedo ou mais tarde se tornará um suicídio.

Quando falamos de pobreza alarmante, somos vítimas de um efeito ótico: será que, como somos cada vez mais ricos, nos impressiona e incomoda muito mais a miséria dos outros?

Sim. Até porque os meios de comunicação de massa nos exibem essa miséria cotidianamente: sem a televisão, o que poderíamos saber sobre a pobreza do norte da Índia ou da seca no

Sahel? O que sabiam nossos bisavós a respeito? Porém o desespero que vemos estampado nos rostos desses "danados da terra" não é um efeito ótico: permanece com uma realidade nua e crua que grita por vingança.

É um efeito ótico como o da imigração, que nos traumatiza, porque agora são os albaneses, romenos, poloneses, norte-africanos que desembarcam na Itália, enquanto no passado éramos nós, italianos, que partíamos com os navios rumo aos Estados Unidos ou para a América Latina?

Os imigrantes nos parecem ser tão numerosos e, no entanto, são apenas um milhão e meio de pessoas: um quinquagésimo da nossa população.

Na avaliação do grau de riqueza e de pobreza, hoje se usam novos parâmetros, inclusive ambientais: ar, água, florestas. O empobrecimento da África subsaariana vem frequentemente sintetizado pela figura da mulher que sai para catar a lenha necessária para cozinhar. Tempos atrás, levava três horas. Hoje em dia, devido ao desmatamento, dois dias.

O problema da África continua sendo terrível porque possui uma economia primitiva, agrícola e pecuária. Porque não controla a natalidade e porque é vítima de uma exploração persistente por parte do exterior e dos conflitos tribais no seu interior.

Na realidade, territórios como a África Central ou a Amazônia, que detêm o patrimônio florestal, isto é, o oxigênio de todo o planeta, deveriam dizer aos outros países: "Vocês querem oxigênio? Paguem por ele. Por cada árvore que produz oxigênio e que nós preservamos, vocês devem nos pagar uma determinada quantia."

"Jobless Growth" e "Turbocapitalismo"

Foi a tentativa, fracassada, de um tratado durante a ECO 92, no Rio de Janeiro.

Deveriam afirmar: "Se não me pagam, cada dia destruo tantos quilômetros de floresta. Morro eu, mas vocês também morrem." O desmatamento deveria ser usado como um arsenal, do mesmo modo que os países ricos ameaçam com suas bombas atômicas. Por outro lado, não devemos mistificar a presumida virgindade da natureza. Estive várias vezes na África e no Brasil: os rios são poluídos, o tráfico urbano polui, são poluídos o ar e as águas. Uma aldeia cheia de estrume e de moscas é poluída ou não?

Outra miséria que aumenta é a urbana: a tendência na África, no Brasil e na América Central é a do êxodo rural continuado. Desloca-se em direção à metrópole, que se "faveliza". A pobreza urbana não é pior do que a de quem vive no campo, na montanha ou na floresta?

Não. Porque na cidade existe a televisão – nas favelas brasileiras a maioria dos barracos tem uma. É verdade que assistem só às novelas. Mas é melhor parar com essa nossa atitude esnobe. O morador da favela que assiste a uma série americana descobre que existe um mundo feito de luxos bem diferente do dele. Confronta-se com isso e fica com raiva: é o início da tomada de consciência, que não pode brotar se não houver confronto, se o pobre não puder se comparar ao rico. E além disso nem tudo é seriado americano. A novela *Terra Nostra*, de enorme sucesso no Brasil, propôs um modelo de vida solidária, bem diferente daquele da série americana, repleta de sexo, competição e violência. Além disso, em alguns países, e o Brasil é um exemplo, a televisão oferece, sempre com maior frequência, programas cul-

O Ócio Criativo

turais que difundem o saber de maneira muito mais eficaz que os livros escolares.

Para definir uma tendência da economia atual, Edward Luttwack, famoso especialista americano de estratégia política e econômica, cunhou o termo "turbocapitalismo". Esta expressão e o conteúdo que evoca exercem algum fascínio aos seus olhos?

Antes de mais nada, me parece muito curioso que o "turbocapitalismo" encontre tanta aprovação por parte dos governos europeus de esquerda e preocupe os economistas e politicólogos americanos, não só os radicais, mas também alguns conservadores.

Para que entendamos do que estamos falando, é necessário voltar alguns passos na nossa história recente. Durante setenta anos perdurou a disputa entre dois sistemas econômicos e políticos, o comunismo e o capitalismo. A queda do Muro de Berlim sancionou a vitória do segundo, que com isso adquiriu um excesso de confiança eufórica em relação ao livre mercado, à concorrência e à competitividade. Os últimos dez anos do século XX serão recordados como o período mais influenciado pelo liberalismo.

Os capitalistas aperfeiçoaram no mundo todo uma estratégia precisa, guiados por Reagan, nos EUA, e por Thatcher, na Grã-Bretanha. Com um grande uso da mídia, elaboraram uma campanha para atacar tudo que é público: burocracia, empresas estatais, transportes, previdência social e ensino. Obtiveram assim a privatização dos setores mais lucrativos da economia e compraram a baixo preço as ações das sociedades privatizadas: companhias de transporte ferroviário, eletricidade, telecomunicações, tudo aquilo de maior valor dos patrimônios estatais.

Como se não bastasse, fizeram de forma a receber de volta o dinheiro que tinham pago ao Estado, na forma de incentivos

"Jobless Growth" e "Turbocapitalismo"

fiscais ou empréstimos a baixo custo e com prazos a perder de vista. Depois disso, começaram a reduzir os custos nessas empresas privatizadas, realizando fusões e demitindo empregados. Desta maneira, acumularam quantias imensas de dinheiro, usando inclusive a desculpa de que as grandes somas são indispensáveis para realizar investimentos produtivos e voltar assim a aumentar a oferta de empregos. Mas na verdade, tanto nos Estados Unidos como na Europa, os investimentos privados diminuíram, em vez de aumentar.

E aonde foram parar esses lucros?

Em parte, em fabulosas *stock options*, ou seja, opções de compra das ações das empresas por parte de seus dirigentes em função das suas gestões. Isto fez com que os resultados fossem incrementados ao máximo pelos mesmos dirigentes que se dispuseram a realizar estas operações: a renda do presidente da Coca-Cola, por exemplo, superou 100 milhões de dólares anuais, a do presidente do Travelers Group, 200 milhões, e a do presidente da Walt Disney, 350 milhões de dólares.

Mas a maior parte da riqueza acumulada foi investida no mercado financeiro, isto é, na Bolsa, onde o rendimento é rápido e não apresenta os riscos da iniciativa empresarial e o estresse da administração de uma sociedade ou companhia. Homens culturalmente sem pátria, desobrigados de qualquer pacto de lealdade, seja em relação a funcionários dependentes, seja à assim chamada remissão empresarial, jogam todos os dias cifras astronômicas naquela Las Vegas planetária que é a Bolsa de Valores: uma Las Vegas aberta 24 horas, porque, quando fecha Tóquio, abrem Londres, Milão e Zurique, quando fecham Londres, Milão e Zurique, abrem Wall Street e São Paulo.

O Ócio Criativo

É o reino – em acelerada expansão – da economia imaterial. Quem não joga na Bolsa se vê submetido a um mundo incompreensível e ameaçador, que mais parece um espantalho agitado todas as noites pelos telejornais. Quem, por outro lado, possui o seu pacote de títulos de investimentos fica eufórico ou se deprime, segundo o andamento das cotações, mas se sente o tempo todo como uma peça no tabuleiro do destino e dos corretores, que a movem como querem.

Mas mesmo para quem não joga na Bolsa foi inventada uma engrenagem igualmente aleatória e voraz para drenar o dinheiro das pequenas poupanças: a Loto, a Loteria Esportiva e uma gama inteira de jogos que servem de Bolsa de Valores dos pobres. Representam uma bolsa gerida diretamente pelo Estado, que arrecada bilhões a cada ano, acalentando o sonho de todo cidadão: virar, da noite para o dia, sem esforço e risco, um novo tio Patinhas.

E enquanto tudo isso acontece, os meios de comunicação de massa prosseguem com sua campanha destrutiva contra tudo que é público, propagando periodicamente a ideia de que a economia acha-se estagnada, que há uma crise galopante, que os empresários estão com a corda no pescoço e que nos encontramos às vésperas de um colapso global.

Em vez disso, analisemos os fatos. Eu me limito a alguns dados, que dizem respeito à Itália mas que são representativos para todos os países que integram a OcDe. Em 9 de agosto de 1999, a Mediobanca divulgou o seu relatório anual, ou seja, a análise de maior credibilidade sobre a saúde das nossas empresas. O *Corrière della Sera* comentou: "A Itália das empresas é cada vez mais rica, graças também à contribuição do Fisco, que reduziu a mordida." E leu-se em *La Repubblica*: "Nunca em toda sua vida as empresas italianas ganharam tanto como agora." E estou citando dois jornais que, com certeza, não podem ser acusados de bolchevismo. Se até

"Jobless Growth" e "Turbocapitalismo"

esses dois veículos admitem que os empresários ganharam rios de dinheiro, não resta nenhuma dúvida a respeito. Mas quanto é que ganharam exatamente? Também sobre isso os dados são claros: em 1994 os lucros acumulados foram de um bilhão de euros; em 1997, 7,6 bilhões, e em 1998, 11,7 bilhões. O que quer dizer que nos últimos anos os empresários italianos embolsaram 53% a mais do que em anos passados. E, apesar disso, continuavam a se queixar.

Como é óbvio, nem todos tiveram a mesma sorte: os do setor industrial faturaram uma cifra próxima à do ano anterior, e os do setor terciário, 7% a mais. Mas absolutamente todos os setores, independentemente do faturado (isto é, do dinheiro que entrou em caixa), viram os lucros (isto é, o dinheiro que foi para o bolso de cada um, uma vez subtraídos despesas e impostos) aumentarem de uma maneira desmedida.

Vamos esclarecer como isso se deu?

Como eu estava dizendo, os empresários obtiveram empréstimos a juros cada vez mais convenientes, gozaram de incentivos fiscais sempre maiores (de 2 pontos para as empresas industriais e pelo menos 10 pontos para as empresas do setor terciário) e demitiram um número sempre crescente de trabalhadores (60.000 pessoas em três anos). Em poucas palavras, a este maior ganho dos empregadores correspondem uma grande diminuição da receita estatal, um aumento do desemprego e um decréscimo da qualidade de vida dos trabalhadores.

Passemos agora a decifrar os sinais que vêm do outro lado do *front* do mercado de trabalho, isto é, a questão do emprego. No mesmo dia em que foi divulgado o relatório da Mediobanca, a Eurostat publicou os seus dados oficiais, que evidenciaram que

O Ócio Criativo

os países europeus não conseguem se ver livres de um índice médio de desemprego de 10,3%. Porém, a média italiana chega aos 12% e na faixa dos jovens com menos de 25 anos este índice atinge a casa dos 32%, igualando o recorde espanhol.

Portanto, ponto a mais ou ponto a menos, o fato é que avança de uma maneira cada vez mais irreversível o fenômeno do desenvolvimento sem emprego e sem trabalho em curso na Itália. A riqueza aumenta e a oferta de empregos diminui. Os ricos se tornam cada vez mais ricos e menos numerosos, enquanto os pobres aumentam em número e pobreza. Recentemente, Billé, presidente da Confcommercio (Confederação dos Comerciantes Italianos), denunciou que a totalidade da classe média italiana perdeu, em um ano, 11% do seu poder aquisitivo. O mesmo ocorreu nos Estados Unidos, onde a classe média perdeu 15 pontos no poder de compra num intervalo de quinze anos, enquanto os milionários se tornaram despudoradamente cada vez mais ricos.

Com a diferença de que, na América, o desemprego é mitigado seja com as novas profissões, seja com empregos precários, de baixa qualidade. Além disso, é camuflado sob uma nuvem de fumaça de estatísticas improváveis. Nós, na Itália, não blefamos com as estatísticas e, infelizmente, até mesmo os nossos setores "de ponta", como o da tecnologia da informação, não conseguem oferecer nem mesmo 20.000 novos empregos por ano.

O senhor dizia antes que o comportamento dos governos de esquerda em relação ao "turbocapitalismo" o desconcerta. Eles lhe parecem, realmente, assim tão aquiescentes?

No seu belo livro, *O Futuro do Capitalismo*, Lester C. Thurow escreveu: "Todos aqueles que governam no atual sistema, por mais que possam ter uma ideologia de esquerda, do ponto

"Jobless Growth" e "Turbocapitalismo"

de vista social, são conservadores, o sistema os escolheu como governantes e portanto isso significa que o sistema é *justo*."

Ao contrário, são os ricos que passam a considerar conveniente realizar reformas sociais abrangentes, desde que sejam eficazes na eliminação de movimentos revolucionários: "Foi um aristocrata conservador alemão, Bismark, quem inventou a aposentadoria para os de idade avançada, além da previdência social, durante a penúltima década do século XIX. Foi o filho de um duque inglês, Winston Churchill, quem concebeu o primeiro grande sistema de assistência pública aos desempregados, em 1911. Foi um presidente que tinha origem patrícia, Franklin Roosevelt, quem ideou o *welfare state*, que salvou o capitalismo americano do colapso.

Nos países capitalistas, quanto mais fracos são os partidos de esquerda, maiores chances têm de chegar ao governo: de fato, quando não obtêm a maioria dos votos para conquistar o poder, são obrigados a estabelecer alianças com forças da direita, pagando este apoio com uma política conservadora.

Além disso, as esquerdas ex-comunistas vivem esta descendência com um complexo de culpa e acabam sendo tentadas a ser ultraliberais, contanto que sejam perdoadas.

E mais ainda, sejam de direita, sejam de esquerda, os ministros responsáveis pela área econômica continuam a ter esperanças de que o desemprego possa ser debelado com a clássica arma dos novos investimentos e para isso fazem a corte aos empresários, oferecendo-lhes incentivos fiscais e empréstimos a prazos indeterminados. Apesar disso, os empresários investem cada vez menos e, quando o fazem, preferem jogar na Bolsa, comprar um robô ou abrir uma fábrica num país do terceiro mundo.

Tínhamos partido das diversas teorias sobre a sociedade pós--industrial, mas fizemos um desvio e acabamos numa viagem

O Ócio Criativo

planetária. Portanto, voltemos para casa: em 1985, o senhor publicou A Sociedade Pós-Industrial, *um livro que na Itália já está na décima segunda edição e que, atualmente, vem sendo muito difundido na América Latina. Este seu livro constitui, justamente, uma espécie de "súmula" das teorias elaboradas a partir dos anos 50 em todo o mundo, sobre a nova sociedade. Por que o senhor achou necessário produzir e oferecer uma visão panorâmica?*

Preparei aquele livro com a ajuda de uma excelente equipe de colaboradores. Desejava que os leitores italianos e sobretudo os meus alunos dispusessem de um instrumento que lhes permitisse colocar-se a par, no menor tempo possível, de uma cultura que o movimento operário de italianos tinha praticamente impedido de conhecer.

Nós permanecemos partidários do movimento operário por uns quinze ou vinte anos a mais do que os outros países. Na Itália, em nome da ditadura do proletariado e de um impossível poder operário, ainda se atirava com armas de fogo no meio da rua até a metade dos anos 80. Numa época em que, nos Estados Unidos, toda a literatura sobre os crimes de "colarinho branco" estava encerrada e digerida a nossa literatura operária encontrou um filão fundamental nos *Quaderni rossi* (Cadernos vermelhos), revista que nasceu não por acaso nos anos 60 em Turim.

Turim é a única grande cidade italiana que permaneceu predominantemente industrial. Se há trinta anos você tivesse perguntado pelas ruas de Milão: "Qual é a personalidade mais importante da sua cidade?", lhe teriam respondido: Pirelli ou Falk. Hoje lhe responderiam que é Giorgio Armani, Silvio Berlusconi ou o Cardeal Martini. Em Milão, os poderosos não são mais aqueles que produzem bens materiais, como Pirelli ou Falk, mas sim os que se relacionam com bens imateriais. Enquanto que, em Turim,

"Jobless Growth" e "Turbocapitalismo"

Agnelli, com a sua Fiat, continua sendo até hoje o grande poderoso de trinta anos atrás.

Somente numa cidade ligada de maneira tão autodestrutiva ao ramo industrial, e que por isso se deteriora dia após dia com a decadência da indústria, podia nascer um fenômeno como o dos *Quaderni rossi*, uma revista cujas ideias, linguagem e estética tinham cem anos de idade. Não foi por acaso que dali vieram depois os filões mais intransigentes da cultura do operariado: *Lotta continua* e *Potere operaio* (Luta permanente e Poder operário). Num clima em que sindicalistas e reformistas eram alvo de metralhadoras, como poderiam ter se difundido as teorias pós-industriais?

Naquela época se usava a expressão "racionalizadores do sistema". Este era o modo como eram definidos aqueles que preferiam simples ajustes em vez da revolução. Segundo o senhor, quais os estudiosos que eram assim considerados?

Sim. Na prática, os reformistas eram considerados servos do poder, mas com estranhas e incompreensíveis diferenças. Sabe-se lá por quê, Bell era considerado como tal e Touraine, não. Portanto, para mim foi realmente uma emoção quando, nos últimos anos, começaram a aparecer artigos de Bell no *l'Unità*, que continuava a ser o jornal dos comunistas italianos.

Pós-industrial e pós-moderno são vocábulos que, nos anos 80, eram recorrentes sobretudo na linguagem do PSI (Partido Socialista Italiano) de Craxi.

A minha formação é marxista, mas, embora nunca tenha me inscrito no PCI (Partido Comunista Italiano), sempre lhe dei meu

voto, como já declarei publicamente. Em 1976, cheguei a ser candidato ao Parlamento, por Nápoles, na lista dos independentes de esquerda. Obtive treze mil votos. Isto não me impediu de reconhecer a carga de modernização por trás do advento de Craxi. Recordo-me de seu discurso, no momento da sua ascensão, no qual dizia: "Não é culpa minha se a Itália caminha em direção a um mundo sem camponeses e sem operários."
Isto soava como música aos meus ouvidos, porque finalmente correspondia à realidade sociológica do nosso país. Pensava com os meus botões: pelo menos estes socialistas se atualizam, enquanto o PCI não decola, porque permanece amarrado a uma ideia de sociedade industrial, que se tornou inconsistente. Durante aqueles anos, numa reunião do comitê central do PCI, votou-se o uso da expressão "pós-industrial". Acabou sendo suprimida do documento final, como se fosse uma heresia.
Lembro-me que Antonio Ghirelli, então diretor do jornal *Avanti!*, me convidou a realizar uma análise de tudo isso para um editorial.

Aquela desconfiança em relação ao conceito de pós-industrial ainda não foi superada. Há quem insista que ainda existem seis milhões de operários na Itália – embora não sejam mais os protagonistas –, mas deles ninguém mais fala. Assim sendo, isto indicaria que a sociedade industrial, com suas contradições e conflitos, ainda está de pé. Falar de sociedade pós-industrial, como o senhor faz, seria um modo de escamotear o problema e evitar o debate sobre esse tipo de exploração da pessoa humana.

Seis milhões de operários são um pouco mais de 25% do total de trabalhadores na Itália. E é necessário atentar para aquilo que

"Jobless Growth" e "Turbocapitalismo"

fazem: não se trata mais de operários que soldam, torneiam, deslocam pesos com os bíceps. Muitos deles trabalham com o computador. Não usam mais as mãos, mas a cabeça. Fazem um trabalho intelectual. Eles executam, é claro, não criam, mas ainda assim usam a cabeça. E isto significa que, como categoria, estão destinados a desaparecer, a serem expulsos, pois a maquinaria continuará a substituir, aos poucos, uma boa parte do trabalho de execução, seja manual, seja intelectual. O resto desse trabalho fugirá, como eu dizia, para Cingapura, China, ou para a Albânia, onde a mão de obra custa vinte vezes menos do que na Itália.

Queiramos ou não, devemos saber que o único tipo de emprego remunerado que permanecerá disponível com o passar do tempo será de tipo intelectual criativo. Para quem não estiver preparado para isso, o futuro será sinônimo de desemprego, a não ser que se adote um novo modelo de vida, com uma redistribuição de renda e trabalho baseada em critérios totalmente inéditos, como estão fazendo na Holanda, onde 36% da população ativa trabalham só meio expediente.

E, neste ponto, não devemos deixar mal-entendidos. Os países pobres se modernizam, o que faz aumentar o número de empregos (sempre relativamente, pois na África, por exemplo, existem ainda milhões de pessoas que sequer sabem o que significa trabalhar como empregado). No nosso mundo desenvolvido, no entanto, o trabalho de execução decresce numa progressão geométrica, enquanto o de tipo criativo cresce – e crescerá – somente numa progressão aritmética.

Um colega do senhor, que também é muito conhecido aqui na Itália, Aris Accornero, afirma que o trabalho braçal não desapareceu de forma alguma, simplesmente deslocou-se do setor industrial para o setor de serviços. Accornero lembra os 600.000

O Ócio Criativo

empregados em firmas de limpeza, ou ainda os caminhoneiros, cujo trabalho consiste em transportar mercadorias ao longo de autoestradas, percorrendo trajetos invariáveis, o que recorda bastante a linha de montagem. Um trabalho "de operário", diz ele, e com o qual ninguém se preocupa.

Eu estaria louco se negasse que existe ainda uma massa numerosa de operários e trabalhadores manuais. A questão é que eles não encarnam mais problemas universais, deixaram de ser uma "força revolucionária" e não são mais "centrais" na estratégia para que se consiga pôr fim à exploração. Esta estratégia passa, agora, sobretudo pela mão de obra do terceiro mundo e pela "mente de obra" do primeiro mundo.

De todo modo, o fato é que o trabalho manual não aumenta e sim diminui, enquanto o intelectual aumenta. Como eu já disse, nos tempos de Marx, de cada cem dependentes de uma fábrica, noventa e seis eram operários e só quatro eram executivos. Hoje, num grande número de empresas, noventa são executivos e só dez, operários. O trabalho manual dentro das empresas é sempre mais delegado às máquinas, o que, além de ser economicamente conveniente, reduz o potencial de conflitos.

Certamente uma parte do trabalho necessário às empresas é contratado fora: um exemplo é a limpeza. E garçons, garis, lavadores de pratos nem sempre são substituídos por máquinas, porque a mão de obra do terceiro mundo é muito barata. Porém, seja fora ou dentro da indústria, o trabalho manual é, no seu conjunto, cada vez mais delegado às máquinas. A tecnologia coloniza cada vez mais o trabalho de nível inferior e está começando a colonizar também o de nível alto.

Há alguns anos, um arquiteto que projetava casas tinha uma equipe de jovens estagiários que desenhavam as plantas e cal-

"Jobless Growth" e "Turbocapitalismo"

culavam as estruturas de cimento armado. Atualmente basta inserir no computador um programinha e obter tudo já pronto.

Também o número de pessoas ligadas ao trabalho doméstico e aos cuidados pessoais diminuiu: babás, governantas ou enfermeiras. Como o horário de trabalho se reduz, aumenta o tempo livre e, assim, as pessoas têm menos necessidade de contratar alguém para cuidar do filho ou dos pais idosos, ou ainda para fazer a faxina doméstica. A limpeza de casa passará a ser feita por cada um de nós, com o auxílio de eletrodomésticos sempre mais eficazes, inteligentes e flexíveis.

Quer dizer que, quando reflete sobre o futuro, o que lhe interessa é a tendência?

Sim. Cada produto que usamos hoje traz consigo muito menos fadiga humana: com quatorze horas de trabalho humano, a Fiat fabrica, atualmente, o mesmo produto que, há quinze anos, fabricava em cento e setenta horas. Para fabricar uma máquina de escrever mecânica, a Olivetti empregava oitenta horas de trabalho humano. Hoje, para que se construa um computador pessoal, bastam trinta e cinco minutos. Agora até um frango contém mais tecnologia do que carne.

Uma estudiosa francesa calculou que 50% da produção européia são imateriais. Nas indústrias manufatureiras dos países da OCDE, o pessoal empregado diminui de um por cento ao ano. Nas grandes empresas, o índice desta diminuição chega a 4%.

No passado também houve épocas e regiões nas quais o trabalho era uma miragem: na virada do século XIX para o século XX, milhões de pessoas abandonaram a Polônia, a Irlanda, a Itália, a Hungria, partindo numa aventura, enfrentando a incógnita do oceano para tentar a sorte nos Estados Unidos, Canadá, Argentina ou

Brasil. Mas hoje, seja do lado de cá, seja do lado de lá do Atlântico, a busca por um trabalho é uma empreitada quase desesperada.

E será encontrado, mais cedo ou mais tarde, um remédio para esse desespero?

Em primeiro lugar, é preciso colocar o coração de lado. Vale recordar o ditado que diz que o que não tem remédio remediado está. Nos escritórios, oficinas e fábricas, a maior parte dos empregos que desapareceram, durante os últimos vinte anos, nunca mais voltará a existir. Entre as pessoas demitidas, muitas produziam coisas que têm cada vez menos utilidade, como, por exemplo, o aço. Outras produziam coisas que agora são realizadas perfeitamente por máquinas, tais como a montagem e o processo de pintura dos automóveis, a retirada de dinheiro em espécie das caixas bancárias, as análises clínicas, a distribuição das passagens ferroviárias, etc. Outras ainda prestavam serviços a outras pessoas, coisas que hoje cada um faz por conta própria, como um teste de gravidez ou o abastecimento de combustível em muitos países.

A maioria dos economistas sustentava, até poucos anos atrás, que as máquinas não provocam desemprego. É uma tese que perdeu a validade?

Durante muitos anos a tecnologia fez com que deixassem de existir alguns empregos para os seres humanos, mas ao mesmo tempo criou outros e em maior proporção. Para projetar e construir máquinas eram necessários, de fato, outros tipos de trabalhadores. Além disso, a riqueza produzida graças às máquinas era reinvestida na criação de outras fábricas ou usada para o consumo. Em ambos os casos, direta ou indiretamente, contribuía

"Jobless Growth" e "Turbocapitalismo"

para aumentar a oferta de emprego. Porém, com o advento da eletrônica, sobretudo com a introdução dos microprocessadores, esse equilíbrio se rompeu e os empregos que desaparecem com o uso da tecnologia não são mais compensados por novos investimentos e novos tipos de emprego.

Os economistas que não se atualizaram sobre o andamento do progresso tecnológico ficaram ancorados na velha teoria. Mas Marx já tinha entendido isso, desde 1844, com um século e meio de antecedência "Como o operário foi degradado a ponto de tornar-se uma máquina, a máquina pôde se apresentar como sua concorrente."

Tanta ignorância tem consequências particularmente graves, porque muitos desses economistas são "conselheiros do príncipe".

Até o momento, quais são os remédios que vêm sendo experimentados nos países ricos afetados por esse problema?

Todos os ministros do Trabalho lançaram campanhas de criação de emprego. A receita do momento: aperfeiçoar o modelo para inventar novos empregos. Atendo-se às cifras, algumas dessas campanhas tiveram certo sucesso: a América, o Japão e alguns países europeus produziram mais de cinquenta milhões de novos empregos, num prazo de vinte anos.

Mas, ao se analisar o que realmente aconteceu, as conclusões são bem menos entusiasmantes: a maior parte dos novos empregos consiste naquele tipo que os americanos chamam, sarcasticamente, de *hamburger-flipping jobs*. Trata-se de trabalhos de meio expediente, de baixa qualidade e baixa remuneração, realizados, em sua grande maioria, por imigrantes. Em suma, quando um país se vangloria de ter criado novos empregos, deveria revelar também o número de empregos suprimidos no mesmo espaço de tempo.

Uma coisa completamente diferente é o *part-time*, que talvez represente a única forma de redistribuição do trabalho que possa ser aceita pelas empresas. Graças a esta solução, os países com as mais baixas taxas de desemprego são exatamente aqueles que têm um maior percentual de pessoas que trabalham em regime de meio expediente: na Holanda são 36% da população ativa, na Inglaterra, 22%, e nos Estados Unidos, 20%.

O esforço dos vários governos se resume a isso? O senhor não acha que a França de Jospin traçou um caminho mais inovador, no contexto das esquerdas europeias?

Perseguidos e ameaçados por uma tecnologia onívora, que devora com a mesma velocidade tanto as tarefas atribuídas aos operários quanto aos funcionários ou aos executivos, os governos, em vez de reduzirem drasticamente o horário de expediente e o número dos cargos, reduziram as taxas e impostos a serem pagos pelos empregadores, incentivaram os investimentos estrangeiros nos próprios países, exumaram mais uma vez formas gangrenadas de protecionismo e incentivaram a flexibilidade contratual.

Jospin representa a única exceção: é de esquerda e como tal agiu, procedendo com muito mais cautela nas privatizações, defendendo as classes fracas e reduzindo o horário dos expedientes, apesar das manifestações em praça pública realizadas pelos empresários. Os jornais italianos, todos alinhados com Clinton, fizeram passar em branco a política de trabalho desenvolvida por Jospin até que os efeitos positivos das 35 horas semanais os obrigaram a admitir o fato: durante 1989, o número de empregados na França aumentou em 2,5%.

Só muito recentemente vem se difundindo a exata percepção de que a sociedade pós-industrial, de forma diferente das socie-

"Jobless Growth" e "Turbocapitalismo"

dades rural e industrial que a precederam, é caracterizada por uma progressiva delegação do trabalho a aparelhos eletrônicos e por uma relação cada vez mais desequilibrada entre o tempo dedicado ao trabalho e o tempo livre (evidentemente, um desequilíbrio que favorece este último).

Quer dizer que o adolescente está hoje condenado ao desemprego?

As máquinas, por mais sofisticadas e inteligentes que sejam, não poderão jamais substituir o homem nas atividades criativas.

Portanto, a aventura de buscar trabalho terá maior probabilidade de sucesso quanto mais conhecimentos o candidato tiver e for capaz de oferecer serviços de tipo intelectual, científico e/ou artístico, adequados às necessidades sempre mais variáveis e personalizadas dos consumidores. "O futuro", publicou a *Newsweek*, "pertence àqueles que serão mais capazes de usar as próprias cabeças do que as próprias mãos", ou seja, a pessoas que se dedicarão à análise de sistemas, à pesquisa científica, à psicologia, ao *marketing*, às relações públicas, ao tratamento da saúde, à organização de viagens, ao jornalismo e à formação, isto é, educação nos campos que acabei de enumerar. Estas são as atividades do futuro, em lugar da guerra, do petróleo ou da fabricação de geladeiras.

Vamos voltar ao adolescente do qual estávamos falando: parece que ele deverá aceitar o fato de que o "emprego fixo" é uma instituição superada. Mas será realmente positivo bani-lo?

Há algum tempo fui convidado a participar de uma mesa-redonda sobre a flexibilidade. Um bispo que fazia parte do grupo de discussão atacou ferozmente a ideia do emprego fixo, acalmando-se somente no momento em que eu lhe perguntei se o cargo de bispo é fixo ou precário.

E recentemente o nosso primeiro-ministro também afirmou que "é passada a época do emprego fixo, hoje se cria ocupação, inclusive com trabalhos de curta duração. (...) É necessário que se crie a possibilidade de que a empregos temporários se sigam outros empregos temporários".

Esta questão, portanto, tornou-se um suplício. Fala-se disso desde os anos 70: os primeiros a fazê-lo foram os economistas e os sociólogos especializados na área do trabalho, depois os grandes jornais também começaram a martelar a questão. Em fevereiro de 1979, por exemplo, as revistas *Il Mondo* e *Le Nouvel Observateur* publicaram uma longa matéria, com chamada na capa, que era provocadoramente intitulada: "Ser desempregado será ótimo." Em junho de 1993, a revista *Newsweek* publicou outra matéria igualmente longa com um título explicitamente significativo: "Jobs" (Empregos). E em setembro de 1994 a revista *Fortune* publicou, por sua vez, uma grande pesquisa chamada "The End of the Job" (O fim do emprego). E por aí vai.

Hoje, impulsionada pela maré liberal, em todos os países nos quais governa, a esquerda renunciou à batalha de tentar oferecer ao maior número possível de trabalhadores uma ocupação que seja *digna por ser segura*. Não obtendo a maioria das cadeiras parlamentares, ela é obrigada a solicitar o apoio da direita, que, em contrapartida, obtém a cruel liquidação dos direitos adquiridos dos trabalhadores após anos de luta. Nunca a esquerda esteve tão fraca e ao mesmo tempo nunca ocupou tantos governos como agora.

Para os trabalhadores de muitos países permanecem válidas as observações feitas por Schulz há um século e meio: "Milhões de homens conseguem obter os meios de subsistência estritamente necessários somente por meio de um trabalho cansativo, física-

"Jobless Growth" e "Turbocapitalismo"

mente desgastante, moral e espiritualmente deturpante. Eles são obrigados até a considerar como uma sorte a desgraça de ter achado um tal trabalho."

Até o momento, qual é a receptividade que tiveram as suas ideias sobre o desenvolvimento sem trabalho?

O meu artigo "Jobless Growth" data de 1963, mas as teses nele contidas foram esnobadas. Por sorte, dois anos depois, foi publicado *O Fim do Trabalho,* de Jeremy Rifkin, e assim as mesmíssimas teses foram finalmente objeto de notícia. No nosso país dão muito mais ouvidos a um autor americano do que a um autor italiano. Ninguém é profeta em sua terra.

No livro que já citei, Lester C. Thurow escreve: "Os eternos baluartes do capitalismo – o crescimento, o pleno emprego da população, o aumento dos salários reais, a estabilidade financeira – parecem estar desaparecendo ao mesmo tempo em que também estão desaparecendo seus inimigos." Os economistas, os especialistas em ciências políticas e os sociólogos europeus são menos honestos que os americanos na denúncia dos paradoxos do atual modelo capitalista. Mas quase todos, do lado de cá ou do lado de lá do oceano, asseguram que o desemprego pode ser combatido com o aumento dos investimentos. Os dados estatísticos os contradizem pontualmente. mas eles não os consultam e seguem pela estrada que eles traçaram, uma estrada que agrada especialmente os empresários.

A redução do horário dos expedientes de trabalho é vista como uma reivindicação extravagante da extrema esquerda, e enquanto isso todos os assessores da área econômica e social são escolhidos a dedo entre os especialistas adeptos de uma estreita observância dos princípios liberais.

O senhor está dizendo, então, que quem se empenha numa leitura pós-industrial do problema do desemprego e do trabalho na Itália é classificado de "racionalizador do sistema", como há trinta anos, ou é taxado de "esquerdista extremado". O primeiro teórico americano da sociedade pós-industrial foi Daniel Bell. Ele também foi vítima de ostracismo por parte da cultura italiana?

Sim, e o caso é curioso. O livro de Bell, *The Coming of the Post-Industrial Society* (O advento da sociedade pós-industrial), quando publicado em 1973, tornou-se imediatamente um *best-seller* na América. Foi traduzido no mundo inteiro. O grupo Edizioni di Comunità comprou os direitos para a língua italiana, porém nunca chegou a traduzi-lo e publicá-lo. E assim os leitores italianos foram os únicos que não puderam ler Bell.

A publicação de um outro grande profeta pós-industrial, Adriano Olivetti, sofreu um embargo parecido. O *copyright* de sua publicação é da Fundação Olivetti, que não a reedita nem permite que outros voltem a publicar os ensaios de Adriano. Requisitei permissão para voltar a editar *A Cidade do Homem*, mas me foi negada. Obviamente, não acredito que se trate de um complô, mas somente de desleixo e miopia por parte de quem dirige essas instituições antiquadas.

Segundo Bell, quais são os fatores que confirmam a passagem da sociedade industrial para a pós-industrial?

Em primeiro lugar, a passagem da produção de bens à produção de serviços. Em segundo, a crescente importância da classe de profissionais liberais e técnicos em relação à classe operária. Em terceiro, o papel central do saber teórico ou, como dirá Dahrendorf mais tarde, o primado das ideias. Em quarto lugar, o

"Jobless Growth" e "Turbocapitalismo"

problema relativo à gestão do desenvolvimento técnico: a tecnologia tornou-se tão poderosa e importante, que não pode mais ser administrada por indivíduos isolados e, em alguns casos-limite, nem mesmo por um só Estado. Em quinto, a criação de uma nova tecnologia intelectual, ou seja, o advento das máquinas inteligentes, que são capazes de substituir o homem não só nas funções que requerem esforço físico, mas também nas que exigem um esforço intelectual.

Estes são o que Bell chama os "cinco princípios axiais" da nova sociedade. É incrível que ele os tenha identificado e teorizado já no final dos anos 60!

SEXTO CAPÍTULO

Bem-Vinda Subjetividade

A desvalorização do mundo humano aumenta em proporção direta com a valorização do mundo das coisas

Karl Marx

Estes são os meus princípios. Se não lhes agradam, tenho outros.

Groucho Marx

O livro de Alvin Toffler, A Terceira Onda, de que já tratamos anteriormente, deu muito o que falar durante os anos 80. Mas Toffler também enfrentou dificuldades antes de obter credibilidade. Por quê?

Porque o tomaram por um jornalista. Mas ele, de fato, é um grande sistematizador. A primeira edição de seu livro data de 1980 e eu fiz de tudo para que fosse traduzido imediatamente na Itália. Mas a editora que se interessou não conseguiu chegar a um acordo na obtenção dos direitos autorais. Foram vendidos milhões de cópias deste livro em todo o mundo, mas na Itália chegou só muitos anos depois da primeira edição americana.

A abordagem de Toffler é interessante porque não apresenta arestas. Como epígrafe ao livro, ele escolheu dois versos de Carlos Fuentes: "Viemos aqui para viver ou para chorar, estamos por morrer ou por nascer?" É interessante, porque é exatamente esta a dupla visão que paira sobre a sociedade pós-industrial.

O Ócio Criativo

E conclui da seguinte forma, reinvocando um apelo dos pais fundadores: "Portanto, somos nós, aqui, a ter a responsabilidade da mudança. Devemos começar por nós mesmos, aprendendo a não rejeitar antecipadamente o novo, o surpreendente, aquilo que parece ser radical. Isto significa afastar os destruidores de ideias, que apressadamente reprovam qualquer proposta nova como irracional. Eles defendem tudo aquilo que já existe como racional, independentemente de quanto possa ser absurdo ou superado. Isto significa lutar pela liberdade de expressão e pelo direito de manifestar as próprias ideias, mesmo quando heréticas, e isto significa iniciar já este processo de reconstrução, antes que a ulterior degradação dos sistemas políticos faça retornar nas praças o totalitarismo, tornando impossível uma transição pacífica rumo à democracia do século XXI. Se começarmos agora, nós e nossos filhos poderemos participar da reconstrução não somente das nossas obsoletas estruturas políticas, mas de nossa própria civilização. Como a geração dos revolucionários do passado, nós temos um destino a criar."

Qual é o cerne do "novo mundo" para Toffler?

Para ele, na mesma linha de Braudel, a História se move por grandes ondas. Identifica os princípios da sociedade industrial que já enumeramos: sincronização, estandardização, etc. Os mesmos princípios que Touraine tinha unificado no paradigma da "racionalização".

Para Toffler, aquelas leis conduziram à exaltação nacionalista, à volta para o imperialismo e à subordinação de todos os aspectos da vida humana à indústria: "cidades, religiões, famílias", diz ele, "foram todas redesenhadas em função do grande deus maléfico Moloch, a indústria".

Bem-Vinda Subjetividade

Como se chega a isso que ele chama de "terceira onda"?

Através da análise do desenvolvimento tecnológico. Ele analisa as novas descobertas energéticas, as tecnologias complexas, os satélites, as novas possibilidades de exploração das profundezas mais abissais e a engenharia genética. Estudar tudo isso significa estudar também a influência de medicamentos e de novos materiais na evolução da espécie humana.

Numa primeira fase, o homem utilizava somente materiais que a natureza lhe oferecia: a madeira ou o barro, por exemplo. Em seguida, começou a criar novos materiais, unindo aqueles que já existiam: por exemplo, o latão, que é uma liga de cobre e zinco. Vivemos muitos milhões de anos construindo apenas utensílios compatíveis com os materiais de que dispúnhamos. Depois de algum tempo nos demos conta de que, se o material de que necessitamos não existe na natureza, pode ser inventado por nós.

Para construir o motor Fire, por exemplo, é necessário um tipo de porcelana particularmente resistente. Nós hoje fabricamos primeiro este material e só então produzimos o utensílio, isto é, o motor. A adoção de novos materiais é um dos sinais mais característicos da sociedade pós-industrial.

Neste sentido, foi dado um outro salto de qualidade em relação aos anos 20 ou 30, quando foram inventados os primeiros tecidos artificiais, como o náilon?

Aquele foi o primeiro passo. O que caracteriza a nossa época é igualmente a quantidade: os atuais materiais inventados superam muito aqueles que já existiam *in natura*. E pesam a resistência e os custos. Graças ao plástico, dispomos da esferográfica. Os escritores de outrora, nas grandes viagens, tinham que car-

O Ócio Criativo

regar consigo incômodas valises com tudo de que necessitavam para escrever.

Toffler identifica um outro elemento importante na sociedade pós-industrial: a subjetividade.

Sim, e a contrapõe à massificação precedente, feita de uniformização do coletivo e das modas. Se há algumas décadas todas as mocinhas desfilavam com o blusão da *dolce vita*, porque era o que usava Brigitte Bardot, hoje em dia cada uma quer vestir-se como bem entende.

Mas também isso acontece, explica Toffler, porque as máquinas o permitem. Ford obrigava os americanos a comprarem um automóvel preto. Por quê? Porque as máquinas usadas para construir os carros de então, as linhas de montagem, eram tão rígidas, que, para trocar os pulverizadores, pincéis e cores, o custo seria elevadíssimo, impedindo a venda do carro por novecentos dólares. Em determinado momento, entretanto, surgem os carros feitos a controle numérico, ou seja, o computador aplicado aos robôs passa a permitir que o robô borrife vernizes amarelos, vermelhos ou verdes, sem alteração do custo.

Os modismos não servem mais, pelo contrário, de benéficos tornaram-se prejudiciais às vendas. Produzir carros com cores diferentes implica vender mais carros. Eis então dois fenômenos muito importantes: os robôs permitem a produção de bens muito mais variados que os precedentes e, enquanto a empresa Omega era obrigada a produzir só relógios iguais, a empresa Swatch pode produzi-los com as formas e cores mais variadas. Os consumidores mais aculturados, graças aos livros, ao rádio e à televisão, podem escolher o relógio, o suéter, o carro, a moto, as férias, o filme, tudo com base no gosto pessoal, sobretudo o estético. A escolha torna-

Bem-Vinda Subjetividade

-se infinita. E assim cada um cultiva a própria subjetividade. Este novo modelo de produção, significativamente, vem sendo chamado de *marketing oriented*, ou seja, orientado para o mercado.

Os consumidores dos anos 80 e 90 reparam muito na marca, gostam muito das grifes: vestem Yves Saint-Laurent, Calvin Klein, Giorgio Armani, e querem que isso seja notado. Chegam ao paroxismo de usar vestidos, bolsas, sapatos com a sigla ou a assinatura dos estilistas impressa e à vista, em profusão, por todos os cantos. Mas é um fenômeno que não se limita ao vestuário. Isto seria subjetividade? A subjetividade é nossa, como consumidores, ou nós a vivemos por procuração, fazendo de Bulgari ou Versace nossos delegados?

A insegurança social existirá sempre. Quem compra um artigo com grife deseja ser amparado, protegido. Às vezes, a grife pode ser um jogo: Krizia ou Benetton ampliam suas grifes nas camisetas e as transformam em motivos ornamentais que, em última análise, são publicidade para eles mesmos e que nós, consumidores, divulgamos sem obter qualquer compensação. Mas resta o ponto fundamental: nós, quando desejamos comprar um blusão, temos uma escolha infinita de cores e modelos, uma variedade que nem sequer Lourenço, o Magnífico, com seu exército de alfaiates, podia se permitir durante o período do Renascimento.

A subjetividade é um fenômeno complexo. Significa que eu possuo uma tal autonomia de julgamento, que posso me permitir uma escolha baseada nas minhas necessidades e recursos, e não no fato de pertencer a algum grupo. Com o tempo e com o crescimento da nossa subjetividade de consumidores, as grifes e os estilistas tiveram que diversificar a oferta. Agora, cada casa de produção de moda apresenta uma grande variedade de estilos, e cada um de nós flerta livremente, autonomamente, com marcas e estilos diversos. Com uma desenvoltura impensável há uns vinte anos.

O senhor acredita que construir a vida toda e não somente o próprio armário, como um patchwork, seja um fenômeno generalizado, não só restrito a uma elite?

É de fato um fenômeno generalizado. Nós vivemos construindo para nós mesmos combinações e arranjos pessoais. Por um motivo objetivo: a tecnologia nos permite isso. E também por um motivo subjetivo: todos nós somos mais viajados, mais lidos, logo, temos melhores condições para nos orientarmos sozinhos. Talvez seja um fenômeno oscilante, mas, se o observamos num intervalo de vinte ou trinta anos, constatamos que certamente está em ascensão. Quase todos os estudiosos do fenômeno estão convencidos deste fato: a subjetividade está crescendo.

O homem sempre oscilou entre dois desejos: o de se distinguir e o de homogeneizar. Após duzentos anos de homogeneização forçada, industrial, hoje a tecnologia nos permite diferenciar-nos. E é o que fazemos.

Mas quanta subjetividade se adquire com o consumismo, com o ter em vez do ser?

Muito do que é o ser penetra através do ter. Ter dois discos, um de Keith Jarrett e outro de Beethoven, em vez de um só ou nenhum, significa abrir-se a dois mundos musicais completamente diversos.

Retornemos a Toffler e a seu conceito de "desmassificação".

Toffler fala de "desmassificação" da mídia. Um processo que

Bem-Vinda Subjetividade

a informática leva às últimas consequências: com o computador e a Internet, você pode ter acesso a todos os bancos de dados do mundo e a todas as bibliotecas. Pode construir o programa, a combinação que bem entender, pode comunicar-se com quem quiser, como e quando quiser. Com o tempo, a hierarquia entre as pessoas não será mais entre quem possui mais e quem possui menos, mas entre quem sabe usar melhor ou não sabe usar bem estes recursos, obviamente com a condição *sine qua non* de dominar o inglês.

Um outro aspecto da nossa sociedade que Toffler observa é o do "ambiente inteligente": isto é, a massa de memória que, graças ao computador, esta época consegue armazenar.

Por fim, aborda a possibilidade de se trabalhar em casa: portanto, o retorno ao lar graças ao teletrabalho e as relações virtuais entre colegas de trabalho, amigos e parentes.

Uma outra observação importante que ele faz é que nós estamos aprendendo a conjugar pequeno e grande, individual e coletivo. O artesanato era pequeno e bonito, depois chegou a indústria grande e feia. Hoje nós conjugamos de forma indistinta as duas dimensões: fazemos compras no supermercado e encomendamos um móvel sob medida a um carpinteiro. Até chegar à figura que Toffler define como *"prosumer"*: o *"producer-consumer"*, ou seja, o produtor-consumidor.

Na sociedade pré-industrial, tudo aquilo que consumíamos era produzido por nós mesmos: o pão, o macarrão, os vestidos, tudo. Na sociedade industrial, o produtor se distingue do consumidor: compramos o macarrão feito pela Barilla. "Na sociedade pós--industrial", diz Toffler, "verificam-se dois fenômenos: os meios de produção (pequenas tesouras, pequenas soldadoras, pequenos computadores) se miniaturizam, tornando-se cada vez mais utilizáveis no ambiente doméstico, e passamos a ter mais tempo livre. E, assim, pintamos nós mesmos as paredes da nossa casa ou cortamos a grama. Às vezes fazemos escolhas mistas: preparamos um bolo no forno caseiro, mas compramos os legumes já descascados e cortados."

Passa-se da estandardização dos anos de 1960 – ou filé mignon ou enlatado da Simmenthal – ao patchwork *de hoje: canelone com massa feita em casa, mas com recheio comprado já pronto?*

Exatamente. Eu gostaria, porém, de adicionar outras duas observações a estas de Toffler. Tudo isso se combina com um outro fenômeno dos anos atuais: o de esculpir o próprio corpo. Nós transformamos em simples hipótese o que antes era dado por certo, como algo imposto e definitivo. Hoje, se meu nariz não me agrada, faço uma cirurgia plástica. Se sou gordo, decido emagrecer. Se pertenço a um sexo, masculino ou feminino, posso decidir passar para o outro.

Essa possibilidade de interferir num número imenso de aspectos implica outras consequências, que Toffler analisa só parcialmente. Uma, de caráter psicológico, é a passagem progressiva da personalidade de tipo edípico à de tipo narcisista. A este propósito, são de grande interesse os estudos de Christopher Lasch. Narciso confronta-se sempre consigo mesmo: ao se olhar no espelho, ele vê um jovem da sua mesma idade, mas não sabe que é ele próprio.

Enquanto as gerações rurais e industriais confrontavam-se com as gerações precedentes – com os pais –, hoje os jovens se confrontam mais entre si do que com os pais (e toda aquela série de temas sobre a morte da família dizia respeito a este ponto). Os que têm a mesma idade são pessoas com as quais se acaba chegando a um acordo ou compromisso, enquanto os

Bem-Vinda Subjetividade

pais, no passado, eram pessoas que se suportava ou se imitava. Se em relação aos pais existiam a fé, a fidelidade, em relação aos companheiros de idade existe o contrato. Deste modo, passamos de uma sociedade fundada na fé a uma outra cada vez mais contratual.

Passados quase vinte anos da publicação de A Terceira Onda, Alvin Toffler voltou a ser alvo de ataques: Furio Colombo o cita, junto com Bill Gates e Negroponte, como os *"mestres perversos"*, pela Internet, daqueles fanáticos que se suicidaram em massa na Califórnia.

Colombo retomou uma tese já esboçada, se não me engano, por Noam Chomsky, que sustenta que certas degenerações comportamentais nos Estados Unidos dependem do excesso de poder intelectual desses três personagens.

Chomsky pertence àquela restrita *intellighentzia* americana que é perene e meritoriamente do contra: de comunistas como Sweezy a radicais como ele próprio e Gore Vidal. São elitistas de esquerda, muito europeizados, com desconfiança em relação a tudo que seja moderno. Acabam, sob vários aspectos, por ser conservadores.

Na realidade, Toffler, Bill Gates e Negroponte simplesmente trabalham no campo da informação e sabem, com muita antecedência, o que acontecerá neste setor hoje de ponta. Além disso, Bill Gates é um empresário. Por razões óbvias, identifica-se com o próprio produto. E é um pioneiro *sui generis*: que não tem nada a ver com o velho modelo de empresário-cientista, tipo Edison, ou de empresário-engenheiro, tipo Ford.

A autobiografia de Bill Gates é cheia de fervor moral. Mas isso é típico no mundo empresarial americano: a biografia de Lee Iacocca, por exemplo, é cheia de "milagres". Contei dezenas

O Ócio Criativo

deles: Iacocca inventa um nome para um novo modelo de carro e – milagre! – vende milhões de unidades.

Negroponte, em Boston, é o diretor do Medialab, ligado ao MIT (Massachusetts Institute of Technology), ou seja, a meca da tecnocracia. Ele também, no seu livro *Ser Digital*, usa um tom enfático, condescendente. É um apaixonado pela própria matéria: da passagem de época, como ele mesmo a define, do mundo dos átomos ao mundo dos *bits*.

Devemos ser gratos a Furio Colombo pelo espírito crítico com que nos ensinou a obervar a era digital e a *New Economy*.

Toffler também é um "apaixonado" pelo computador e pela Internet?

E como é possível não ser? Desde *O Choque do Futuro*, Toffler tornou-se algo mais que um jornalista. Demonstrou possuir extraordinárias qualidades de sociólogo. Eu lhe dirijo toda a minha estima acadêmica e a minha gratidão como leitor. Poucos como ele sabem compreender antecipadamente, a partir do enredo dos acontecimentos sociais, os êxitos futuros.

Sétimo Capítulo

Uma Sociedade Previdente e Programada

> *Quando Alexandre, que atravessava a Pérsia, viu numa noite chamas que se alçavam da terra, não entendeu naquele exato momento que um dia aquelas chamas teriam rendido milhões a um senhor chamado Deterding.*
>
> Alberto Savinio

> *Quem já perguntou alguma vez à tese e à antítese se desejam se transformar em síntese?*
>
> Stanislaw J. Lee

Quem foi o primeiro a usar o termo "pós-industrial"?

No final dos anos 60, Alain Touraine e Daniel Bell disputaram uma espécie de corrida a distância. Do ponto de vista estritamente editorial, foi Touraine quem ganhou a corrida, publicando em 1969, na França, uma coletânea de ensaios, cujo título era, justamente, *La société post-industrielle* (A sociedade pós-industrial). Contudo, Touraine abandonará esta definição no seu próximo livro, *La production de la société* (A produção da sociedade), de 1973, e também no seguinte, *Pour la sociologie* (Para a sociologia), passando a considerar mais exata a expressão "sociedade programada". Porém, esta segunda denominação não encontrou quórum: hoje todo mundo fala de "sociedade pós-industrial". Bell, como eu já disse, indica cinco pontos axiais da nossa sociedade. Touraine replica que estes pontos, no final das contas, convergem num só: a nossa sociedade distingue-se pela sua necessidade e capacidade de projetar o próprio futuro. É a primeira sociedade que não considera que o futuro dependa do acaso, da providência divina ou das circunstâncias. Que o futuro se programa.

Tanto é assim que o livro de uma assistente sua, Zsuzsa Hegedus, terá como título *O Presente É o Porvir*. Sua tese é que, por exemplo, para saber se nos próximos anos disporemos de recursos suficientes para alimentar a África ou a Índia, não devo controlar como andam as colheitas ou a condição meteorológica nas plantações canadenses. Devo descobrir o que os cientistas dos laboratórios de Stanford estão preparando.

Programar significa pensar que se possa controlar a natureza?

Não só. A consciência de que existem ainda amplas margens de "incontrolabilidade" permanece. Porém cresce a possibilidade de prever e projetar não só a natureza, mas também os seres humanos. E aumentam os prazos dos nossos planos. Há até um grupo internacional que se propôs a tarefa de prever as possíveis transformações do planeta daqui até os próximos quinhentos anos. A militância dos ecologistas também nasce da previsão de que explorando mal as florestas o oxigênio vai desaparecer.

O desejo de programar o futuro nasce de temores e necessidades semelhantes aos que dão origem às religiões?

De certa forma sim, como eu já disse. Mas depende também

Uma Sociedade Previdente e Programada

da consciência de que nós hoje possuímos, de fato, a possibilidade técnica, sociológica e política para planificar o nosso futuro. A humanidade pensou que sua própria sorte dependia primeiro do acaso (era o que pensavam gregos e romanos), depois da providência (é o caso da civilização cristã), e ainda depois da sustentabilidade da Terra e da possibilidade de dispor de matérias-primas.

A sociedade pós-industrial, pelo contrário, crê que o "destino" dos homens depende, em grande parte, de sua própria capacidade de programação. E, segundo Touraine, investe tantas energias com este propósito, que passa a caracterizar-se exatamente por isso.

O senhor concorda com Touraine?

Eu coloco a criatividade no centro, onde ele coloca a programação. Se tivesse que definir a sociedade pós-industrial de outra maneira, eu a definiria como sociedade criativa. Nenhuma outra época teve um número tão grande de pessoas com cargos criativos: em laboratórios científicos e artísticos, nas redações dos jornais, equipes televisivas e cinematográficas, etc. São milhares e milhares de pessoas.

Estes são os que criam. E quem planeja o futuro?

Sobretudo os governos e as multinacionais. Imagine a nossa sociedade como um único cérebro que projeta medicamentos, ferrovias, aeroportos e, em relação a cada um destes projetos, procura antecipar para onde vai o mundo nos próximos cinco, dez ou quinze anos. É esta a sociedade que cria.
Depois, imagine todos os conselhos administrativos, os estrategistas, os grandes executivos das multinacionais e some ainda

todos os governantes de todos os Estados: esta é a sociedade que programa.

A pesquisa científica implica, por sua própria natureza, uma programação do futuro?

Certamente.

O presente é o porvir: Zsuzsa Hegedus, húngara, que primeiro foi aluna de Lukács, depois assistente de Touraine, em Paris, sintetiza desta forma seu pensamento, no título do livro que publicou em 1985. Por trás deste livro, me parece, se esconde uma história curiosa.

Para nós, sociólogos italianos do início dos anos 60, a França era um ponto de referência obrigatório. Particularmente para a Sociologia do Trabalho. Touraine descrevia a fábrica com textos que se tornaram para nós, imediatamente, clássicos, como *O Trabalho Operário na Renault* ou *A Consciência Operária*. Enquanto isso, os "colarinhos brancos" já eram objeto de estudo de Crozier.

Eu fiz minha especialização em Paris e, em seguida, promovi um intercâmbio muito intenso entre o meu departamento e setores acadêmicos franceses. Alguns dos meus ex-alunos trabalharam com Touraine ou com outros pesquisadores de alto nível, como Castells, autor de livros de Sociologia Urbana importantes para nós que, em Nápoles, vivíamos problemas novos e de teor explosivo: organização dos desempregados, ocupação de casas, lutas estudantis violentas, vários conflitos, todas questões urbanas que pouco tinham a ver com as clássicas lutas operárias.

Zsuzsa Hegedus me foi apresentada por um ex-aluno meu, Antimo Farro, que agora é professor de Sociologia Urbana. Orga-

Uma Sociedade Previdente e Programada

nizamos, em 1982, em colaboração com a escola de administração da ENI (Ente Nazionale de Idrocarburi, a Petrobrás italiana), em Castelgandolfo, perto de Roma, um simpósio sobre a sociedade pós-industrial, do qual Hegedus também participou. Ela é muito prolífica no plano das ideias, mas pouco no da escrita: até aquele momento tinha publicado só um livro, sobre a Hungria, e participado de alguns volumes de diversos autores. Porém a conferência que realizou durante o simpósio foi interessantíssima, e isso fez com que eu lhe propusesse transformá-la num livro, convidando-a para passar o verão em Pollina, na Sicília, onde naquele período eu estava de férias.

Hegedus é uma excelente sistematizadora: foi ela quem, pela primeira vez, reuniu de forma sistematizada ideias provindas da sua própria pesquisa e das de Touraine, Bell, Toffler e Habermas.

A teoria de Hegedus sobre a sociedade pós-industrial difere em algum ponto da de Touraine?

Hegedus propõe uma teoria fascinante da atual distribuição internacional do trabalho. Identifica quatro fases: ideação, decisão, produção e consumo, e os respectivos lugares do mundo onde cada uma delas acontece. O porvir, afirma, é programado nos laboratórios de pesquisa pura. Em seguida, em outro lugar, decide-se em quais das novas descobertas se apostará, isto é, quais serão transformadas em produtos comercializáveis. Logo, passa-se à fase de produção em grande série, que era a mais importante na sociedade industrial e que agora vem sendo, progressivamente, deslocada para o terceiro mundo. Por fim, chega-se à fase da distribuição, do consumo e do uso.

O consumo, de acordo com o que ela escreve, é semelhante à colonização de que fala Habermas: significa colonizar os mer-

131

cados e as culturas com bens e valores. O interessante em todo esse esquema é que no centro do sistema pós-industrial está a ideação, a fase inventiva.

Comparando com Touraine, o senhor acha que Hegedus toca mais de perto o coração do problema?

Touraine afirma: "O coração desta sociedade é a programação." Hegedus, por sua vez, afirma: "O coração desta sociedade é a invenção." Nós, isto é, a minha escola, afirmamos: "O coração desta sociedade é a informação, o tempo livre e a criatividade, não só científica, mas também estética."

Touraine e Hegedus, quando falam de invenção, se referem à invenção de bens e serviços a serem produzidos industrialmente. Eu e minha escola pensamos também no tempo livre, na informática, na biotecnologia e na produção artística. Jamais como hoje em dia as massas deram tanta importância à estética.

Se eu tivesse que dar um outro nome a esta sociedade, a chamaria de criativa, mas também de estética. E por estética entendo: música, artes, *design,* tudo aquilo que é belo e possui um sentido.

É este o único ponto em que sua teoria difere da de Hegedus?

Nós, inclusive, enriquecemos o esquema dela. Às fases identificadas por Hegedus, nós adicionamos outras. E, além disso, chegamos à conclusão de que o que une todas as fases é o *marketing* (ver esquema 1).

Além da fase de pesquisa pura (1), identificamos como igualmente crucial a pesquisa aplicada (3). Se, por exemplo, Watson e Crick descobrem o DNA, desta descoberta deriva uma série de pesquisas diversas, com o intuito de desenvolver medicamentos contra a AIDS ou contra o câncer, de clonar animais, ou ainda de eliminar doenças hereditárias.

À fase de decisão (4) é necessário acrescentar também a fase de "pesquisa e desenvolvimento" (5), na qual, a partir de uma descoberta, uma patente, passa-se a predispor máquinas, homens e capitais para reproduzi-la em proporções de massa. Imaginemos que o Instituto Pasteur anuncie que descobriu uma nova droga contra a AIDS. Se nós somos a Glaxo e desejamos produzi-la, entre aquele modelo que permitiu a descoberta, isto é, o protótipo, e a produção de milhões de exemplares, deveremos efetuar algumas operações intermediárias: decidir comprar a patente, encontrar a maneira de produzir o remédio da forma mais rápida e econômica, estabelecer a quantidade ideal de produção, definir como difundir sua demanda e como distribuí-lo.

Somente após a fase de pesquisa e desenvolvimento é possível passar à produção (6) e depois ao consumo (7).

Esquema 1: As várias fases do processo pós-industrial (elaborado a partir de uma ideia de Z. Hegedus).

```
 1
├─────────┤ 2
 PESQUISA  ╲╱╲ 3
   PURA  MK ╱╲╱├─────────┤ 2
              PESQUISA  ╲╱╲ 4
              APLICADA MK ╱╲╱├─────────┤
                              DECISÃO ╲╱╲ 2
                                   MK ╱╲╱├─────────┤ 5
                                           PESQUISA ╲╱╲ 2
                                                E   MK ╱╲╱├─────────┤ 6 ├─────────┤ 7
                                          DESENVOLVIMENTO       PRODUÇÃO   CONSUMO
```

MK = Marketing

E o marketing *é a inteligência que associa tudo isso?*

Sim, entre uma fase e outra é o *marketing* que dá o ritmo da dança. Porque, como já dissemos e veremos de forma mais clara adiante, as empresas hoje não são mais como na sociedade industrial, orientadas para o produto, mas sim orientadas para o mercado. As fases de pesquisa aplicada, de decisão, de pesquisa e desenvolvimento e de produção obedecem às sugestões obtidas pela pesquisa de mercado.

Mas então, segundo essa teoria, a dinâmica da sociedade reduz--se a uma megaguerra entre empresas?

Em grande parte. O esquema é importante porque pode ser aplicado também em outras situações: por exemplo, a um país inteiro. Nas nações há lugares onde se faz pesquisa básica, outros onde se faz pesquisa aplicada, outros onde as decisões são tomadas, etc.

E pode também ser aplicado ao planeta inteiro: existem hoje países que produzem sobretudo ideias, fazem pesquisa e consequentemente decidem. Outros que produzem bens materiais, outros que só consomem, dando em troca matéria-prima ou mão de obra, ou oferecendo subordinação política.

Na sociedade industrial, o poder dependia da posse dos meios de produção (fábricas). Na sociedade pós-industrial, o poder depende da posse dos meios de ideação (laboratórios) e de informação (comunicação de massa). A América é potente não porque possua a Ford ou a Microsoft, mas porque possui universidades, laboratórios de pesquisa, o cinema e a CNN. A Microsoft é muito mais importante pela sua pesquisa do que pela sua produção.

Tomemos um objeto qualquer, por exemplo, este seu gravador: contém plástico produzido na Itália, um motorzinho feito em Tai-

Uma Sociedade Previdente e Programada

wan, um *chip* produzido na Coreia e a montagem feita em Tóquio. Por trás disso tudo encontram-se as diversas patentes e, se formos verificar, descobriremos que são quase todas de propriedade dos Estados Unidos. É esta a grandeza americana de hoje.

No livro *A Sociedade Pós-Industrial*, eu dizia que, em cada cem novos produtos realizados pelo Japão nos últimos anos, sessenta apresentam patentes americanas. Usar a patente significa pagar *royalties*.

Quinze anos depois, a relação entre os EUA e o Japão permanece igual?

De maneira geral, sim. O Japão começou a investir muito mais na pesquisa científica, mas os Estados Unidos continuam a ocupar o primeiro lugar como produtores de ideias, sem rivais em todo o mundo.

O esquema proposto por Hegedus e por nós enriquecido permite uma posterior passagem lógica: se os países que ocupam o lugar mais baixo na hierarquia, aqueles condenados a consumir, desejam reverter a situação, não devem tentar ascender na escala, degrau por degrau, passando do consumo à produção e dali à ideação, mas devem saltar a fase de produção de mercadorias e tentar chegar diretamente ao topo, tornando-se produtores de ideias, investindo na pesquisa científica, na promoção artística e na formação dos jovens.

É possível que um país possa saltar um degrau da evolução e evitar a fase da industrialização?

Daniel Bell está convencido de que não. Tive a ocasião de discutir com ele e com Galbraith, num convênio maravilhoso, há alguns anos, em Spoleto. Eu, no entanto, acredito que, em certos casos, isso seja possível.

Bell foi o primeiro a identificar a passagem da sociedade industrial para a pós-industrial porque vive em Boston, uma parte do mundo que é, geográfica e culturalmente, mais capaz de entender o declínio da sociedade industrial. Enquanto eu, na época, vivia em Nápoles, tendo assim maior intimidade do que ele com as dinâmicas do subdesenvolvimento. Eu me encontrava, portanto, no ambiente mais adequado para compreender que se possa saltar, diretamente, da fase pré-industrial para a fase pós-industrial.

Um país pode ser pobre em riquezas materiais e/ou pobre em cultura industrial. Existem países pobres em tudo, como Ruanda ou Sahel. Existem países economicamente ricos, mas culturalmente pobres, como os Emirados Árabes. Existem regiões pobres, mas ricas culturalmente, como o sul da Itália, ou o Estado da Bahia, no Brasil. E, por fim, existem países ricos em tudo, em dinheiro e cultura moderna.

Entre todas as áreas subdesenvolvidas, as primeiras a realizar o salto poderiam ser áreas como o sul da Itália ou como parte do Brasil, materialmente pobres mas culturalmente ricas. Não têm dinheiro, mas já absorveram ideias do rádio, da televisão, da universidade. O Vale do Silício, na Califórnia, tinha uma condição parecida no passado, quando era uma área deprimida economicamente, mas próxima de grandes centros universitários como os de San Diego ou Santa Barbara: seus jovens eram pobres, mas diplomados em Informática ou Biologia.

O Vale do Silício passou, em poucos anos, do rural ao pós--industrial, sem jamais ter sido industrial e, portanto, sem ter tido que enfrentar, vencer e superar a cultura industrial e suas resistências às mudanças. E tornou-se uma área riquíssima. Um

Uma Sociedade Previdente e Programada

desenvolvimento análogo está acontecendo em Taiwan, em Cingapura e na Coreia.

Agora, porém, ultrapassemos este cenário, que já é atual. Imaginemos que um país como a China, que está se automatizando e que possui uma reserva sem limites de força de trabalho disciplinada e com a ambição de melhorar, comece a produzir todos os carros e televisões de que o planeta necessita. Será determinada uma nova divisão internacional do trabalho: alguns países produzirão bens imateriais, outros, digamos que seja só a China, bens materiais. E outros países ainda ou grupos de indivíduos (sejam eles os pobres de um país rico ou os ricos de um país pobre) não farão absolutamente nada. Não farão nada além de passar o tempo com as tarefas cotidianas (quando pobres) e com uma atividade de lazer mais ou menos evoluída segundo o próprio refinamento cultural (quando ricos).

Como esses países, ou indivíduos ociosos, ganharão o pão de cada dia?

Para os pobres, a principal moeda de troca será a "audiência". Trata-se de uma tese que tomo de empréstimo de Echevarria. Até o momento, para se comprar patentes e bens de consumo, se pagava com matéria-prima, com a mão de obra, com bases militares, ou com subordinação política. A nova moeda poderá ser a quantidade de horas que passamos diante de um canal de televisão ou navegando na Internet.

E a que mercado venderemos a "audiência"?

Ao mercado da informação. Você quer que eu a assista? Em vez de lucrar com a minha assinatura, como telespectador –

como acontece aqui na Itália –, você terá que me pagar, se quiser que eu assista ao seu canal de televisão. Atualmente nós oferecemos gratuitamente nossa atenção. Esta, entretanto, é quantificada, avaliada em termos financeiros e paga por minuto pelas empresas, através das agências de publicidade, às redes televisivas onde expõem sua propaganda. Resumindo, permitimos que nos roubem.

Sempre em relação aos pobres, uma outra moeda de troca poderá ser constituída pela nossa capacidade de transformar o tempo livre em alegria e desenvolvimento cultural. Os países industriais não sabem mais rir e nem se divertir. Atualmente já se paga para assistir ao carnaval do Rio.

Vamos voltar ao presente. Na sua hierarquia, onde o senhor coloca os antigos países socialistas?

Alguns deles, como a Hungria e a Tchecoslováquia, poderiam pertencer ao grupo de países pobres economicamente mas ricos culturalmente. Logo, poderiam ter capacidade para dar o salto. Porém, antes devem derrotar uma doença endêmica do seu sistema, a principal inimiga da criatividade: a burocracia.

Isto nos faz voltar atrás, a antes de Hegedus, a Touraine, segundo o qual herdamos do marxismo uma ideia válida nos tempos de Marx, mas hoje errada. A ideia de que a ação revolucionária do proletariado seja sempre inovadora. Nos tempos de Marx era verdade: a tendência do capitalismo era de máxima acumulação, de manter os salários baixos para obter maiores lucros. Assim, o empresário da época de Marx tendia a empobrecer o ciclo econômico, a difundir mais miséria.

Reivindicar um maior salário significava uma redistribuição de riqueza, que em seguida transformava-se em maior consumo,

Uma Sociedade Previdente e Programada

com benefício para toda a sociedade. Por isso estamos habituados a pensar que tudo aquilo que é feito pela classe dirigente é conservador, e tudo o que é feito pelo proletariado é progressista.

Não é mais assim na sociedade pós-industrial?

Segundo Touraine, como já vimos, uma característica fundamental do nosso tipo de sociedade é projetar o futuro. Logo, é inovador só quem faz isso. Não basta se opor ao projeto do outro, é preciso apresentar um projeto próprio e que seja mais inovador. Touraine foi o primeiro a afirmar isso a respeito da esquerda. E é o primeiro a teorizar sobre uma "dupla dialética de classes". Podem existir, diz ele, patrões reacionários e patrões iluminados, operários reacionários e operários iluminados.

E sai com o seguinte esquema: há uma classe hegemônica "dirigente" que olha para a frente e pensa no futuro. Há uma classe hegemônica "dominante" que se preocupa só em conservar os privilégios adquiridos. Do mesmo modo, há uma classe subalterna "propositiva" capaz de contrapropor os próprios planos aos da classe hegemônica. E há uma classe subalterna "defensiva" que se limita a proteger os próprios direitos adquiridos, que recusa *a priori* os planos da classe hegemônica, mas não é capaz de formular planos alternativos.

O senhor pode dar alguns exemplos concretos dessa classificação?

Uma classe hegemônica "dominante" é, digamos, aquela parte do patronato que pensa só em colocar obstáculos a qualquer reivindicação salarial. Ao propor o desmembramento da siderúrgica Italsider, localizada em Bagnoli, numa das enseadas mais lindas do mundo, justamente porque num lugar assim era mais adequado implantar a pesquisa científica ou o turismo, o governo italiano comportou-se como classe hegemônica "dirigente".

Os siderúrgicos e sindicalistas napolitanos, que se limitavam a não aceitar esta proposta só para conservar um emprego que tinha se tornado completamente antieconômico, eram uma classe subalterna "defensiva".

Como são "defensivos" os mineiros alemães quando lutam pela preservação de um trabalho desumano e antieconômico, ou os italianos que comercializam a gasolina, quando lutam pela conservação de um trabalho inútil e sem esperança.

No entanto, Bagnoli, hoje em dia, com o mar, o turismo, a universidade e os institutos de pesquisa tecnológica, está perto de se tornar um paraíso pós-industrial.

Mas foram necessários quase trinta anos. A conversão à pós-industrialização é tanto mais difícil quanto mais significativa tiver sido a industrialização de um lugar. Em Nápoles existem pessoas que souberam interpretar maravilhosamente bem o espírito pós-industrial, como Pino Danielle com as suas canções. Na questão de Bagnoli não era assim. Ao contrário, era uma espécie de fortaleza, um símbolo, um resíduo da esperança acesa no início do século, em Nápoles, por um progressista apaixonado como Francesco Saverio Nitti.

Qual é a história daquela indústria do aço?

A história é a seguinte: Bagnoli deixou de ser um lugar de atividade balneária e pesqueira, em 1904, por influência do livro publicado no ano anterior por Nitti, especialista em problemas da Itália Meridional: *Nápoles e a Questão Meridional* talvez seja ainda hoje o livro mais bonito que se tenha escrito sobre o destino daquela cidade.

Nitti, com razão, afirmava que Nápoles era desprovida de recursos econômicos para sobreviver: o porto era usado para o transporte de "mercadoria humana", e isso só durante a fase transitória das grandes emigrações, enquanto o resto do sul não tinha mercadorias a serem exportadas e, consequentemente, nem mesmo a serem importadas. O turismo e a universidade – com alguns estudantes provindos de fora da cidade e que, por isso, alugavam moradia – não constituíam uma fonte de renda suficiente. Falava-se de uma ferrovia "superdireta" de ligação com Roma como solução. Mas só se vai à capital para fazer politicagem, observava Nitti, e, portanto, a existência de trens mais rápidos, em vez de resolver o problema de Nápoles, o teria agravado. Logo, deduzia, a única possibilidade a ser tentada era a industrialização.

Giolitti, assim que leu o livro, encarregou o próprio Nitti de elaborar uma lei adequada à realização do seu plano. Graças a ótimos incentivos fiscais, o decreto Nitti atraiu a Nápoles a indústria siderúrgica, como a fábrica de aço Ilva, e outras, como a Pirelli, que se estabeleceram na zona entre Pozzuoli e Bagnoli. Somente muito mais tarde – em 1955 – instalou-se também ali a Olivetti.

Uma indústria do aço na costa permitia uma drástica redução de custos: a matéria-prima que a alimentava – o carvão e a terra ferrosa, que vinham de além-mar – era carregada em correias transportadoras que a conduzia diretamente à coqueria e aos altos-fornos, sem precisar recorrer ao transporte ferroviário.

Bagnoli funcionou a todo vapor nos anos 20 e 30 e durante as duas guerras mundiais. Teve um novo impulso no final dos anos 50, quando começaram os financiamentos especiais para o sul. Os operários passaram de quatro, cinco mil a cerca de oito mil, e a produção aumentou de um milhão para três milhões de toneladas de aço por ano.

Que significado teve para os napolitanos do início do século XX aquele panorama de altos-fornos fumegantes à beira do mar?

De modernidade. Vamos lembrar que só em 56, na América, Bell registrou a ultrapassagem do número de "colarinhos brancos" em relação ao número de operários. A indústria até então era considerada o futuro, a panaceia. Aliás, a reforma agrária data de 1950.

Além disso, numa cidade de subproletários, como Nápoles, Bagnoli era a única sede de conflitos operários modernos. E era um reduto de votos do PCI, nos anos em que a cidade era administrada pelo grupo chamado "bloco laurino", devido ao nome do seu líder, De Lauro, de centro-direita.

Durante os anos de opressão, a respeito dos quais Ermanno Rea escreveu em Mistério Napolitano, *quando o PCI era mais stalinista...*

O fato curioso era que quem sustentava a ampliação dos estabelecimentos, no final dos anos 50, eram os alunos de Croce, que trabalhavam para a revista *Nord e Sud*: Giuseppe Galasso e o diretor, Francesco Compagna. *Nord e Sud*, na época, era o único veículo sociológico napolitano, e seus redatores eram "crocianos transviados", já que Croce odiava a Sociologia.

O bloco pró-Bagnoli era constituído pelo PCI, por *Nord e Sud*, por *Cronache Meridionali* e por *La Voce della Campania*, pela Svimez e pelo Formez. A única voz que se erguia contra era a de Epicarmo Corbino, presidente do Banco de Nápoles. Já naquela

Uma Sociedade Previdente e Programada

época ele defendia que era preciso investir sobretudo no turismo e na agricultura, concordando com Danillo Dolci, que, da Sicília, objetava afirmando que a indústria não era "natural" à cultura do sul.

Foi este o impulso que num certo momento levou outros napolitanos a verem aquele símbolo de modernidade com um olhar diferente e a identificar o deus maléfico que devorava a beleza e os recursos naturais?

A primeira dúvida, de natureza econômica, começou a insinuar-se nos anos 60: um emprego na indústria siderúrgica custava duzentos, trezentos milhões, uma cifra enorme em relação aos sete, oito milhões que, na época, bastavam para criar um emprego na indústria de metal-mecânica leve, como a Olivetti de Pozzuoli.

E, além disso, havia a poluição: no início da minha carreira, trabalhei exatamente em Bagnoli e me lembro do inferno que era o seu interior e de tudo em torno: as casas onde não se podia estender a roupa, porque num segundo elas se tornavam pretas de fuligem. Eu me perguntava: "Mas é possível que o futuro seja isso?", e acredito que tenha sido exatamente naquela época que brotou em mim esta aversão tenaz pela grande indústria tradicional.

Na realidade, os estabelecimentos de Bagnoli tinham destruído um dos litorais mais lindos do mundo, tirando também o emprego de quem trabalhava com o turismo ou com a pesca. Na época, os verdes ainda não existiam: foi o movimento de 68 que trouxe a primeira onda anti-industrialista.

No início dos anos 80, somou-se a concorrência japonesa com o método *just in time*. Desse modo, alguém começou a propor não fechar as fábricas, mas ao menos deslocá-las para uns vinte quilômetros ao norte de Bagnoli. Até porque a maior parte dos operários vinha exatamente do norte, da zona de Castelvolturno.

O primeiro a defender essa tese foi o próprio Compagna, diretor da revista que, dez anos antes, mais do que qualquer outra instituição, tinha patrocinado a ampliação dos fornos siderúrgicos. Deflagrou-se uma discussão sem fim: de uma parte da barricada estávamos nós, de *Nord e Sud*. De outra, o movimento extraparlamentar de Nápoles, encabeçado por *Lotta continua*, ambos muito fortes, pois por trás deles estavam os sindicatos e, por trás destes, o PCI. A posição do PCI derivava em parte de um cálculo eleitoral (deslocar os estabelecimentos significava perder aquele colégio eleitoral), mas também da convicção, já então equivocada mas que perdurou por algum tempo, de que a industrialização constituísse o futuro.

Foi em 1976 que eu aceitei me candidatar às eleições, como independente, na lista de esquerda. Eu o fiz exatamente para combater a tese de *Lotta continua*, segundo a qual deslocar os altos-fornos para uns vinte quilômetros ao norte significaria "deportar o proletariado".

O nó górdio, no final, foi desfeito pela Comunidade Europeia, que decidiu que a Itália tinha que fechar algumas siderurgias, entre as quais Bagnoli.

Oitavo Capítulo
Um Futuro Globalizado e Andrógino

Ligações sentimentais com um determinado lugar da Terra não são previstas.
Lester C. Thurow

Ser contra a globalização é tão razoável quanto protestar contra o mau tempo.
Die Zeit

Ao monólogo com minha mulher, prefiro o diálogo comigo mesmo.
Karl Kraus

A indústria ditou as suas leis: aquelas que Touraine sintetiza na sua assim chamada "racionalização". Para completar o discurso sobre a sociedade pós-industrial, poderíamos fazer um resumo das características e dos valores novos que a caracterizam?

Antes de mais nada, a globalização. É sabido que, quando se atira uma pedra num lago, se obtém uma série de ondas concêntricas que se propagam, de forma contínua, por toda a superfície aquática. Do mesmo modo, graças ao progresso tecnológico, o nosso planeta tornou-se hoje como um pequeno lago, onde cada onda atinge e envolve rapidamente até os cantos mais remotos.

Se um avião sofre um atraso na rota Tóquio–Moscou, isto gera repercussões e distúrbios em todos os aeroportos do mundo. Se as ações da IBM sofrem algum tipo de inflexão na Bolsa de Milão, este fato atingirá Wall Street imediatamente. Globalização é isso: o globo, agora, é uma grande aldeia.

Em outros tempos, a construção de um carro pela Fiat não ultrapassava os muros de sua própria fábrica. Hoje, cada um de seus carros contém pelo menos doze mil peças, das quais só duas mil são produzidas pela Fiat. Outras duas mil são compradas na Itália, e as oito mil peças restantes são compradas em outros países da Europa e fora dela.

A miniaturização dos componentes e a melhora dos transportes incrementam essa troca permanente, pela qual cada objeto, seja uma simples caneta ou um relógio, contém partes que provêm de vários continentes, como já dissemos.

São globalizados: os meios de comunicação de massa, a ciência, o dinheiro, a cultura. Todos os telejornais contêm notícias, imagens e vozes reunidas e transmitidas de todo o mundo, em tempo real. Cada laboratório científico mantém contato e troca de informações com outros laboratórios. Igualmente globalizados são os mercados monetários: as empresas mudam rapidamente de proprietários, com a simples passagem dos pacotes de ações de uma mão a outra. Somente no mercado de Londres são negociados 75 trilhões de dólares por ano, igual a 25 vezes o valor de todos os bens que o mundo inteiro produz nesse mesmo intervalo de tempo.

A vida inteira é globalizada: o mundo inteiro escuta as mesmas canções, assiste aos mesmos filmes e tende aos mesmos consumos. A cadeia McDonald's vende 15 milhões de hambúr-

Um Futuro Globalizado e Andrógino

gueres por dia, todos iguais, nas suas dezesseis mil lanchonetes espalhadas por oitenta e três países. O vinho Chianti vende 128 milhões e 300 mil garrafas por ano. A Coca-Cola vende 32 milhões de garrafas por hora.

Quer dizer que a globalização achata a diversidade?

Certamente. Das pelo menos 20.000 línguas que existiam no início desse processo, atualmente parece que sobrevivem apenas 7.000, e, além disso, entre estas criou-se uma nova hierarquia. O inglês e o espanhol são falados por vários bilhões de pessoas, tornando-se indispensáveis à comunicação entre os povos.

E a Internet é um passo a mais nesta direção: quem não sabe inglês não pode navegar na rede. Já no passado ocorreu algo parecido com o latim, língua oficial do Império Romano e depois da Igreja. Logo, era uma língua falada por todas as elites. Porém, justamente, tratava-se de elites, não de massas informadas pela mídia e pela Internet. É verdade que o padre francês falava o mesmo latim que o padre filipino, mas os costumes da gente comum, incluindo a língua, permaneciam profundamente variados, originando todo um florescer de culturas que devem ser apreciadas na sua própria estrutura, como bem nos ensinou Lévi-Strauss.

Hoje, em qualquer parte do mundo onde se tome um táxi, escuta-se no rádio *rock* americano. Estive recentemente em Manaus e em outras áreas da Amazônia: também ali encontrei a mesma Coca-Cola, os mesmos guias turísticos, os mesmos telejornais de todo o resto do mundo.

Os antropólogos, que são os maiores especialistas no assunto, nos advertem contra os perigos irreparáveis desse achatamento global.

O Ócio Criativo

Aparentemente, uma economia global parece ser mais pública, obrigada a uma maior transparência. Não é assim?

A economia global é guiada predominantemente, se não o for de forma absoluta, pelas multinacionais. Elas dispõem de sistemas informativos e de *lobby* muito poderosos, com os quais conseguem ocultar melhor sua política. E, além disso, a trama dos negócios que fazem é tão emaranhada, que muito pouca gente é capaz de descobrir o fio da meada. Quando Bill Gates se demitiu da presidência da Microsoft, quantas pessoas podem afirmar que compreenderam o verdadeiro motivo?

E tem mais, as multinacionais dispõem de uma potência econômica sem precedentes: de acordo com o *Der Spiegel*, "as vinte maiores empresas mundiais, das quais fazem parte a Mitsubishi, a Royal Dutch/Shell e a Daimler-Benz, têm uma receita superior à soma das economias dos oitenta países mais pobres". A ONU calculou que trezentos e cinquenta e oito miliardários do mundo todo são mais ricos que metade da população global. Segundo *The Economist*, no setor de bens de consumo duráveis – automóveis, companhias aéreas, indústrias aeroespacial, eletrônica, elétrica e siderúrgica –, cinco sociedades privadas controlam mais de 50% do mercado mundial.

Enfim, as multinacionais subdividem os riscos que correm, parcelando as operações: por um leito escorre a mercadoria, num outro o rio do dinheiro e a publicidade escorre numa terceira parte ainda. Sob o aspecto financeiro, as somas que são deslocadas cotidianamente representam quase o dobro das reservas monetárias de todos os Bancos Centrais. Somente 2% do movimento de capital correspondem a uma troca efetiva de bens e serviços.

O termo "globalização" entrou no nosso vocabulário só nos últimos anos. Porém, evoca desde termos simples, como "viagem" ou "exploração", até outros, mais recentes e complexos, como "cosmopolitismo", "colonialismo" ou ainda "internacionalismo".

Conforme eu já expliquei de uma forma mais ampla no livro *O Futuro do Trabalho*, a globalização atual representa somente o êxito mais elaborado de uma tendência perene do homem, de explorar e depois colonizar todo o território que ele pensa que exista, até construir uma única aldeia.

O primeiro impulso à globalização consiste na tendência a descobrir, conhecer e mapear o planeta e o universo.

O segundo consiste no escambo, ou troca de mercadorias, num raio cada vez mais amplo, até abranger a totalidade do mundo conhecido.

O terceiro impulso consiste na tentativa de colonizar materialmente os povos limítrofes e, depois, aos poucos, também os povos mais longínquos, até englobar o planeta inteiro.

O quarto impulso consiste em invadir todos os mercados com as próprias mercadorias.

O quinto, em invadir todo o mundo conhecido com as próprias ideias.

O sexto impulso é o de expandir o raio de ação dos próprios capitais, da própria moeda, das próprias fábricas.

Hoje, as novidades são sobretudo três, e conotam um sétimo tipo de globalização: pela primeira vez um país de enorme potência – os Estados Unidos – governa todo o planeta e se prepara para colonizar ainda outros. Pela primeira vez estas várias formas de globalização estão todas copresentes e potencializam seus efeitos reciprocamente. E pela primeira vez a estrada da unificação política e material é aplanada pelos meios de comunicação de massa e pelas redes telemáticas. O universalismo e o ecumenismo que antes, como já vimos, diziam respeito somente aos impérios políticos, a algumas religiões e à língua latina, hoje concernem a todo e qualquer aspecto da vida: da criminalidade ao cartão da American Express, do vestuário aos perfumes, das batatinhas fritas ao *design,* dos remédios aos combustíveis.

O conjunto desses fatores produz uma oitava forma de globalização: a psicológica. Despertamos todos os dias com um radiorrelógio que dá as notícias do mundo todo. Tomamos banho debaixo de um chuveiro cujas torneiras são alemãs e com um sabonete francês. Vamos para o trabalho com um carro cujo *design* foi feito na Itália, mas cujas peças provêm de vários países, como o Japão e a Coreia. Competimos nos mercados mundiais com capitais de *joint-ventures,* vendemos mercadorias e informações em todas as praças do planeta, escutamos um disco gravado em estúdios de diversos países e depois mixado em outros, sabemos que um vírus pode girar o mundo em poucos dias e infectar-nos de uma hora para outra. Vivemos numa cidade, trabalhamos em outra e tiramos férias numa terceira, atingindo cada uma delas num piscar de olhos. Conversamos em tempo real com o correio eletrônico, nos falamos e nos vemos através dos oceanos e dos continentes. Tudo isso provoca uma certa vertigem de onipotência, mas revela também a nossa fragilidade humana, jogando trabalhadores, empresas, homens políticos e os Estados numa competição cada vez mais opressiva entre concorrentes sempre mais numerosos e astutos, com o perigo crescente de perder aquilo que está em jogo.

Quer dizer que a globalização aumenta os níveis de competitividade. Provoca, portanto, aquela oscilação entre euforia e temor de que falávamos antes?

Um Futuro Globalizado e Andrógino

As atuais circunstâncias tecnológicas e culturais colocam todos os indivíduos diante de uma bifurcação: deixar-se carregar pela homogeneização massificadora da globalização ou aproveitar as oportunidades, que entretanto existem, para afirmar a própria subjetividade.

Portanto, diante da globalização, reage-se com a esquizofrenia característica de todas as revoluções de época: com euforia pela ubiquidade, de um lado, e, de outro, com o impulso de buscar segurança nas próprias raízes e no próprio ambiente. Homogeneização e achatamento da diversidade de uma parte e subjetividade e diferenciação de outra.

Passemos ao segundo traço que caracteriza a nova sociedade.

O tempo livre. Um grande filósofo russo, Alexandre Koyré, escreveu: "Não é do trabalho que nasce a civilização: ela nasce do tempo livre e do jogo." Mas eu creio que isso tenha sido mais verdadeiro no passado, quando era possível distinguir o trabalho do jogo, porque a maior parte dos trabalhos era de natureza física e provocava cansaço.

Não é por acaso que Henry Ford escreveu na sua autobiografia: "Quando trabalhamos, devemos trabalhar. Quando jogamos, devemos jogar. A nada serve tentar misturar as duas coisas. O único objetivo deve ser aquele de desempenhar um trabalho e de ser pago por isso. Quando o trabalho estiver terminado, pode então começar o jogo, mas não antes."

Atualmente, este tipo de distinção, tipicamente industrial, perdeu muito do seu significado. Já não era assim na época rural: o camponês e o artesão viviam no mesmo lugar em que trabalhavam, o tempo que dedicavam ao trabalho misturava-se ao das tarefas domésticas, ao dedicado a cantorias e a outras distrações.

Foi a indústria que separou o lar do trabalho, a vida das mulheres da vida dos homens, o cansaço da diversão. Foi com o advento da indústria que o trabalho assumiu uma importância desproporcionada, tornando-se a categoria dominante na vida humana, em relação à qual qualquer outra coisa – família, estudo, tempo livre – permaneceu subordinada. Ainda recentemente, o sociólogo Aris Accornero insistia: "É melhor que trabalho e vida se separem... O trabalho e a vida têm lógicas e culturas diversas e a riqueza da existência está em combinar os tempos e os âmbitos de cada um. A justaposição deles é um mito: um mito a ser esconjurado."

O meu parecer é completamente oposto. Quanto mais a natureza de um trabalho se limita à mera execução e implica puro esforço, mais ele se priva da dimensão cognoscitiva (área 2 do segundo esquema) e da dimensão lúdica (área 3). Esta é a situação infeliz que no esquema corresponde à área 1.

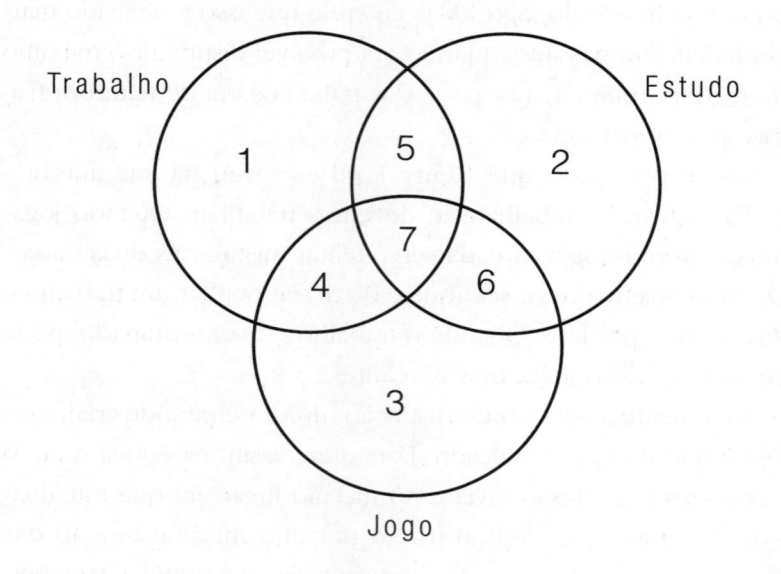

Um Futuro Globalizado e Andrógino

Existem, porém, trabalhos que desembocam no jogo, como, por exemplo, o de uma equipe cinematográfica que se diverte na filmagem de um filme cômico (área 4); e existem trabalhos que se misturam com o estudo, como o de uma equipe de cientistas realizando um experimento (área 5). Contudo, a plenitude da atividade humana é alcançada somente quando nela coincidem, se acumulam, se exaltam e se mesclam o trabalho, o estudo e o jogo (área 7); isto é, quando nós trabalhamos, aprendemos e nos divertimos, tudo ao mesmo tempo. Por exemplo, é o que acontece comigo quando estou dando aula. E é o que eu chamo de "ócio criativo", uma situação que, segundo eu, se tornará cada vez mais difundida no futuro.

Há um pensamento zen que expressa com perfeição esta forma de vida, tanto no seu aspecto prático como no seu estado de espírito: "Aquele que é mestre na arte de viver faz pouca distinção entre o seu trabalho e o seu tempo livre, entre a sua mente e o seu corpo, entre a sua educação e a sua recreação, entre o seu amor e a sua religião. Distingue uma coisa da outra com dificuldade. Almeja, simplesmente, a excelência em qualquer coisa que faça, deixando aos demais a tarefa de decidir se está trabalhando ou se divertindo. Ele acredita que está sempre fazendo as duas coisas ao mesmo tempo.

E aqui nos aproximamos exatamente do núcleo da nossa reflexão. Vamos deixar para examiná-lo, de modo mais orgânico e completo, daqui a pouco. Completemos antes o quadro dos aspectos distintivos da sociedade pós-industrial. Depois da globalização e do tempo livre, qual é o próximo aspecto que o senhor indica?

A "intelectualização". Difunde-se cada vez mais a consciência de que as atividades cerebrais predominam em relação às manuais, que as atividades virtuais prevalecem sobre as tangíveis.

O Ócio Criativo

De fato, seja no horário de trabalho, seja durante o lazer, nós agimos sempre mais com a cabeça, em vez de usar a força física, como antes. Por isso investimos na formação de nossos filhos, no estudo de várias línguas, em viagens ao exterior.

E, entre as atividades intelectuais, a mais apreciada é a "criatividade", que é um outro elemento distintivo, um outro valor central da sociedade pós-industrial.

Um outro valor central é a "estética", exaltada pela extrema perfeição tecnológica que nossos produtos manufaturados já atingiram. Quando se esgota o arco ao longo do qual pode-se aperfeiçoar tecnicamente um produto, quando já não vale mais a pena melhorá-lo, refinamos sua estética.

Os osciladores dos relógios, que, no começo, oscilavam a cada três ou quatro segundos, passaram a oscilar por segundo, depois quatro e depois cinco vezes por segundo. Mesmo durante a minha juventude, um relógio era mais caro se possuía maior precisão do que outro. Tendo ingressado na era do relógio de quartzo e de césio e conquistado dois bilhões de oscilações por segundo, todo e qualquer relógio, mesmo aqueles que os detergentes oferecem como brinde, são agora duzentas vezes mais precisos do que o necessário para quem o usa. Portanto, qual é a diferença que existe hoje entre um relógio e outro? O *design*. Orientados pelo nosso gosto estético pessoal, escolhemos entre os infinitos Swatch e Seiko possíveis aquele que, pela forma e pela cor, nos agrada mais.

A mesma coisa vale para os óculos: até alguns anos atrás, escolhíamos lentes Galileo ou Zeiss. Hoje escolhemos a armação Dior ou Cardin. O aspecto técnico do objeto já é considerado garantido, portanto emerge o aspecto estético.

Até mesmo objetos que ainda não completaram o ciclo de aperfeiçoamento técnico, como, por exemplo, os computadores pessoais, já competem no campo do *design*.

Um Futuro Globalizado e Andrógino

A estética conduz ao outro valor, o da subjetividade?

Como já vimos na parte da nossa conversa quando falamos, exatamente, da subjetividade, a possibilidade de escolher entre produtos infinitamente variados alimenta o desejo, que é muito humano, de se sentir diferente dos outros, em vez de igual. Como já exemplifiquei: se na sociedade industrial eu desejava os sapatos da Timberland para me sentir igual aos meus colegas da escola, na sociedade pós-industrial uso tamancos, para me diferenciar. Mas a subjetividade aflora também em outros campos. Desmoronam as lutas coletivas. Reconhece-se a inutilidade dos contratos coletivos. Cada um, seja um pequeno grupo ou indivíduo, realiza a sua própria batalha e faz o seu contrato. Difunde-se uma maior flexibilidade.

E cada um estabelece o próprio programa: lê de noite, depois escolhe um vídeo ou escuta um disco, bate papo com um parente ou com o vizinho, dá uma olhada em algum jornal televisivo.

Por que, apesar dessa aspiração à subjetividade, a sermos mais nós mesmos, continuamos a ser consumistas? Por que a quantidade continua a prevalecer sobre a qualidade?

Não é verdade! O maior esforço realizado pelo mundo empresarial nos últimos anos foi justamente o de melhorar a qualidade dos produtos. Bilhões foram gastos em campanhas promocionais da qualidade, com vistas à melhoria do produto e dos processos de confecção.

Contemporaneamente, a qualidade dos nossos desejos se aprimorou. Além de desejar possuir objetos, passamos a desejar também dispor de tempo livre para poder usufruir deles. Agora, as pessoas frequentam em maior número os concertos e compram mais livros. Vendem-se mais discos com gravações de Beethoven do que com canções de sucesso, ou do que bombons.

Segundo o senhor, o consumismo é um hábito reprovável, do qual, mais cedo ou mais tarde, nos veremos livres?

É uma mania de comprar por comprar. Me parece que hoje se começa a consumir de modo diverso, com mais cautela. Começa a prevalecer o minimalismo. O sucesso de *Vá Aonde o Seu Coração Mandar*, o *best-seller* de Susanna Tamaro, foi um fenômeno interessante: até a capa do livro é minimalista, pobre, pouco chamativa, sugerindo a ideia de que "aqui o que conta é o conteúdo". E não houve qualquer propaganda televisiva.

A tendência do momento é pensar que, agora, já se possui muitos livros e muitos discos, e que é chegada portanto a hora de apreciá-los. E ter tempo livre para isso é indispensável.

Mas se atualmente se pode produzir uma quantidade infinita de bens de consumo, prescindindo do trabalho humano, alguém vai ter que comprar todas essas mercadorias. Quem e com que dinheiro?

Há uma parcela enorme da humanidade privada desses bens. O ciclo é o seguinte: o rico compra o objeto novo e dá para o pobre o que está superado ou com prazo de vencimento esgotado. Deste modo, o uso dos bens expande-se como óleo numa superfície. Agora se encontram na Rússia alguns produtos italianos superados, que até pouco tempo atrás nós jogávamos fora e os russos nem sabiam que existiam. Em suma, o consumo tem ainda diante de si quatro quintos da humanidade para "colonizar".

É possível comprar essas mercadorias porque elas são produzidas a custos decrescentes.

Um Futuro Globalizado e Andrógino

A sociedade industrial fundava-se na "razão". E a nossa?

Um outro valor emergente é a "emotividade". E junto com ela a "feminilidade". Na sociedade pré-industrial, a esfera emotiva era hiperpoderosa: não tendo a menor ideia do porquê de um raio, a culpa era atribuída a Júpiter, e não sabendo como tratar uma doença, preparavam-se poções contra o mau-olhado. Juan Cris teria dito: *"J'aime l'émotion qui corrige la règle"* (Amo a emoção que corrige a regra). Na sociedade industrial triunfou a razão. Georges Braque teria dito: *"J'aime la règle qui corrige l'émotion"* (Amo a regra que corrige a emoção). O primeiro priorizando a emoção e o segundo, a regra.

Na sociedade industrial foi a razão que triunfou. Hoje, conquistado o que é racional, podemos voltar a valorizar sem temor *também* a esfera emotiva. Emoção, fantasia, racionalidade e concretude são os ingredientes da criatividade. A racionalidade nos permite executar bem as nossas tarefas, mas sem emotividade não se cria nada de novo. Para ser criativo, é essencial o cruzamento entre racionalidade e emotividade.

O resultado é uma sociedade de tipo andrógino.

Do machismo "sexofóbico" da indústria à androginia, o passo é bem comprido.

À primeira vista, a androginia pode ser confundida com a homossexualidade. Mas não é disso que se trata. De fato, por maior que tenha sido a evolução dos costumes, ainda hoje a maioria das pessoas considera o homossexualismo um desvio da norma e, quando pensa em um período histórico marcado por ele, lhe vem à mente, de forma imediata, a Atenas de Péricles narrada no *Banquete*, o diálogo de Platão, ao qual já nos referimos.

O Ócio Criativo

O enredo é muito simples: um jovem poeta, Agatão, admirador de Sócrates, festeja o primeiro lugar obtido num concurso poético com um grande jantar, que termina em farra. Como Sócrates não aprecia este tipo de festa, Agatão o convida, na noite seguinte, para um jantar mais íntimo, restrito a poucos amigos de alto nível intelectual: o próprio Sócrates, Pausânias, Aristófanes, Alcebíades e alguns outros. Quando acabam de jantar, as mulheres tiram a mesa e se retiram, com exceção de algumas poucas que permanecem num canto tocando instrumentos, como música de fundo. Os homens, por sua vez, elegem o tema que colocarão em debate: o amor, em todas as suas formas e variantes.

Do ponto de vista sociológico, chama a atenção o fato de que, quando não se tratava de uma farra, só os homens participavam do jantar e da conversa. Os convívios festivos e as relações sexuais podiam até ser mantidos também com as mulheres, mas as discussões intelectuais podiam se dar, exclusivamente, entre homens.

Hoje, a maioria das pessoas encara a homossexualidade, no sentido estrito, como um desvio da norma. Porém, muitos homens, sobretudo os executivos, compartilham, na prática, as teses de Sócrates e Platão quanto à inferioridade intelectual e profissional das mulheres. E assim defendem tenazmente, contra a irrupção feminina, os redutos onde exercem o poder.

Ainda hoje, nas empresas públicas ou privadas, a quase totalidade dos papéis dirigentes é reservada aos homens. Não consigo apagar da memória uma foto de grupo publicada no livro *Mulher & Top Manager,* a autobiografia da mítica Marisa Bellisario. A imagem é de uma reunião de algumas centenas de dirigentes da Olivetti: todos homens, com, justamente, a Bellisario como a única exceção. Em seguida ela se tornaria "a mulher italiana que mais alcançou o topo no mundo dos negócios", segundo a

Um Futuro Globalizado e Andrógino

Business Week. Isso foi nos anos 60, mas parece que as coisas não mudaram muito, pois há pouco tempo fui convidado para fazer uma conferência aos novos dirigentes da ENI: achei-me num anfiteatro com uns cinquenta homens e uma só mulher. Ainda hoje, tanto nos templos religiosos como nos leigos – bancos, conselhos diretivos, bolsas de valores –, a mulher pode colocar o pé somente como encarregada da faxina, como secretária, como funcionária de nível médio ou baixo. Deste modo, salva-se o espaço sagrado reservado aos homens e eles podem ocupá-lo da manhã à noite, até mesmo fazendo horas extras, ainda que não exista tal urgência e não recebam um salário extraordinário. O importante é voltar para casa o mais tarde possível, de modo a não se "rebaixar" fazendo coisas como ajudar no cuidado dos filhos ou nos trabalhos domésticos.

É o que o feminismo chamou de "separatismo machista": seja no estádio, ou no trabalho, os homens se concebem como uma comunidade "pura". E superior.

Na Atenas de Péricles, o separatismo elitista dos homens desembocava frequentemente em relações físicas homossexuais. Isto também acontece hoje, e os casos são crescentes. Porém, o homossexualismo a que estou me referindo nessa circunstância consiste em um posicionamento psicológico, em uma preferência, generalizada entre os executivos, de trabalhar só com homens.

E, também neste caso, se delega às mulheres que são colaboradoras o papel de assegurar, com o desempenho das funções auxiliares que executam, um tipo de música de fundo. Na época de Sócrates, a esfera afetiva, a vida intelectual e a guerra ocupavam o centro da *pólis* e, portanto, nessas esferas, os homens exercitavam o monopólio. As mulheres, com exceção das cortesãs, eram semianalfabetas, segregadas em casa, condenadas às tarefas domésticas e ao convívio com as escravas.

Um intelectual como Platão ou um político como Alcebíades, uma vez concluídas as relações sexuais, não saberiam nem mesmo o que fazer ou do que falar diante de uma mulher. Por isso, preferiam relações amorosas com outros homens, com os quais, além da relação sexual em si, podiam sentir-se em sintonia cultural ou fortalecer alianças políticas.

Muitos séculos depois, a revolução industrial deslocou o centro do sistema social para os negócios: fábricas, dinheiro, mercadorias, comércio. E os homens segregaram as mulheres fora desses centros, trancando-as nos recintos domésticos, dedicados aos afetos, à estética, à criação dos filhos. Coisas de qualquer forma desvalorizadas, não remuneradas, consideradas secundárias e quase pueris.

O que se atém ao rude, ao prático, ao econômico, ao competitivo e ao racional é reservado aos homens: guerras, trabalhos, esportes, hierarquias eclesiásticas, estados-maiores, conselhos administrativos e estádios. O que se refere à natureza, à beleza, à solidariedade, à emotividade é delegado às mulheres: criação, ensino, sedução, assistência, lar, jardim, escola, bordel, hospício e hospital.

As mulheres, por sua vez, tornaram-se cúmplices dessa segregação homossexual. Nas palavras de uma estudiosa americana: "O machismo é como a hemofilia, quem padece da doença são os homens, mas quem a transmite são as mulheres."

Mas sobre esse assunto eu me sinto despreparado e "por fora". É melhor ler as obras de grande interesse de uma especialista como Donata Francescato, por exemplo.

Uma análise politicamente correta. Tanto quanto o sonho de uma sociedade andrógina, não marcada por papéis hierárquicos e

Um Futuro Globalizado e Andrógino

rígidos para homens e mulheres. Mas por que, segundo o senhor, esse sonho hoje está se realizando?

Pelo menos por dois motivos. Agora, pela primeira vez na História, a ciência permite que as mulheres tenham filhos sem ter um marido, enquanto, para os homens, por enquanto, não é tecnicamente viável ter um filho sem ter uma mulher. Até dez mil anos atrás acreditava-se que as crianças nascessem graças somente à virtude feminina, sem qualquer intervenção geradora do homem. Hoje, biogeneticamente, aquela crença se tornou realidade, estabelecendo as bases fisiológicas para um novo matriarcado.

A segunda circunstância é que hoje, como já dissemos, a sociedade pós-industrial delega as tarefas cansativas e repetitivas às máquinas, deixando aos humanos as atividades flexíveis, intuitivas e estéticas. Atividades para as quais, historicamente, as mulheres encontram-se mais bem preparadas, pelo simples fato de que os indivíduos do sexo masculino foram sempre tradicionalmente educados para agir de forma racional, rígida e programada.

Onde se afirmam atividades que requerem flexibilidade, intuição, emotividade e senso estético – na ciência, na arte, no cinema, na moda e na mídia –, aportam, pontualmente, as mulheres e debandam os homens. E é um processo tão acelerado, que legitima a triste hipótese de uma próxima fase de homossexualidade hegemônica: a das mulheres que se relacionam só com mulheres, porque com os homens têm bem pouco o que dizer e bem pouco a compartilhar.

Mas uma sociedade que inverte a hierarquia, mantendo o separatismo, ainda que com um sinal diferente, não é uma sociedade andrógina.

Exato. Uma futura sociedade dominada pelas mulheres com exclusão dos homens seria tão injusta quanto a sociedade passada, dominada pelos homens, com exclusão das mulheres. Em ambos os casos, o que se perde é a riqueza da pluralidade.

Por sorte, ainda temos tempo para evitar esse segundo erro, porque os homens estão perdendo a hegemonia, mas as mulheres ainda não a conquistaram. Os homens estão começando a adotar muitas das características femininas: cuidar do corpo, por exemplo, demonstrar maior ternura, usar alegremente cores vistosas no modo de vestir, cuidar mais da casa, ou perder a vergonha de chorar no cinema, diante de uma cena comovente. As mulheres, por sua vez, começam a adquirir desenvoltura na vida pública, consciência de que têm o direito ao acesso às poltronas do poder e à justa pretensão de que também os homens participem no cuidado dos filhos.

Dou um exemplo: até pouco tempo, quando um casal esperava um filho, a mulher sabia, desde a gravidez, que aquele nascimento provocaria mudanças radicais na sua vida: nos seus horários, compromissos, dedicação ao trabalho e na carreira. O marido, ao contrário, sabia que todas as suas atividades prosseguiriam exatamente como antes, inalteradas. Hoje em dia, isso mudou: a maioria dos jovens casais sabe que o nascimento de um filho modificará a vida dos dois, que deverão reduzir o empenho profissional em prol de uma atenção dedicada ao filho.

Na sociedade pós-industrial poderá, finalmente, se recompor, tanto no plano psicológico como no comportamental, aquele tipo de androginia que Platão descreve e acerca do qual diverga em *O Banquete,* que mais uma vez me agrada citar:

"Antigamente, a natureza humana não era como a atual. No princípio havia três sexos, e não dois como agora, masculino e feminino. Havia ainda um terceiro, que participava do masculino e do feminino e que agora desapareceu, apesar de permanecer o

Um Futuro Globalizado e Andrógino

seu nome. Naquele tempo, de fato, existia o sexo andrógino, que compartilhava o nome e a forma de ambos os sexos, o masculino e o feminino, mas do qual agora resta somente o nome, usado num sentido pejorativo.

Em segundo lugar, a figura das pessoas era completamente redonda, as costas e os quadris formavam um círculo, e elas tinham quatro mãos e quatro pernas, e sobre o pescoço redondo, dois rostos idênticos. Essas duas faces que estavam viradas para lados opostos se encontravam numa única cabeça com quatro orelhas, e todos os outros detalhes podem ser imaginados a partir dessas indicações...

E os sexos eram três, enquanto o macho se originou do sol, a fêmea originou-se da terra, e o terceiro sexo, que tinha elementos em comum com ambos, originou-se da lua, que, justamente, compartilha da natureza do sol e da terra.

E eles eram redondos, assim como redonda era a maneira como procediam, por semelhança a seus genitores. Assim, eram terríveis na força e no vigor e tinham soberbas ambições e atacavam os deuses...

Então, Zeus teve uma ideia e disse: 'Acredito que encontrei uma forma na qual os seres humanos podem continuar a existir, porém renunciando às suas insolências. Cortarei cada um pela metade, e assim se enfraquecerão, mas ao mesmo tempo duplicarão de número e se tornarão mais unidos a nós...'

Dito isso, começou a cortar os seres humanos em dois pedaços, como se fazem com as sorvas, antes de pô-las no sal, ou como se faz com a casca do ovo...

Assim, como a forma originária foi cortada em duas, cada metade sentia nostalgia da outra e a procurava...

Portanto, ao desejo e à busca da completude dá-se o nome de amor."

O Ócio Criativo

E que outro aspecto o senhor considera ainda como típico da sociedade pós-industrial?

A desestruturação do tempo e do espaço. Estas duas categorias estão se transformando de um modo radical.

A sociedade rural não tinha outra saída senão localizar cada plantio no terreno mais apropriado. O homem era "obrigado" às suas escolhas espaciais. E o mesmo valia para o tempo: cada estação do ano implicava somente um número determinado de atividades. A sociedade industrial conseguiu fazer com que o tempo virasse uma mania, uma neurose. Também o espaço era em grande parte obrigatório: era mais conveniente elaborar a matéria-prima o mais perto possível dos cursos d'água que acionavam as turbinas. E todas as ações humanas, até mesmo os pensamentos, possuíam tempos e lugares específicos: o amor, de noite em casa, o trabalho, de manhã no escritório, as compras, num determinado bairro, a diversão, num outro, e assim por diante.

Ora, com o fax, o celular, o correio eletrônico, a Internet, a secretária eletrônica, nós podemos fazer tudo em todo e qualquer lugar. Usos, mentalidades e sentimentos separam-se sempre mais dos lugares e dos horários. Chega-se ao ponto em que até o sexo pago pode ser feito por telefone, a distâncias intercontinentais.

Uma conquista?

Sim, por um lado. Antes, aquela mulher que responde ao telefone, em vez de estar do outro lado do mundo, estava na cama do seu "consumidor". Antes era obrigada a lhe vender *todo* o corpo, agora basta só vender a voz.

Outro valor fundamental na sociedade pós-industrial é a "qualidade de vida" que, até este momento, era vista quase como um pecado. Procurar melhorar o próprio nível de vida equivalia a estimular e satisfazer os próprios sentidos, ou seja, algo considerado pecaminoso até pouco tempo.

Agora, à visão do mundo do sacrifício contrapõe-se a do bem-viver. Em outras palavras, que são do meu amigo Luciano De Crescenzo, espalhou-se o ditado que afirma que se vive uma vez só. Portanto, todos querem viver mais e melhor.

O carisma, como o senhor observava antes, tem um grande peso na sociedade pós-industrial. Devemos procurar o motivo disto também nessas mudanças de valores?

Em parte. O carisma é uma coisa essencial nos processos criativos de grupo. Como dizíamos, a criatividade é uma poção feita de muitos ingredientes: conscientes e inconscientes, emocionais e racionais. É uma mistura de fantasia e concretude. Para obtê-la, num grupo, seja ele um time, uma equipe empresarial ou uma nação, são necessários diversos fatores: um clima de entusiasmo, tanto uma motivação individual quanto a consciência de que se trata de uma missão coletiva e uma liderança apaixonante, carismática.

Em termos mundiais, João Paulo II é um exemplo de líder carismático. No seu livro *Oltre la soglia della speranza* (Além da soleira da esperança) encontra-se uma ênfase contínua, indicadora do carisma. O carisma é feito de muitas coisas, não é um elemento simples.

Até mesmo o desejo de aprofundar a compreensão pode prejudicá-lo. Simplicidade e simplificação são características do pensamento racional. Já um certo mal-entendido, o que é entendido nas entrelinhas ou a ambiguidade são característicos do agir emotivo. Uma declaração de amor comparada com um contrato de compra e venda pressupõe um desperdício enorme em termos de emotividade e mal-entendidos. Uma declaração de amor é feita por tons e palavras equívocas, ambivalentes, enquanto um contrato deve ser o menos ambíguo possível.

As últimas encíclicas papais se parecem muito mais com uma declaração de amor e de fé do que com a estipulação de um contrato, sob este critério de ambivalência. E aí o carisma faz e acontece: nos mal-entendidos, na complexidade, nas nuances, no mesclado, no dito e não dito. Em tudo aquilo que definimos como pós-moderno.

Um valor tipicamente pós-industrial, ao qual o senhor se refere frequentemente, é o nomadismo, tanto na sua mais antiga forma física como na sua mais recente versão virtual. Hoje ele expressa uma inquietação nova ou um desejo? O senhor gostaria de falar disso?

Dentro de cada um de nós, uma parte sente uma espécie de horror ao domicílio fixo e deseja vagar pelo mundo, sem pouso. Uma outra sente a necessidade de ter um lugar onde guardar os chinelos, um lar estável onde possa sempre viver. Algumas vezes uma dessas duas tendências prevalece, outras vezes se alternam e em alguns outros casos lutam entre si, sem que nenhuma consiga prevalecer sobre a outra, e isso acaba nos neurotizando.

No curso da História, nós fomos primeiro nômades e depois nos tornamos sedentários. Há um milhão e meio de anos, uma nossa antepassada, à qual foi dado o nome de Lucy, era nômade. É dela o primeiro esqueleto humano intacto encontrado: uma jovem de vinte anos que tinha aprendido a caminhar na posição ereta, mas que ainda dormia entre os ramos de uma árvore e mudava de árvore toda noite. Nos nossos dias, Salinger passou toda a sua vida num *bunker*, sem que jamais fosse visto fora, e

Um Futuro Globalizado e Andrógino

Gore Vidal, o maior escritor americano vivo, vive trancafiado em Ravello, na costa amalfitana, numa casa isolada, num penhasco sobre o mar. O termo "nômade" provém de pasto, pastorear. Os pastores, assim como os caçadores, precisavam se deslocar continuamente para encontrar novos pastos e novas caças. Somente há cinquenta mil anos, numa zona pantanosa entre o Tigre e o Eufrates, onde se deu recentemente a Guerra do Golfo, surgiram as primeiras cidades, Ur e Uruk, que atingiram a cifra considerável de trinta mil habitantes. O convívio estável de tantas pessoas propiciou, conforme já vimos, descobertas prodigiosas: a matemática, a astronomia, a moeda, a escola, a organização piramidal da sociedade, a roda e a carroça.

Dali para a frente, os centros urbanos, lugares delegados à sedentariedade, gozaram de um sucesso crescente que, com o advento da indústria, chegou a ser triunfante. Em 1800, Londres tinha 800 mil habitantes e, em 1910, já superava os sete milhões. No mesmo espaço de tempo, Nova York passou de 60 mil a quatro milhões e meio de habitantes. Hoje, São Paulo, Cairo, Buenos Aires e Cidade do México superam quinze milhões de habitantes. A partir de 1999, mais da metade da população mundial vive em cidades.

Portanto, o desafio entre cidadão e nômade já dura pelo menos cinco mil anos. A sedentariedade parece ter vencido em todas as frentes, mas o antigo nômade que ainda vive dentro de nós não morre nunca, e, quando a gente menos espera, a sua inquietude neurótica desperta do sono para nos obrigar a sair pelo mundo.

A aldeia e o porto, o deslocamento e a caverna convivem e lutam dentro de nós, como necessidades biológicas herdadas da Pré-História, ambas vertentes indispensáveis ao percurso da civilização. Foi nos vales e nos portos que o homem fez progressos, e foi através das planícies e dos mares que o progresso se difundiu. O moinho d'água, os arreios modernos dos cavalos e a bússola chegaram até nós, europeus, pelas grandes ondas de migrações de nômades xiitas, hunos, árabes, mongóis e turcos. Como lembra Chatwin, os nômades nunca construíram obras-primas de arquitetura, que requerem anos de vida estabilizada, mas construíram grandes religiões, como o islamismo, aperfeiçoaram o nosso conhecimento do universo estrelado e da terra desolada, elaboraram modelos de vida que se imprimiram para sempre no nosso imaginário coletivo e que nos levam à inquietude.

Na sua obra monumental *Les ouvriers européens,* sobre os operários europeus, Les Play descreve os costumes dos basquiros, pastores nômades dos Urais: "A propensão deles ao ócio, o ócio da vida nômade, o hábito da meditação, que eles cultivam entre os seus indivíduos mais dotados, conferem a eles, frequentemente, uma distinção nos modos, uma acuidade na inteligência e na capacidade de juízo que raramente são encontradas, no mesmo nível, numa sociedade mais desenvolvida."

Como se conciliam a sedentariedade e o nomadismo na sociedade pós-industrial?

Apesar de a civilização urbana ser sedentária, os cidadãos seguem um ritmo de vida marcado pelo frenesi do vaivém e pelo "correr atrás" do emprego e da profissão. O carro, a competitividade e o consumo ostentatório são os símbolos que esta civilização adora.

Apesar de a vida nômade constituir-se numa eterna peregrinação, muito frequentemente os nômades cultivam a preguiça e a vida contemplativa. Chatwin narra que, embora o povo beja, do

Um Futuro Globalizado e Andrógino

Sudão Oriental, seja um povo guerreiro, eles adoram saborear longas fases de preguiça ociosa, na qual passam horas a se pentearem mutuamente.

Ambos – o civilizado e o nômade – necessitam de pontos de referência: para um é o lar estável, para o outro um trajeto habitual. Mas o nômade, de acordo com todos os testemunhos, conserva um segredo de felicidade que o cidadão perdeu, e a este segredo sacrifica a comodidade e a segurança.

Para reencontrar esse segredo, os cidadãos se sentem, periodicamente, atiçados pelo demônio da viagem. Então, usam como pretexto os negócios ou as férias, um concerto de *rock* ou um encontro promovido pelo papa: fazem as malas e partem. O cigano se sente em casa em qualquer lugar. O cidadão errante (o judeu, o viajante, o turista), aonde quer que vá, se sente um estrangeiro. Múltiplos são os êxitos, os álibis e as sensações da viagem, mas um só é o profundo e verdadeiro motivo interior que a determina: perseguir o segredo daquela remota felicidade.

Os anos 2000 verão todas essas tendências aumentarem?

Mesmo que o final do primeiro milênio não tenha sido acompanhado, como se diz de forma fantasiosa, pelo terror do Juízo Universal, de qualquer forma o ano 1000 trouxe consigo um clima de religiosidade exasperada e de total desconfiança no destino da humanidade.

O ano 2000, ao contrário, chegou em um mundo muito vital, onde tudo é fibrilação. Fervilham a escalada das Bolsas, o frenesi das viagens, a mobilidade dos postos de trabalho – e consequentemente do lugar em que se vive –, a confiança nas novas tecnologias que nos oferecerão maior ócio, a esperança nas novas biologias que nos concederão maior longevidade e o otimismo gerado pela nova informática, que nos dá de presente a possibilidade do convívio global.

A sociedade mutante venceu de goleada a sociedade estagnante. O nomadismo baniu a sedentariedade. Na primeira metade do século XX, os jovens cultos adoravam Proust, refinado e sedentário. Na segunda metade do século apaixonaram-se por Salinger, rebelde, rude, que vivia segregado em um *bunker*. Nas vésperas do ano 2000 transferiram seu culto a Chatwin, esteta esnobe e andrógino, mas também nômade irrequieto.

No ano 1000, a Europa, povoada por gente inculta, buscava no sul – isto é, nas civilizações sicilianas, bizantinas, islâmicas – a riqueza cultural que lhe faltava. Quando as cruzadas chegaram em Constantinopla, o imperador amedrontou-se, porque lhe parecia gente selvagem.

Hoje é a Europa que tenta se defender da invasão de imigrantes que provêm do sul, considerando-os como bárbaros, enquanto, por sua vez, considera Washington, Seattle, Boston e Tóquio os epicentros pós-modernos ricos de sutil tecnologia que homogeiniza tudo na virtualidade.

E quais são as formas específicas que o nomadismo assume na nossa sociedade pós-industrial?

Com o teletrabalho é possível desempenhar as próprias atividades sem sair de casa, economizando assim o tempo que era gasto para os deslocamentos cotidianos entre o lar e o escritório. Mas, se por um lado a tecnologia permite que se trabalhe de roupão, usando telefone, fax e correio eletrônico, por outro as exigências de estudos especializados, de trabalho, de cultura e de lazer impõem cada vez mais frequentemente a mudança de cidade, de país, de um continente a outro. Diminuem, portanto,

Um Futuro Globalizado e Andrógino

os microdeslocamentos, mas multiplicam-se, em vez disso, os deslocamentos de maior raio de distância e duração.

Afinal de contas, a sociedade pós-industrial é fundada no deslocamento e na reunião de pessoas, mercadorias e informações provenientes dos lugares mais disparatados. Até nos botões dos nossos paletós estão incorporados tecnologias e conhecimentos reunidos de diversos países. Até no frango que comemos há mais informática do que carne.

Mas qual era o comportamento dos nossos antepassados de poucas gerações atrás em relação às viagens?

Até a Segunda Guerra Mundial, para a maioria dos homens, a única coisa que causava a separação da própria terra era o serviço militar. As mulheres, exoneradas dessa obrigação, acabavam por viver e morrer na mesma casa do mesmo bairro da mesma cidade. Se no passado – sobretudo quando ainda não existiam nem o cinema nem a televisão – os livros sobre viagens tiveram enorme sucesso, foi devido justamente à capacidade de dar ao leitor, sedentário, a ilusão de acompanhar viajantes com a própria imaginação.

Já a relação dos aristocratas com a viagem era completamente diferente. Os diários de Goethe e de Stendhal, escritos na Itália, ao longo do *grand tour* realizado por cada um deles, foram imediatamente lidos por milhares de jovens aristocratas, que os imitaram, descendo até a nossa península, para visitá-la. Na Rússia, quando um aristocrata partia para o seu *grand tour* italiano, os amigos não só faziam apostas quanto à possibilidade de que ele retornasse são e salvo, como o valor das apostas variava segundo o itinerário programado: se fosse só até Florença, se ousasse chegar a Nápoles ou, em caso extremo, até Palermo. Sobre as aventuras relacionadas a este tema, uma leitura obrigatória são os textos envolventes de Cesare de Seta.

E hoje?

Hoje, como eu já disse, junto com as viagens de breve duração, com motivações turísticas, culturais ou de negócios, aumentam as ocasiões para que se realize uma mudança de moradia por um tempo mais prolongado. O que antes acontecia somente aos diplomatas deslocados para o exterior, aos funcionários estatais que eram transferidos de sede ou aos emigrantes que abandonavam a própria terra e se transferiam para cidades industriais atualmente sucede a executivos, jornalistas, artistas, cientistas, intelectuais e jogadores de futebol. Calcula-se que, nos Estados Unidos, um cidadão moderno mude, em média, dezesseis vezes de casa durante a própria vida. Na Europa, esta média é de nove vezes.

E quais são as consequências disso para a personalidade dos "novos nômades"?

A experiência do nomadismo difuso obriga a nossa mente a uma dupla elasticidade: a elasticidade mental, necessária para perceber e lidar com a diferença entre pessoas, lugares e momentos diversos, para ver a realidade de ângulos diversos e para resolver problemas inéditos. E a flexibilidade prática, necessária para gerir situações que se transformam, para encontrar o fio que serve de guia à ação mesmo num contexto desorganizado, para transformar os vínculos em oportunidade.

A experiência de mudança estimula por sua vez a criatividade. Desde a primeira infância, Mozart não fez outra coisa a não ser girar pelo mundo, como um pião, dando concertos, visitando

Um Futuro Globalizado e Andrógino

cortes, encontrando aqueles que lhe encomendavam obras. Diz-se até que uma grande parte de sua ópera *A Clemência de Tito* tenha sido escrita dentro de uma carruagem. O fato é que cada viagem contribuiu para enriquecer e refinar o seu espírito musical, até fazer dele o grande gênio que todos conhecemos.

Mudar de lugar estimula a criatividade, até mesmo quando os lugares visitados não são muito diferentes daqueles com que estamos acostumados. Parece-me que foi o príncipe siciliano de Palagonia que, durante uma grave enfermidade, aterrorizado por sua morte iminente, fez a promessa de ir a pé até Jerusalém, caso recobrasse a saúde. Porém, uma vez curado, arrependeu-se pelo excesso da promessa e obteve do bispo a permissão de trocar a viagem até Jerusalém em uma quantidade de giros ao longo do perímetro do próprio palácio, cuja soma equivalesse à distância entre a Sicília e a Palestina. O diário que o príncipe escreveu, durante os meses de sua insólita viagem ao redor da própria habitação, demonstra que até um deslocamento fictício como este torna mais imaginativo e mais sábio aquele que o realiza.

Portanto, superada a secular vida sedentária dos nossos antepassados, só nos resta aproveitar e dar sentido ao nosso destino de nômades pós-industriais, que à viagem física soubemos ainda acrescentar a viagem virtual na Internet.

Os artistas errantes foram tão numerosos quanto os sedentários, ao longo da história humana. E o artista nômade não é, necessariamente, aquele que melhor antecipa o futuro. Stevenson emigrou para as ilhas Samoa, mas Leopardi escreveu para fugir do tédio da sua cidadezinha, Recanati. London vai até o cabo Horn e à Austrália. Já Proust, como o senhor mesmo lembrava, escreve Em Busca do Tempo Perdido *entre as quatro paredes revestidas de cortiça do seu quarto de dormir.*

O Ócio Criativo

Não conheço estatísticas exatas sobre artistas nômades ou sedentários, mas concordo com o espírito da sua pergunta: pode-se viajar com a mente mesmo quando o corpo não sai do lugar. Porém, a abundância atual dos meios de transporte, somada aos meios de comunicação e à possibilidade de navegação virtual, praticamente zera os casos de pessoas criativas que não se movem.

Nono Capítulo

O Servilismo Zeloso

A primeira razão pela qual os homens servem com boa vontade é porque nascem servos e como tal são criados... Como é que o chefe ousaria pular em cima de vós, se vós não estivésseis de acordo?

Étienne de la Boétie

Todos os homens, de todos os tempos, e ainda os de hoje, dividem-se entre escravos e livres, porque quem não dispõe de dois terços do próprio dia é um escravo, não importa o que seja de resto: homem de Estado, comerciante, funcionário público ou estudioso.

Friedrich Nietzsche

Precisamos falar sobre os horários de trabalho. As empresas negociam com os sindicatos para tornar os horários de expediente mais flexíveis, com o objetivo de utilizar ao máximo estabelecimentos que, muitas vezes, têm um custo de centenas de milhões ou até mesmo de bilhões de liras. Do outro lado da mesa de negociações, o desemprego crescente valoriza a receita: "trabalhar menos, mas dar trabalho a todos". Há muito tempo o senhor propõe, sic et simpliciter, *uma redução "drástica" dos horários de expediente. Por que drástica? E a que ponto drástica?*

Parece-me que é necessária uma ação drástica devido ao fenômeno do *overtime*. Este termo que utilizo indica simplesmente o hábito, que se consolidou ao longo dos anos por parte dos executivos de "colarinho branco", de permanecer no escritório muito mais tempo do que aquele estritamente necessário, mesmo quando não são remunerados pelas horas extras. Sobretudo após o advento dos microprocessadores e da máxima automação, que fazem com que desapareçam alguns empregos, não só muita força de trabalho desempregada *fora das empresas* se tornou supérflua, mas igualmente *dentro das empresas* muitas tarefas da força de trabalho empregada sofreram erosão. Isto devorou as atividades sobretudo de funcionários, dirigentes, executivos – uma série de profissionais que, dia após dia, têm cada vez menos o que fazer. É verdade que alguns são sobrecarregados de trabalho, sobretudo em decorrência de uma distribuição malfeita, mas, para a maioria, diminui o trabalho, de modo que muitas pessoas poderiam se limitar a trabalhar cinco ou, no máximo, seis horas por dia.

Por outro lado, porém, enquanto por razões contratuais um operário deixa a fábrica a uma hora fixa, determinada pela sirene, e é pago em dinheiro até mesmo por um único minuto a mais de trabalho, para os executivos e dirigentes não é previsto o pagamento de horas extras. O que acontece é uma frequente tentação dos altos escalões de prolongarem além da medida o horário do expediente dos seus executivos com o resultado, e disso resulta que milhões de trabalhadores intelectuais, em vez de reduzirem progressivamente o próprio horário de expediente ou de, ao menos, largarem o serviço pontualmente, permanecem nas empresas gratuitamente, todos os dias, muitas horas a mais do que as previstas no contrato de trabalho.

Depois de um certo tempo, o *overtime* se torna uma exigência por parte do chefe. E, o que é pior, com o passar do tempo, se torna também uma dependência psicológica do empregado: ele

O Servilismo Zeloso

se habitua a tal ponto a passar todo o dia no escritório, que, se saísse antes, se sentiria perdido, desorientado, inútil.

Nos Estados Unidos cunharam o termo workaholics: *isso tem alguma analogia com o* overtime?

Overtime em inglês significa literalmente "além do tempo", ou seja, o que nós chamamos de "extraordinário": as horas além do tempo regularmentar durante as quais se trabalhou e pelas quais se é remunerado. Mas eu uso o termo *overtime* fazendo uma analogia com *overdose,* relacionando-o inclusive com a síndrome de abstinência ligada ao uso de drogas. O *overtime* crônico é um dos sintomas a partir dos quais se pode concluir que o trabalhador sofre dessa patologia que os americanos chamam de "alcoolismo de trabalho", já que *workaholic* é uma contração de *work* (trabalho) e *alcoholic* (alcoólatra).

Isso que o senhor chama de overtime *é um paradoxo: embora o trabalho diminua, os funcionários reagem fazendo horas extras não remuneradas. Por quê?*

A empresa, por sua própria natureza, é uma instituição total, onívora, que gostaria de absorver o trabalhador o tempo todo. Se pudesse, o faria dormir no emprego. É uma necessidade psicológica, semelhante à que liga a vítima ao seu carrasco. O chefe não consegue abrir mão dos empregados subordinados a ele, e estes, por sua vez, não conseguem abrir mão da subordinação ao chefe.

O funcionário deve demonstrar ao chefe que o tempo não é suficiente, que tem muita coisa para fazer e que é tão prestimoso e fiel à empresa, que se dispõe a assumir todas essas tarefas no *overtime*, até mesmo gratuitamente. Portanto, sacrifica a família e o lazer a este mito que é a empresa, colocado em primeiro lugar, acima de qualquer coisa.

Por conseguinte, o chefe age de modo que a promoção, o aumento salarial ou somente o relacionamento de confiança dependam da fidelidade do empregado para com a empresa. O *overtime*, no final das contas, serve para fazer companhia ao chefe: é um modo de demonstrar a ele uma devoção zelosa.

O overtime *é também um velho hábito. Claro que agora, com toda a automação e pouco trabalho de fato por ser feito, torna-se um absurdo. Mas o comportamento é o mesmo em todos os lugares, na Europa e na América?*

Este é um fenômeno sobretudo japonês, italiano e dos outros países latinos. Na Alemanha, ele não se verifica. Os diretores das multinacionais alemãs que visitam a Itália, mesmo quando se trata do presidente ou de gerentes, se surpreendem em ver que os empregados de suas empresas passam tantas horas nos escritórios. Um deles me perguntou uma vez: "E como é que fazem com a sua vida familiar?" Trata-se de uma pergunta justa: o *overtime*, com efeito, não só destrói a criatividade e a agilidade de uma empresa, mas afeta também a vida familiar e o crescimento pessoal do empregado.

E por que nós, italianos, assim como os espanhóis e os brasileiros, ficamos loucos pelo overtime*?*

Isso eu não sei. E já me perguntei inúmeras vezes. Talvez porque aqui na Itália a industrialização tenha chegado tarde, nos entusiasmamos e a abraçamos sem espírito crítico, de uma for-

O Servilismo Zeloso

ma totalizante. Na América, o *overtime* diz respeito somente aos dirigentes máximos: parte-se do pressuposto de que gerentes, diretores e o presidente, que recebem cifras astronômicas, devam se dedicar de corpo e alma à própria empresa, vinte e quatro horas por dia.

Além disso, existem, é claro, algumas funções que, apesar de serem de nível mais baixo, requerem uma disponibilidade contínua da pessoa. Uma situação análoga à do médico de plantão.

Mas nos países latinos e no Japão, o conceito de disponibilidade total, pertinente a esses casos particulares, espalhou-se por toda parte, com a convicção errada de que quanto mais tempo se passar no local de trabalho, mais se produzirá. Uma ideia que remonta à oficina, à linha de montagem: ali sim, dobrando o tempo, fabricava-se o dobro de parafusos. Hoje é muito diferente, pois o que se solicita aos empregados – sobretudo se são trabalhadores intelectuais – são ideias e não parafusos. E a quantidade total de ideias produzidas não é diretamente proporcional à quantidade de horas de permanência no interior de uma empresa.

Na minha opinião é exatamente o contrário: quanto menos se sai da empresa, quanto mais se permanece trancafiado lá dentro, como num aquário, de manhã à noite, menos se recebe estímulos criativos.

Além disso, é preciso recordar que as pessoas que se habituam a ficar no local de trabalho além do horário de expediente regular tendem a matar o tempo inventando novos procedimentos para impor aos outros. E assim, aos poucos, a empresa se reduz a um amontoado de regulamentos inúteis à sua eficiência, danosos à sua produtividade e letais à sua criatividade.

Por que, neste momento, a solução deve ser uma redução drástica dos horários?

O Ócio Criativo

As pesquisas sobre o teletrabalho, ou seja, o trabalho que não é realizado nos escritórios, mas na própria residência, evidenciam que as tarefas que na empresa requerem de oito a dez horas para serem realizadas, em casa se realizam, comodamente, na metade do tempo: de quatro a cinco horas, no máximo. Isto quer dizer que as pessoas passam, seja nas empresas, seja nas repartições públicas, o dobro do tempo necessário.

Com exceção de alguns casos (por exemplo, o empregado de um guichê que deve ficar aberto ao público durante uma certa faixa de horário), se dissesse às pessoas: "Vocês podem ir para casa assim que acabarem as suas tarefas", elas iriam embora ao meio-dia, a não ser em dias em que houvesse uma carga excepcional de trabalho.

Daí, o que se conclui? Que se reduzirmos os horários de expediente em só uma ou duas horas por dia, o número de pessoas que já trabalha continuará a ser suficiente e, portanto, não haverá qualquer benefício para o problema do desemprego.

A quantidade de trabalho à disposição seria de qualquer jeito realizada pelas mesmas pessoas?

Exatamente. Se hoje os empregados realizam em dez horas o trabalho que poderiam fazer em cinco, mesmo que se reduzisse à metade o atual horário desmedido de expediente, não seriam criadas as exigências de contratação de novo pessoal. Para conseguir isso, seria necessário reduzir o expediente a três horas.

E nem isso basta: essa redução dos horários deveria ser logo acompanhada de uma semana feita de, no máximo, três dias úteis, e cada mês teria, no máximo, três semanas de trabalho. Caso nos limitássemos a reduzir as horas de trabalho diárias, o *overtime* expulso pela porta reentraria pela janela: as pessoas não

O Servilismo Zeloso

iriam para casa após o expediente regular, ficariam no trabalho muitas horas além dele, mesmo sem receber remuneração extra.

A semana curtíssima era prevista, por exemplo, naquele acordo da Volkswagen que entrou em vigor em 94. O senhor se lembra daquele modelo?

Sobre a oportunidade da redução do expediente eu já tinha falado e escrito, muito antes daquele acordo. Porém, estou certo de que, mesmo que as vinte e oito horas semanais do acordo da Volkswagen fossem aplicadas nos escritórios de algumas empresas italianas, se fossem mantidos os cinco dias por semana e não só quatro, muitos dos nossos funcionários, executivos e gerentes iriam, de qualquer jeito, estender o horário, ficando no trabalho muito além das horas previstas. As pessoas não estão mais habituadas a ficar em casa, a ter tempo para si. Só conseguem ficar longe dos respectivos escritórios quando são obrigadas a isso. E só a longo prazo poderiam começar a apreciar o tempo livre, aprendendo a valorizá-lo.

Se as pessoas fossem obrigadas a permanecer no local de trabalho só o tempo estritamente necessário, além do efeito pedagógico e da questão do desemprego, haveria também um efeito positivo para a empresa?

Certamente. Antes de mais nada, uma carga menor de trabalho teria efeitos positivos, seja dando emprego a quem não tem, seja na criatividade dos que já estão empregados. Além disso, como eu já disse, seria conveniente para as empresas também por um outro motivo, ainda mais concreto: uma pessoa que está no escritório sem nada para fazer adquire, como eu já disse, o péssimo

O Ócio Criativo

hábito de passar o tempo inventando modos de criar procedimentos e regras inúteis que dão dor de cabeça aos outros e só prejudicam. Sem falar no desperdício de recursos: o telefone, o ar-condicionado, o próprio estresse.

Tudo em prol, portanto, até mesmo da eficiência?

As empresas seriam mais criativas, mais produtivas e reduziriam as despesas. Os trabalhadores teriam mais tempo disponível para a vida pessoal, revitalizariam seus relacionamentos com a família, com o bairro, com a cultura, alimentariam a própria criatividade.

Ou obteriam um segundo emprego.

Talvez. Mas ter dois empregos já é melhor do que ter um só. É mais diversificado e permite a distribuição dos riscos em várias frentes.

E assim atingimos o âmago do problema: a redistribuição social dos benefícios trazidos pelo progresso tecnológico. Tudo se automatiza, diminui o trabalho requerido, mas nem na Itália, nem em outros países, em geral, as empresas reagem cortando drasticamente os horários de expediente. Reagem, ao contrário, demitindo. E até, como frequentemente acontece na Fiat, cogitando reduzir as férias de quatro para três semanas. Parece-lhe que essa situação possa se resolver pacificamente através de um acordo entre empresários e trabalhadores?

As organizacões são habitudinárias como os paquidermes que, depois que fazerem uma coisa duas ou três vezes, passam a repeti-la sempre.

O Servilismo Zeloso

Isto vale tanto para uma empresa isolada como para uma nação inteira. Bertrand Russell escreveu no seu livro *O Elogio do Ócio:* "A guerra demonstrou de uma maneira que não deixa espaço a controvérsias que, graças à organização científica da produção, é possível garantir à população do mundo moderno um razoável teor de vida, desenvolvendo somente uma pequena parte da total capacidade de trabalho. Se, no final do conflito, essa organização científica, criada para que os homens combatessem e produzissem, tivesse continuado a funcionar, reduzindo o expediente a quatro horas diárias, tudo teria tido melhor êxito. Mas, em vez disso, foi instalado novamente o velho caos: quem tem trabalho, trabalha demais, enquanto outros morrem de fome porque não recebem salário. Por quê? Porque o trabalho é um dever, e o homem não deve receber um salário proporcional àquilo que produz, mas sim em proporção à sua virtude expressada pelo zelo."

Portanto, toda organização, grande ou pequena, tende a ser conservadora, sofre de compulsão à repetição. Os otimistas veem nesse processo uma manifestação da *learning organization*. Eu vejo uma resistência às mudanças.

Para sustar esta compulsão, é preciso nadar contra a corrente. O atual tipo de organização está em vigor há mais de cem anos, com alguns pequenos retoques. E justamente os pequenos retoques agora já não bastam: se eu diminuo o horário de quarenta para trinta e cinco horas semanais, como dizia, os executivos e dirigentes continuam a ficar nos respectivos escritórios cinquenta horas por semana. E também não acontece nada de novo na vida deles fora do trabalho.

Em vez disso, é preciso introduzir o teletrabalho e a semana brevíssima. Deste modo, modifica-se não só a organização do trabalho, mas também a da vida. As pessoas serão obrigadas a planejar um fim de semana de três ou quatro dias, no lugar do de só dois dias, a recuperar o relacionamento com mulher e filhos, a participar da vida civil, a cultivar melhor o jardim da própria emotividade.

Um exemplo positivo de utilização do tempo e das instalações ocorreu na Firestone de Bari. De acordo com a empresa, era necessário saturar completamente os estabelecimentos, porque as instalações eram tão caras, que a fábrica não podia ficar ociosa nem mesmo durante o fim de semana. A partir disso surgiu a proposta feita aos trabalhadores de que realizassem turnos nos sábados e domingos, naturalmente recebendo salários extras. Porém, como a maioria deles era composta por pessoas já de certa idade, habituadas a vestir-se com a melhor roupa aos domingos e ir à missa ou simplesmente passear na praça, eles recusaram. Foi então que a Firestone fez uma proposta interessante: que nos fins de semana, em vez de os empregados, seus filhos fossem trabalhar.

A proposta foi bem-sucedida. Receberam setecentos pedidos e acolheram quatrocentos. A empresa encontrou dessa maneira uma solução que concilia a exigência de todas as partes: a própria, a dos empregados idosos, que não tiveram que abandonar as suas tradições, e a dos jovens, que obtiveram um emprego com dignidade contratual que lhes rende um dinheiro que, sem essa oportunidade, teriam que solicitar às próprias famílias. Além disso, passaram a conhecer o ambiente de trabalho de seus pais.

Pela primeira vez, hoje, desde os tempos de Taylor, mudar a organização do trabalho pode significar "mudar a organização de toda uma existência". É verdade que os computadores, as máquinas fotocopiadoras e de fax são inovações. Porém, modificam somente aquilo que o empregado faz *dentro* da empresa, não a sua vida fora dela. Agora, com a Internet, tudo pode ser modificado.

Infelizmente, disso deriva uma dupla resistência: tanto da empresa paquidérmica como do empregado que se habitua.

O Servilismo Zeloso

Você assistiu ao filme com Tim Robbins, *Um Sonho de Liberdade?* Conta, entre outras coisas, a história de um prisioneiro a quem, depois de passar dezenas de anos na prisão, é concedida a liberdade: no dia em que deixa o cárcere, ele se enforca. Em cinquenta anos tinha consolidado seu equilíbrio, e sair livre no mundo o assustava mortalmente. Uma pessoa que passa a vida toda, todos os dias, dez horas no trabalho, acaba por sentir-se indispensável aos propósitos da organização. Se dispõe de tempo para si, não sabe como usá-lo. Necessita, portanto, de uma reeducação para o tempo livre.

Na sociedade pós-industrial, as formas de conflito continuam a ser as clássicas, ou mudam?

Já mudaram. Atualmente as agregações se dão mais sob forma de movimentos do que de instituições, como partidos ou sindicatos. A cada ocasião decidimos nos aliar a quem nos convém mais. Há tempos, pelo contrário, nos amarrávamos, da cabeça aos pés, permanecendo toda a vida ligados a uma das partes em luta. Que, aliás, era a luta de classes.

As agregações atuais são fluidas, móveis e centradas em objetivos e interesses específicos e transitórios. Têm maior ou menor força e quórum, dependendo de o interesse em jogo representar o de muitos ou de poucos.

Estamos mais habituados a assistir a uma passeata dos trabalhadores do que a uma passeata de senhores bem de vida ou de empresários. A verdadeira novidade é assistir a Berlusconi, que caminha liderando uma passeata composta de pessoas que protestam não porque estejam mal de vida, mas porque temem perder seus privilégios e terem que começar a pagar os impostos. A verdadeira novidade é assistir a uma passeata de empresários franceses que ocupam a praça para protestar contra a semana de 35 horas de trabalho.

Quer dizer que o senhor concorda com quem afirma que os metalúrgicos são uma "classe residual"?

Não. Confundir uma tendência que se está concretizando com uma operação já concluída é um grande erro do ponto de vista sociológico: o trabalho intelectual e o setor terciário impõem-se cada vez mais, porém acreditar que o trabalho operário e o setor industrial já estejam liquidados é um erro. Nos países pós-industriais, cerca de 30% da população ativa ainda trabalham na indústria e a metade desse percentual é constituída por operários.

E qual é então o significado dessas passeatas de empresários e senhores bem de vida que ocorreram tanto na Itália como na França: o nascimento de uma classe média que está adquirindo "consciência de classe"?

Ainda persiste a pergunta: que fim tiveram as classes? O que significa o termo "classe"? Marx definiu o conceito, junto com a teoria do conflito que dele decorre, numa época em que países como a Inglaterra, mas também os Estados Unidos, a França e a Alemanha, eram caracterizados pela clara dicotomia entre poucos ricos e um número infinito de pobres.

Situações desse tipo têm apenas duas saídas possíveis: ou as duas partes chegam ao confronto físico ou se enfrentam na disputa eleitoral. O bipartidarismo imita, justamente, essa contraposição entre duas classes.

Desde o final do século XIX e durante todo o século XX, esta situação mudou: cresceu o grupo intermediário, que não é com-

O Servilismo Zeloso

posto nem pela alta burguesia nem pelo proletariado. Trata-se de uma classe média indiferenciada, na qual confluem os artesãos abastados, o proprietário de terras não latifundiário e, sobretudo, os "técnicos". Aqueles tipos de pessoas cujo poder reside não naquilo que "possuem", mas no que "sabem".

Portanto, no centro, encontra-se um número sempre crescente de pessoas que votam uma parte à direita e outra à esquerda. Para constituir uma "classe" no sentido marxista, seria necessário que fossem todos ou exploradores ou explorados. No entanto, são, talvez, ambas as coisas.

Logo, é um grupo que não é uma classe, porque não possui a completa coesão característica desta, mas também não é um simples arquipélago, porque existe alguma motivação para a agregação. De todo modo, funciona como reservatório de votos e ponto de referência para quem governa, porque é o grupo social mais maciço.

Na Itália, a grande divisão entre ricos e pobres durou até os anos 60.

O senhor está querendo dizer que o bipartidarismo teria sido uma boa coisa durante os anos em que tínhamos o multipartidarismo, enquanto hoje, apesar de o bipartidarismo ser considerado uma grande reforma, é, na verdade, um contrassenso?

É exatamente esta a minha suspeita. Como os interesses são fragmentados, o bipartidarismo obriga os diversos grupos a comporem coalizões fictícias durante as campanhas eleitorais. Depois, uma vez passadas as eleições, os grupos começam a se desagregar e as várias forças que os compunham começam a atacar-se mutuamente, porque, na realidade, não são portadoras de interesses homogêneos.

O Ócio Criativo

Voltemos à questão das negociações sobre os horários: de acordo com o senhor, ela também deveria ser resolvida fora dos esquemas clássicos?

Repito que a melhor maneira para se obter uma produtividade mais alta numa empresa, e uma melhor qualidade de vida fora dela, é deixando o escritório assim que acaba o horário de expediente normal e não oferecer aos respectivos chefes mais tempo do que aquele estipulado pelo contrato e pago pela empresa. Um tempo que, aliás, pode e deve ser drasticamente reduzido.

Parece que a nossa sociedade solicita aos trabalhadores maior flexibilidade não só em termos de tempo, mas também de espaço. Se a oferta de trabalho se encontra em franca diminuição, estar disponível para deslocar-se se torna necessário – das fábricas de Hannover para as de Wolfsburg, como a Volkswagen solicitou aos seus trabalhadores.

Na era industrial, os italianos demonstraram uma incrível disponibilidade para o deslocamento geográfico: do sul para o norte, de cidadezinhas do interior para cidades costeiras, das montanhas para as planícies, de pequenos para grandes centros e da Itália para o exterior.

Porém, deslocar-se sempre significa abandonar as próprias raízes, impondo o mesmo às próprias famílias. E há também uma discriminação sexual: há mulheres que estão disponíveis para deslocar-se acompanhando seus maridos, mas a recíproca não é verdadeira. Este não é um problema italiano, alemão ou francês. É doloroso em toda parte.

Emigrar por causa do trabalho é típico da sociedade pós-industrial?

O Servilismo Zeloso

Não. O teletrabalho nos levará a operar cada vez mais na própria casa. As migrações são resíduos industriais: o deslocamento de todos e à mesma hora em direção ao trabalho ou a emigração em massa das zonas rurais para as zonas industriais são formas obsoletas de mobilidade.

Agora, a maioria dos trabalhadores não lida com matérias sólidas, mas com informação imaterial. Portanto, em vez de deslocar os trabalhadores para onde estão as informações, é possível e preferível deslocar as informações para onde estão os trabalhadores.

No futuro, seremos cada vez mais sedentários, no que diz respeito ao trabalho, e, como já disse, cada vez mais nômades, no que concerne ao estudo, à cultura e ao lazer.

Numa sociedade em que o trabalho é sempre mais de tipo intelectual, qual é a nova forma de exploração?

A maior exploração ainda diz respeito à matéria-prima. Quando a matéria-prima era o cobre, explorar significava comprá-lo a baixo custo. Se é o trabalho, significa pagar pouco pelos braços que se compram. Se são ideias, significa se apropriar dos frutos da criatividade dos outros ou ainda impedir que eles amadureçam.

E o que significa impedir a criatividade?

É o que fazem, predominantemente, as empresas: mantêm milhões de pessoas num regime de baixo nível das ideias, utilizam só as suas capacidades executivas, fazendo com que se envolvam de uma tal maneira com a burocracia, que elas acabam perdendo a capacidade de inventar e se tornam outros robôs.

Geralmente se pensa que tudo isso tenha acabado para sempre, que se trate de águas passadas, de velhas cadeias de montagem metalúrgicas que já se tornaram arqueologia industrial. Na realidade, o fenômeno reproduziu-se tal e qual nas modernas linhas de montagem da indústria de papel, talvez as mais avançadas quanto à informatização. Tome-se a Amazon como exemplo. O seu fundador e presidente foi eleito pela *Time* "o homem do ano", em 1999, mas, segundo a reportagem do jornal italiano *l'Unità*, "abaixo do nobre andar onde trabalha Jeff Bezos, o presidente, encontra-se um dos muitos pontos críticos que constelam a *New Economy:* os peões digitais, que trabalham de dez a onze horas por dia, respondendo aos *e-mails* dos clientes e recebendo um salário que varia de dez a treze dólares por hora. O mais competente consegue compor até doze *e-mails* em uma hora, o mais lerdo, sete ou cinco, mas, se não melhora em poucos meses, acaba sendo despedido... No dia 3 de setembro de 1999, o supervisor Mark Schaler enviou-lhes a seguinte mensagem: "Vocês poderão dormir quando estiverem mortos."

É isso, portanto, que seria o pós-fordismo! Dos peões agrícolas passou-se aos metalúrgicos e agora é a vez dos digitais: de qualquer jeito permanece o incrível desperdício da inteligência humana, inteligência que merece ser medida não com base na quantidade de *e-mails* que envia, mas na qualidade das ideias produzidas, na capacidade de criar. E quanto mais uma organização é capaz de estabelecer um ambiente propício à criatividade, mais eficiente ela é.

A pequena empresa é mais criativa?

Depende do tipo de trabalho e da genialidade do chefe. Muitas vezes, porém, a pequena empresa é bem-sucedida só porque explora mais seus funcionários e usa força de trabalho não contratada legalmente.

O Servilismo Zeloso

Numa empresa criativa é sempre necessária a presença de um chefe carismático?

Sim, um chefe que incuta entusiasmo, libere os grupos dos procedimentos inúteis, gratifique os criativos, olhe para o futuro, promova a inovação e tenha coragem de enfrentar o desconhecido.

Falávamos sobre os horários. Modificá-los drasticamente, como o senhor recomenda, pode significar perder certa ritualidade, certos tempos comuns da coletividade, necessários à socialização, ocasiões de encontros e reuniões. Eu me refiro a algo parecido com o que a praça representava, num sentido espacial, nas cidadezinhas.

Eu acredito que, mesmo que se reduza a semana de trabalho, mesmo com a sua remodelação, seria de qualquer maneira necessário manter ocasiões de estudo e de festas comuns a todos. Por exemplo, poderiam existir dois dias por semana livres para todos, que é o que já acontece agora. Os outros dias livres poderiam ser móveis.

Em outras palavras, o senhor considera importante que o tempo livre seja compartilhado socialmente?

Pode ser. Mas a verdade é que acabamos sempre passando os domingos com aquele grupo de uma dezena de amigos que poderíamos encontrar também numa quinta-feira.
Uma parte do nosso tempo livre deve ser dedicada a nós mesmos, ao cuidado com o nosso corpo e com a nossa mente. Uma outra parte deve ser dedicada à família e aos amigos. Devemos dedicar uma terceira parte à coletividade, contribuindo para a sua organização civil e política. Cada cidadão deve dosar estas

O Ócio Criativo

três partes em medidas adequadas, de acordo com a sua vocação pessoal e a sua situação concreta.

Quer dizer que até mesmo a convenção de que o dia livre coincida sempre com o domingo lhe parece superável?

Bem, eliminar o domingo bruscamente faria desabar a economia dos estádios e das paróquias. Contudo, não é por acaso que ambos começaram a espalhar partidas e missas obrigatórias, mesmo nos dias úteis. Com o passar do tempo, nos habituaremos a descansar em qualquer hora do dia ou em qualquer dia da semana, indiferentemente.

Existe um trabalho cujo horário não se reduz nunca: o trabalho doméstico.

Não é verdade. Os eletrodomésticos, os alimentos pré-cozidos, as casas menores, os móveis mais funcionais, o controle da natalidade – tudo isso reduziu e melhorou o trabalho doméstico.

Porém, à medida que aumenta o tempo livre, o trabalho doméstico, em vez de ser delegado a agentes externos (empregados domésticos, tinturarias, etc.), será cada vez mais efetuado pela própria família.

É o que Toffler chama de *"prosuming"*. Ele dizia que, em 1980, 70 % de todo o material elétrico e 50% de todo o material de construção vendidos nos Estados Unidos tinham sido comprados por indivíduos, e não por empresas, para efetuar consertos e melhorias nas próprias casas.

Em resumo, as instalações elétricas serão feitas por nós mesmos, voltaremos a preparar o pão em casa, cuidaremos das crianças e dos parentes, prescindindo de *baby-sitters* e de empre-

O Servilismo Zeloso

gados. E também o trabalho doméstico será melhor redistribuído entre os sexos.

Mas, até agora, a verdadeira redistribuição é a que fazemos delegando o trabalho às máquinas, recorrendo a estes "achados" preciosos que são as máquinas de lavar roupa, de lavar pratos, as fraldas descartáveis e os alimentos pré-cozidos, entre outros.

Talvez nas próximas gerações esse trabalho venha a ser dividido com equidade entre os sexos. Por enquanto, essa redistribuição não existe.

É como eu já disse: o homem passa uma grande quantidade de horas supérfluas no escritório. Predispõe e antepõe a carreira à família. E talvez até acredite que o faça pelo bem dos filhos. A mesma coisa vale, ainda que em menor medida, para as mulheres que fazem carreira.

Mas as coisas estão mudando.

A redução drástica dos horários de expediente vem ao encontro dos interesses femininos, segundo o senhor?

Claro! Restitui os maridos às suas mulheres e vice-versa. Os homens perdem o álibi que hoje usam para ficarem fora de casa o dia todo e desinteressarem-se assim da vida fora do trabalho, delegando às mulheres todas as responsabilidades familiares e privando a si mesmos das alegrias relacionadas com o tempo livre, a organização do lar, os afetos, a paternidade.

DÉCIMO CAPÍTULO

O Prazer da Ubiquidade

> Mas, acima de todas as maravilhosas invenções, que eminência de mente foi aquela de alguém que imaginou encontrar um modo de comunicar os seus pensamentos mais recônditos a qualquer outra pessoa que desejasse, mesmo se distante de longuíssimos intervalos de tempo e de espaço? Falar com aqueles que estão nas Índias?
>
> Galileu Galilei

> *É preciso ser leve como uma andorinha, mas não como uma pluma.*
>
> Paul Valéry

O senhor ensina a matéria Sociologia do Trabalho, que não lhe permite academicismos, pelo contrário, exige do senhor um contato permanente com o mundo da produção e dos serviços. Qual é o método didático que o senhor desenvolveu?

Quando eu era jovem, me chamava a atenção a diferença entre a didática que se adotava nas universidades italianas e a das universidades estrangeiras ou das escolas de administração. Independentemente dos conteúdos, nessas outras escolas usavam-se métodos mais interativos – o estudo de casos, o *role playing*, etc. – que requeriam aulas, materiais didáticos e docentes *ad hoc*.

Desse modo, tentei criar um sistema prático que pudesse reproduzir e talvez melhorar aqueles métodos na nossa universidade, apesar das carências estruturais que a caracterizam e/ou graças à anarquia essencial que a governa. Portanto, apesar dela, graças à sua permissividade.

Ao longo dos anos aperfeiçoei, aos poucos, um método didático que permite a motivação e o envolvimento dos alunos. Neste método, cada aluno trabalha por conta própria, ou em pequenos ou em grandes grupos, participando de pesquisas empíricas, além dos estudos teóricos.

A cada ano tenho mais de cem alunos. Muitos se graduam sob minha orientação, vários pedem para prosseguir seus estudos junto comigo, mesmo depois de graduados.

Junto a esses jovens e com a ajuda de ótimos colaboradores, pude dar vida a uma escola de especialização, com nível de pós-graduação e sem fins lucrativos, que se chama S3-Studium – agora já com quinze anos de vida e que organizou e promoveu dezenas de cursos, seminários, convênios e pesquisas, difundindo suas ideias em inúmeros livros e publicando, atualmente, uma revista trimestral: *NEXT – Strumenti per l'innovazione*.

Essa escola produziu também alguns ramos: um é o Club S3, que promove encontros de estudos entre executivos e intelectuais. Outro é a SIT, Sociedade Italiana para o Teletrabalho, que visa à correta difusão dessa nova forma de trabalho.

O seu grupo de estudos dedicou um livro ao "teletrabalho". Ou seja, ao trabalho que pode ser desenvolvido a distância com o uso de antigas e novas tecnologias: telefone, fax, computador, correio eletrônico e Internet. Do livro deduz-se que o grupo de vocês não considera tudo isso uma simples modernização das atividades tradicionais, mas sim algo capaz de fazer detonar a velha orga-

O Prazer da Ubiquidade

nização empresarial e social. *Comecemos pelas cifras: é possível quantificar o fenômeno? Quantas pessoas "teletrabalham"?*

É difícil fazer esse cálculo. Pode-se quantificar o número de trabalhadores que, oficialmente, a partir de um determinado momento, se tornam teletrabalhadores. Por exemplo, há algum tempo a multinacional AT&T apresentou um relatório no qual declara possuir trinta e cinco mil teletrabalhadores, explicando como e o quanto teletrabalham. A IBM italiana transformou três mil e quinhentos dos seus dependentes em teletrabalhadores. A Telecom-Itália e a Prefeitura de Roma organizaram um telecentro. Junto com a Prefeitura de Nápoles, estamos conduzindo uma operação mais completa, que envolverá várias centenas de empregados. Porém é quase impossível contar o número de pessoas que de fato teletrabalham: na vida de todo dia, nas ruas, nos restaurantes, nos trens, por onde quer que andemos, cruzamos com alguém que está falando de trabalho, em contato com o próprio escritório, através do celular. São teletrabalhadores que nenhuma estatística abarca. Por exemplo, quantos jornalistas, quantos pesquisadores estão, neste momento, fazendo uma entrevista por telefone, em vez de face a face? Não são eles também "teletrabalhadores" que nem se dão conta disso?

Será preciso definir o que se entende por teletrabalho. A ideia mais difusa é que seja algo que envolve sobretudo o computador.

Para compreender a natureza do trabalho é necessário antes de tudo explicar como, ao longo do tempo, modificou-se sua estrutura. A primeira etapa é a do trabalho artesanal: trabalho e vida coincidiam totalmente. As oficinas eram muitas, separadas umas das outras, sem interação recíproca. Numa oficina faziam-se, digamos, vasos, numa outra, objetos de ferro batido. Elas funcionavam como microempresas, frequentemente com localizações específicas, e é por isso que ainda hoje, em Roma, encontramos a *via dei Baullari*, que no dialeto romano significa literalmente "rua dos fazedores de baús", ou *via dei Sediari*, isto é, "rua dos fazedores de cadeiras", entre muitas outras.

Em cada uma dessas miniempresas conviviam a casa e a oficina: o chefe da família era também o chefe da empresa, os trabalhadores eram os membros da família e os parentes, o crescimento de uma criança coincidia com o aprendizado do ofício, o tempo dedicado ao trabalho coincidia com o tempo da própria vida (por exemplo, se rezava, se cozinhava, se dormia nos mesmos lugares em que se trabalhava).

Naquele tipo de oficina se realizava um ciclo produtivo completo, desde o projeto até a execução e venda do objeto. O mercado era pequeno e praticava-se com frequência diretamente a troca. No mesmo bairro se vivia, se trabalhava, se rezava na igreja ao lado e no botequim vizinho os homens iam jogar com os amigos.

Havia uma completa copenetração entre as esferas produtiva e reprodutiva, racional e emotiva. A tecnologia era rudimentar. Havia uma grande mistura entre criatividade, execução e manualidade: por exemplo, um fazedor de vasos projetava, construía e pintava os seus vasos.

A comunidade fundava-se em necessidades elementares, a economia era de tipo local. Cultivavam-se valores patriarcais e matriarcais, pouquíssimos tinham um alto nível de escolarização, sendo a massa constituída por analfabetos. A religiosidade e a superstição exaltavam a dimensão mágica, fatalista e ultraterrena da existência humana.

Somente após milhares de anos, no século XIX, este mundo se transforma em sociedade industrial.

O Prazer da Ubiquidade

Desse ponto de vista, quais são as mudanças que a passagem traz consigo?

Enquanto antes existiam tantas pequenas empresas, ou miniempresas, a partir desse momento todas as que produziam louça são aglutinadas pela Richard Ginori, todas as que produziam carroças são absorvidas pela Fiat. Obviamente estou simplificando.

A produção das novas indústrias ocorre numa unidade de espaço e de tempo: a fábrica. O ambiente da vida não mais coincide com o local de trabalho. E o trabalhador torna-se, com frequência, um estranho em ambos os lugares. Na maioria dos casos, a figura do empresário não coincide mais com a do trabalhador, nem a do chefe da família com a do chefe de empresa. Daqui nasce a luta de classes.

Os produtos não são mais pouco numerosos e artesanalmente diversos: passam a ser muitos e estandardizados. As atividades ligadas ao trabalho se cindem das atividades domésticas e as primeiras, consideradas mais importantes, são restritas aos homens, enquanto as outras, consideradas secundárias, são delegadas às mulheres. O mercado se nacionaliza e se internacionaliza. A cidade se torna "funcional", o que faz com que cada bairro tenha uma única função, do mesmo modo que na fábrica, em cada seção, se realiza um processo específico.

O racionalismo instaura a sua lógica, as tecnologias se tornam mais complexas. Uma grande parte dos trabalhadores desempenha um trabalho físico e executivo. A produção é vista como uma cadeia de montagem, como um fluxo contínuo e linear. As necessidades das pessoas são "fortes": cada qual se concentra em poucas necessidades essenciais, às quais dedica a vida inteira com duros anos de trabalho, para obter a casa própria, fazer com que os filhos frequentem a escola ou dar de comer a toda a família.

O Ócio Criativo

Como os produtos são todos estandardizados, para conseguir vendê-los é preciso inventar as modas, de modo que milhões de pessoas comprem objetos absolutamente iguais. Nascem as chamadas "lojas de departamentos" e os supermercados, com preços únicos e fixos. A economia se internacionaliza, extinguindo aquela autossuficiente de tipo feudal representada pelo trabalho do artesão. Os valores emergentes são machistas, a cultura é aquela a que nos referimos como "modernidade" e as ideologias se secularizam. Libera-se do fatalismo que atribuía todo e qualquer evento aos desígnios de Deus e do diabo. O homem adquire uma dignidade própria, feita de autonomia e maior segurança em si mesmo.

Dois mundos opostos. Tese e antítese, diríamos numa linguagem clássica. O senhor admite que o teletrabalho tenha a tarefa e a capacidade de operar a síntese?

De alguma maneira, ele recupera e valoriza a parte melhor do artesanato e a parte melhor da indústria. Permite o retorno a pequenas unidades produtivas ou até mesmo ao trabalho em casa, como no artesanato. Porém, enquanto na era artesanal uma oficina era separada das outras, agora cada unidade produtiva é ligada às outras por via telemática. Isto é possível porque as matérias-primas utilizadas não são mais materiais, mas sim imateriais: são informações.

Neste terceiro e novo tipo de trabalho, a atividade física é cada vez mais delegada às máquinas, assim como também a atividade intelectual ou de execução. Aos seres humanos, cada vez mais escolarizados, cabe desempenhar quase que só o trabalho flexível e criativo. Ainda existe a exploração, mas ela assume novas formas que tardam em se transformar num conflito de classes entre dois blocos opostos. Os conflitos se subjetivizam, se fragmentam. Os trabalhos residuais de baixo nível – como criados, copeiros, serventes de obra, carregadores, peões – são delegados aos imigrantes.

O teletrabalho não anula a diferença entre trabalhador e proprietário dos meios de produção, não recria a unidade que existia na figura do artesão. Por que, então, se anulam as premissas de um conflito de classes?

Eliminam-se a unidade de espaço e de tempo da produção, a contiguidade físico-mecânica entre as pessoas. Até mesmo os grandes interesses, comuns e estáveis, se fragmentam. E, assim, se criam os pressupostos dos quais nascem, em vez do conflito por blocos, os movimentos difusos: agregações muito flutuantes, isto é, que de quando em quando veem como aliadas pessoas que, transitoriamente, são portadoras dos mesmos interesses. Possuir um interesse em comum hoje não significa que se terá também outros interesses em comum amanhã. Obtido o objetivo momentâneo, cada um passa a outros objetivos, diversos entre si. E, portanto, passa a formar outras alianças.

O movimento funciona quando se propõe a defender os direitos de cidadania e dos consumidores. Não lhe parece que o teletrabalho, além de deixar intacta a natureza tradicional, isto é, "classista", da relação de trabalho, torna ainda mais difícil agregar os trabalhadores, espalhados pelas casas ou por pequenos escritórios? Isso justifica uma certa desconfiança por parte dos sindicatos?

Quando o advento da indústria retirou o agricultor do campo, temeu-se, com razão, que a cultura rural também viesse a ser perdida. De forma análoga, hoje se teme que, conduzindo os trabalhadores de volta aos próprios lares, venham a ser rompidas as relações de solidariedade criadas na empresa tradicional. Atualmente, porém, a questão é muito diversa, pois envolve novas tecnologias da informação que permitem relações sempre mais imateriais. Hoje nós podemos interagir com pessoas que estão a quilômetros e quilômetros de distância. Eu tenho uma relação muito mais viva com os amigos, aos quais telefono e com quem troco mensagens por *e-mail,* do que com a pessoa que vive no mesmo andar que eu e que vejo duas ou três vezes por semana.

Devemos chegar a considerar normal o fato de que as interações sejam virtuais: não mais físicas, concretas, permitindo o toque, mas sim da fala, da informação e da comunicação.

Existem gerações que nasceram depois da televisão e que já assimilaram tudo isso como "natural", e existem gerações precedentes que ainda encontram dificuldade para essa assimilação. O que unirá os portadores dos mesmos interesses, ou dos mesmos rancores, ou das mesmas explorações, daqui por diante, será, de todo modo, de tipo virtual.

E, neste mundo, ou entramos imediatamente, ou senão entrará o nosso concorrente que ditará a lei que também nós seremos obrigados a cumprir.

Para dizer a verdade, sobre a questão do teletrabalho, os sindicatos italianos se comportaram de uma maneira incrivelmente aberta: muito mais do que os empresários e executivos.

Portanto, o que está em curso é uma batalha entre inovação e conservação?

Exato. E sobre isso eu concordo inteiramente com Touraine: é preciso saber lidar com a inovação sem criar vítimas. Este é o pulo

O Prazer da Ubiquidade

do gato ao qual a esquerda hoje deveria aspirar: sabendo que o progresso tende, devido à sua própria natureza, a produzir vítimas toda vez que surgem inovações, se deveria predispor mecanismos auxiliares, capazes de prevenir os danos e evitar as vítimas.

Uma esquerda inteligente, culta e previdente não teria, há trinta anos, imposto obstáculos à transformação da indústria do aço de Bagnoli, que se encontrava já reduzida a um instrumento anacrônico de assistencialismo, numa área destinada à ciência e ao lazer. Teria lutado para que as corporações operárias fossem rapidamente recicladas, de forma a poder assumir novos papéis, em outros setores, de natureza pós-industrial.

O verdadeiro problema na época não era como salvar a siderúrgica obsoleta, mas como reciclar três mil pessoas que trabalhavam ali, de maneira que, com o menor sacrifício possível, pudessem passar das atividades siderúrgicas a novas funções, sobretudo no setor terciário.

É preciso não impedir o progresso, mas geri-lo de forma a criar uma felicidade mais difundida.

E quanto a estes aspectos, de progresso e da felicidade, o senhor considera a passagem ao teletrabalho um ponto importante?

Sim, é uma passagem crucial. O teletrabalho faz com que a gente adquira uma nova dimensão do tempo e do espaço. Sempre que se dá uma mudança de época, as categorias mais sintomáticas são essas duas. Na sociedade rural, o tempo era o das quatro estações e as mudanças eram lentíssimas, cada inovação requeria anos, às vezes até mesmo séculos, antes de ser completamente realizada e incorporada.

Hoje, em cinquenta anos, assimilamos o advento do computador. O fax, em três ou quatro anos. Assimilamos o celular, uma invenção extraordinária porque praticamente cria a ubiquidade, em menos tempo ainda. Existem resistências às mudanças, é claro: basta lembrar a rejeição preconceituosa a respeito das conquistas biológicas.

Porém, pode ser uma necessidade humana aceitar as inovações tecnológicas, segundo o próprio tempo interior, mesmo que implique um atraso em relação ao mundo externo. Não é um sentimento tão perverso assim.

Porém, quem chega primeiro ocupa as posições centrais na sociedade e com elas o poder de projetar o futuro não só para si mas também para os outros. É isto que está em jogo. O meu presente foi projetado há algum tempo por um certo Bill Gates, que já então dava por certo não só o advento da Internet, mas também o da engenharia genética e da biotecnologia, enquanto eu perdia tempo, custando a compreender as suas vantagens.

Aqueles que assimilam rapidamente as novas categorias projetam o futuro inclusive para os demais. Os outros são perdedores, equivalem ao povo da Trácia, quando a Roma imperial dominava o mundo.

A lentidão é uma característica psicológica do homem. Preservá-la num mundo supersônico pode significar proteger a própria individualidade. Não será um mero acaso o sucesso de dois romances como os de Nadolny e Kundera, que tecem um "elogio da lentidão".

A lentidão é a categoria da prudência. E não é por acaso que todos os provérbios induzem à lentidão: "Devagar se vai ao longe", "O ótimo é inimigo do bom", "O afobado come cru e passa

O Prazer da Ubiquidade

mal", "Melhor um pássaro na mão que dois voando", "Quem espera sempre alcança". No mundo atual, onde a velocidade é conduzida ao paroxismo, quem é lento acaba ficando à mercê de quem é rápido. Quais os comprimidos que vai tomar, como encarará a velhice, qual o carro que dirigirá, que tipo de aposentadoria vai receber, que tipo de comida e bebida lhe servirá como nutrimento e quais os filmes e novelas a que assistirá: tudo será decidido por quem é mais rápido do que ele. O nosso mundo é um mundo cinicamente baseado na velocidade e na exclusão de quem não é rápido.

Se a sociedade pós-industrial ambiciona ser uma síntese dos mundos que a precederam, de fazer conviverem dimensões diversas como o grande e o pequeno, por exemplo, não deveria ser também capaz de conciliar lentidão e velocidade?

Com respeito à sociedade industrial, a pós-industrial privilegia a produção de ideias, o que por sua vez exige um corpo quieto e uma mente irrequieta. Exige aquilo que eu chamo de "ócio criativo". As máquinas trabalharão num ritmo sempre mais acelerado, mas os seres humanos terão sempre mais tempo para refletir e para "bolar", idear. Mas só quem é capaz de idear, ou seja, inventar e patentear a ideia antes dos outros, adquirirá o direito de receber *royalties*.

Essa tendência prosseguirá também no futuro?

Com certeza. Italo Calvino nos recordava que rapidez e aceleração são coisas típicas do mundo das fábulas, onde num piscar de olhos o príncipe mata o dragão e conquista a princesa. E nós agimos numa fábula onde, no lugar das fadas, encontram-se os engenheiros e os bioengenheiros, no lugar dos feitiços encontram-se as fórmulas químicas e as cotações da Bolsa, no lugar dos duendes encontram-se os bits.

Nesta fábula, todos nós vivemos ao quadrado. Nas *Mil e Uma Noites*, Sheherazade consegue se salvar contando uma história dentro da qual se conta uma outra história, dentro da qual se conta uma outra história, e assim até o infinito. Do mesmo modo, na nossa vida cotidiana vivemos uma realidade contada pelos jornais, que por sua vez a obtêm das agências de notícias, que a obtêm da televisão, que a obtém da Internet. Cada gesto, cada evento é multiplicado por si mesmo, lançado na rede, refletido nos infinitos espelhos das nossas múltiplas realidades.

Se os nossos bisavós padeciam do tédio de dias sempre iguais, nós padecemos de vertigem por instantes sempre diversos, dilatados, acelerados e excessivos, nos quais se orientam somente aqueles que, dotados de sabedoria, sabem viver com estilo, submetendo e sincronizando os ritmos frenéticos do mundo aos próprios biorritmos. É provável que esta tendência permaneça também no futuro próximo.

O senhor se posiciona a favor da velocidade ou da lentidão?

Não sei lhe dizer. Num romance policial de Simenon, que chamou minha atenção porque foi escrito no ano em que nasci, 1938, a certa altura o protagonista diz: "Debaixo das minhas janelas os carros voam a setenta por hora."

É muito ou é pouco, setenta quilômetros por hora? Para os nossos antepassados, que na melhor das hipóteses viajavam em carruagens, setenta quilômetros por hora devia ser muitíssimo. Sabe-se lá quantos, naquela velocidade, enjoavam. Para os carros de hoje, para as Ferrari e os Maseratti, setenta quilômetros é

O Prazer da Ubiquidade

pouco. E é pouquíssimo para quem viaja num avião comercial, à velocidade do som. A velocidade, intimamente ligada à tecnologia, tornou-se um índice de progresso. Em 1903, os irmãos Wright conseguiram realizar o primeiro voo da História: durou 59 segundos e varreu uma distância de 260 metros. Pouco depois, em 1927, Lindbergh conseguiu voar de Nova York até Paris em 33 horas. Em 1961, Gagárin navegou no espaço. Em 1969, Armstrong pisou na Lua.

Estamos desabituados de uma tal maneira a fazer as coisas com calma, que assim que dispomos de uma hora livre a enchemos de tantos compromissos ou tarefas, que o tempo acaba sempre faltando. Tempo e espaço, ou seja, as duas categorias mais importantes da nossa vida, reduziram-se de tal forma, que dispor deles, isto é, ter tempo e espaço, passou a ser um luxo.

Num intervalo de somente duas gerações, graças à higiene, à farmacologia e à medicina, a nossa expectativa de vida aumentou mais do que tinha aumentado ao longo de oitocentas gerações anteriores. Contudo, a pressa nos persegue. Marcello Marchesi dizia: "Linda a vida de hoje, vive-se mais tempo, morre-se mais vezes!"

Por trás da pressa tecnológica esconde-se algo mais profundo?

O medo da morte. Por mais que a vida se prolongue, a "comadre seca", que é como a chamava Pasolini, está sempre à espreita. E por maior que seja o número de experiências que se consiga acumular, existirão sempre alegrias outras, belas, que não teremos tempo de experimentar. Por sorte, a felicidade consiste também em buscá-las.

Usamos todos os dias novas artimanhas para economizar tempo recorrendo a telefones e aviões, para enriquecer o tempo escutando o rádio enquanto andamos de carro. Para programar o tempo, recorrendo a agendas sofisticadas e a cursos de administração do tempo, ou para armazenar o tempo com secretárias eletrônicas e videogravadoras.

Neste ponto é o nosso cérebro que corre o risco de entrar em parafuso. Depois de ter desencadeado a corrida contra o tempo, não consegue manter o passo e tenta se "virar em dois": enquanto faz uma coisa, já está pensando na que vai fazer depois. "A vida é" – dizia Oscar Wilde – "o que acontece enquanto estamos pensando em outra coisa."

Eternamente mordidos pelo bicho-carpinteiro da velocidade urbana, consumimos o luxo das raras pausas, sonhando ou perseguindo a tranquilidade perdida do mundo rural. Dentro de nós, o impulso à pressa se alterna com o impulso à calma, do mesmo modo que o nosso espírito nômade cede de vez em quando ao nosso espírito sedentário. Mas o ócio é uma arte e nem todos são artistas.

Pessoalmente, eu me sinto inebriado quando os meus dias transbordam de sensações e eventos com ritmo frenético que me fazem perder o fôlego. Mas me sinto igualmente feliz quando, durante três meses por ano, fico só comigo mesmo, no fundo de uma rua do mundo, e posso observar lá do alto, com a serenidade que a distância permite, as lanchas que correm pelas estradas do mar e os carros que correm pelas da terra.

Marcello Marchesi dizia também: "Comprida a fila, estreita a estrada, ultrapassei e, assim seja, não ligo para nada."

Gostaria de retomar dois assuntos que apenas mencionamos antes. O senhor falava do novo universo da mídia. A impressão que eu tenho é que a globalização provocou um colossal curto--circuito: deveríamos ser mais informados, mas, na verdade,

O Prazer da Ubiquidade

somos mais desinformados. Tanto a televisão como os jornais fazem crer em lendas mediáticas, como o caso do bug do milênio, ou transformam em "notícia" casos banais do dia a dia.

Para lhe responder, cito de memória uma pergunta que Eliot se fazia: "Quanta informação perdemos devido à comunicação? Quanto conhecimento perdemos por causa da informação?" Por trás de todas essas perdas encontram-se a ignorância de vários jornalistas e o condicionamento de muitos editores.

A segunda questão é aquela das vítimas: por que a sociedade pós--industrial tem maior consideração com elas?

Porque o campo de domínio é metafísico e não físico. Quando era físico, o vencido deveria ser eliminado fisicamente. A hegemonia das ideias, ao contrário, é mais suave. E tem-se por certo que uma ideia vitoriosa não permanece vitoriosa para sempre. No embate de ideias, a vitória não é nunca definitiva. O vencido de hoje poderá amanhã ter uma ideia nova e vitoriosa. Disso nasce a diversidade das regras do jogo.

Em termos concretos, na guerra entre as empresas, o que isso significa?

Na maioria dos casos, a empresa procura aniquilar, comercialmente, os próprios concorrentes. Mas, também neste caso, se deu início à pesquisa de sistemas através dos quais o concorrente vencido não seja destruído, mas assimilado. A contrapartida é o patrimônio de *know-how*, de homens e de ideias, de modo que é mais vantajoso incorporá-lo às próprias unidades produtivas em vez de eliminá-lo.

O Ócio Criativo

Isto é o que acontece normalmente com a globalização da economia. A Luxottica, empresa de Del Vecchio, comprou a Persol: não a destrói, mas a reduz a um setor da sua empresa. Porém a linguagem que os executivos usam é ainda uma linguagem machista da posse física: "Fodemos com eles." Não é exatamente "os matamos", mas falta pouco.

Stephen Hawking, o astrofísico divulgador da teoria dos buracos negros, é um homem com um terrível handicap *físico. Consegue fazer suas elucubrações e se comunicar somente graças a próteses e computadores muito sofisticados, fabricados* ad hoc. *Ele lhe parece uma figura emblemática da sociedade pós-industrial, do ponto de vista da relação entre o homem e a máquina, entre hegemônicos e dominados?*

Todos nós vemos e escutamos "a mais" graças a próteses, à televisão, ao computador. Hawking é quase uma metáfora viva do homem em relação à natureza: o homem, este eterno deficiente, com as suas próteses consegue dominá-la.

E é também uma parábola do homem pós-industrial na sua inteireza: onde o valor não está na capacidade física de correr, de lutar ou de dar socos, mas na capacidade intelectual de pensar. E, quando se tem esta capacidade, todo o resto é pura prótese.

Divagamos muito. Isto fala a favor da sua tese, pois falar de teletrabalho conduz ao longe. Voltemos à tentativa de definir esta nova forma de atividade, o teletrabalho, típica da sociedade pós-industrial.

Já dissemos que o trabalho pós-industrial pode conjugar as vantagens das pequenas empresas artesanais (rapidez nos

O Prazer da Ubiquidade

processos de decisão, flexibilidade, pouca burocracia) com as vantagens da grande empresa (solidez, intercomunicação, aprendizado, experiência, etc.). As pessoas podem ficar em casa, como acontecia na oficina do artesão, mas ao mesmo tempo podem se comunicar com os outros, como na fábrica industrial.

O trabalho pós-industrial é caracterizado pela desestruturação. O trabalho físico, como já dissemos, é delegado às máquinas, e o trabalho ideativo, aos homens. Reduz-se o conflito de classes, que muda de sinal e se transforma de conflito entre instituições em conflito entre movimentos. A instrução vem sendo amplamente difundida. Muitos trabalhos são realizados "por objetivo".

A organização, com frequência, tem a forma de rede, uma rede de pequenas unidades, pequenas fábricas, pequenos escritórios, e a comunicação entre eles pode se dar mesmo a grandes distâncias: os trezentos mil empregados da IBM espalhados pelo mundo todo podem dialogar entre si, em tempo real, através do correio eletrônico, como se estivessem todos numa única sala.

Reduz-se a fratura entre o tempo de trabalho e o tempo de vida. A indústria pedia que eu fosse para a fábrica para trabalhar e, depois, quando soava a sirene e a linha de montagem parava, eu voltava para casa, onde tentava esquecer completamente o trabalho.

Hoje, se sou um publicitário e estou tentando criar um *slogan*, quando saio do escritório e volto para casa, levo o trabalho comigo: na minha cabeça. A minha cabeça não para de pensar e às vezes acontece que posso achar a solução para o *slogan* em plena noite, ou debaixo do chuveiro, ou ainda naquele estado intermediário entre o sono e o despertar.

A cabeça é diferente do corpo: ela carrega o trabalho para onde quer que vá.

Exatamente. Além disso, hoje em dia as empresas são orientadas pelo mercado e, portanto, precisam que seus funcionários estejam imersos na sociedade, não destacados dela.

O teletrabalho responde também a outras necessidades: o caos urbano e a poluição levam a diminuir os deslocamentos. Há uma maior exigência de interdisciplinaridade: para desempenhar uma tarefa, muitas vezes não basta estabelecer contato com aquelas cinco ou seis pessoas do nosso próprio escritório, mas é preciso contatar pessoas, bibliotecas ou bancos de dados espalhados por todo o planeta.

Na nossa sociedade, a tecnologia é penetrante e invasora: rápida, delgada, sutil e miniaturizada. Não é mais um alto-forno, mas um computador pessoal. As nossas necessidades não são mais claras e fortes como eram durante as sociedades rural e industrial, mas passaram a ser constituídas por um mosaico de pequenas necessidades. Às vezes umas são mais importantes, em outros momentos são outras que importam, e estas mesmas destinadas a serem rapidamente substituídas por necessidades emergentes.

Como o trabalho é mais criativo e a nossa cultura é pós-moderna, carregamos conosco os conceitos de colagem e de *patchwork*. Tempos atrás, quando se rezava, se rezava, quando era a hora da diversão, nos divertíamos. Agora, pelo contrário, somos propensos a fazer interagir esses momentos: enquanto trabalhamos também rimos, brincamos, fazemos observações sobre o mundo externo.

Em suma, o que está nos acontecendo é que estamos introjetando uma epistemologia da descontinuidade e da complexidade.

E muitos valores pós-industriais são a favor de uma desestruturação do espaço: valorizamos a qualidade de vida e por isso não queremos nos deslocar no meio de um engarrafamento ou perder, por horas e horas, o contato com a família.

O Prazer da Ubiquidade

Mas vivemos também num espaço virtual e planetário. Até há poucos anos receber um telefonema de Nova York era um acontecimento raro. Hoje, ao contrário, nos parece normal. O salto de qualidade das novas tecnologias pode ser medido segundo a capacidade que comportam de inserir-se nas nossas vidas de uma maneira amigável, quase afetuosa, *friendly*, como diriam os americanos. Uma das dificuldades na difusão dos computadores, no início, era decorrente do fato de que eram objetos mastodônticos. E quem os usava usava também um jaleco branco: não tinha a menor necessidade, mas servia de paramento sacerdotal, como se dissesse: "Eu faço parte do clero, você, da plebe."

O fax, por sua vez, insinuou-se primeiro nos escritórios e depois nos lares, sem fazer rumor, sem meter medo em ninguém. Um outro salto de qualidade é agora representado pelas telecâmaras, pequenas como uma mão fechada e pouco caras, que podem ser combinadas com a Internet. Tornam possível o que faltava até agora: poder ver durante uma comunicação telefônica ou eletrônica – a visão mútua, a distância, além da escuta. A pequena telecâmara realiza mais este sonho humano.

Atingiremos o máximo da comunicação imaterial?

Se considerarmos que a imagem não é matéria, concordo. Com a Internet junto com a telecâmara eu vejo, ouço, posso transmitir e receber emoções. Não posso tocar, nem sentir o cheiro do meu interlocutor, nem o meu paladar poderá provar as coisas que vejo. Mas, aliás, há milênios viemos perdendo o sentido olfativo, que permanece muito agudo nos animais.

Esses instrumentos nos permitirão circunscrever o uso dos sentidos tátil, gustativo e olfativo somente naqueles momentos em que nos encontrarmos fisicamente. Que não serão momentos breves, nem raros, dado que teremos uma crescente quantidade de tempo livre. Hoje, por falta de tempo, adiamos por semanas encontros que gostaríamos de ter, inclusive com as pessoas que amamos. No amanhã teremos mais tempo até para o amor físico: apoteose, justamente, do tato, do gosto e do olfato.

Sempre com o objetivo de obter uma definição, podemos examinar algumas das coisas que se dizem como lugar-comum sobre o teletrabalho? Por exemplo, é verdade que ele é feito com o computador?

Às vezes, segundo as exigências específicas do momento, posso teletrabalhar usando a informática, ou o telefone, se bastar, ou ainda fax e telefone. Também não é obrigatório que deva ser desempenhado em casa. Posso teletrabalhar também do meu consultório privado ou de algum ponto intermediário. O INPS (Istituto Nazionale di Previdenza Sociale), por exemplo, abriu muitas sedes descentralizadas para que as pessoas possam ir trabalhar numa repartição mais perto de onde moram, de forma compatível com as funções que desempenham. A mesma coisa vale para os operadores da Telecom que respondem ao número de auxílio: não necessariamente se encontram na mesma cidade da qual provém a chamada, quem responde é o primeiro operador que se encontra disponível, onde quer que esteja, entre todas as sedes Telecom espalhadas por toda a Itália.

O teletrabalho também não significa dizer adeus para sempre às sedes centrais: posso trabalhar hoje em casa, mas amanhã ir ao escritório para uma reunião. Não é uma anarquia: as estações de trabalho telecomunicantes, no final das contas, mantêm muito mais contato entre si do que dois funcionários que trabalham em andares diferentes de um mesmo edifício. Nem se trata de isolamento forçado: é verdade que trabalho fisicamente longe

O Prazer da Ubiquidade

dos meus colegas, mas os horários flexíveis podem favorecer as minhas relações com os outros, talvez me permitam falar mais vezes com o vizinho, ou conseguirei, finalmente, ir visitar um museu de manhã, ou quando bem me convier. Com efeito, as relações físicas diretas com os colegas de escritório diminuem. Mas aquelas eram relações impostas e não por escolha. Desse modo, sobra mais tempo a ser passado com os verdadeiros amigos, os eleitos por mim.

A sociabilidade dos ambientes de trabalho é sempre falsa?

Não digo isso. Conheci um dos meus melhores amigos, muitos anos atrás, quando trabalhávamos juntos numa empresa milanesa. Muitos amores sinceros e profundos brotam no local de trabalho. Muitos casamentos.

Porém, atribuir ao trabalho o mérito principal, ou até mesmo exclusivo, da socialização, como fazem alguns sociólogos, é com certeza um exagero. Só uma parte minoritária da população trabalha para alguma empresa, e o tempo dedicado ao trabalho representa apenas um décimo da nossa vida. A família, os parentes, o bairro, a cidade, a escola, os esportes, o tempo vago, os lugares de culto, de tratamento, os partidos, os clubes, os círculos são todos agentes de socialização, e não menos eficazes que a empresa.

Fora da fábrica ou do escritório, a maioria dos trabalhadores sequer frequenta seus colegas de trabalho. Isto significa que a empresa não é particularmente adequada a fecundar amizades. Mas isso era de esperar, pois se trabalha com colegas que não fomos nós que escolhemos e que muitas vezes achamos antipáticos. A mesma coisa vale para os superiores e clientes.

Com o declínio da luta de classes, que cimentava a solidariedade entre os operários, em muitas empresas reina um clima de indiferença ou suspeita recíprocas, quando não de medo. Mas, mesmo quando as direções se esforçam para criar uma atmosfera colaborativa, quase sempre o convívio tem um ar artificial, forçado, as festas de trabalho e as reuniões são sempre um pouco tristes e patéticas. As panelinhas, as alianças, o bando de puxa--sacos são sempre grupos minados pela desconfiança, pela transitoriedade e pelo carreirismo.

Muitos passam a vida inteira como unha e carne com os chefes e colegas de trabalho, sem abdicar do tratamento formal só por uma questão de compostura, exigida pela hierarquia e pelo clima de impessoalidade impostos pela empresa. E não são raros os casos quando alguém se torna alvo de perseguições, bodes--expiatórios, objeto de *mobbing*.

A estilista Krizia afirmou que "o trabalho é o jogo mais divertido feito para adultos" e não é difícil acreditar nela: é ela a patroa, é ela quem comanda, quem cria, quem lucra mais do que os outros, e quem, caso viesse a se cansar, poderia largar tudo e todos e passar a viver só dos frutos do seu trabalho-jogo. Mas é verdade que o trabalho poderia se tornar uma fonte de felicidade para a totalidade dos trabalhadores, assim como já é para alguns empresários e executivos.

O que envenena o clima de muitas empresas é o excesso de carreirismo no seu interior e a competitividade com o ambiente externo. Se as empresas transformassem competitividade em competência e a destrutividade em relações solidárias, como acontece no filme *Uma Linda Mulher*, se fossem mais cuidadosas com a estética dos ambientes e objetos de trabalho, se adotassem boas maneiras nas relações interpessoais, se introduzissem um pouco da alma feminina nestes castelos projetados e embarricados pelos homens, se abrissem uma brecha nos seus muros de proteção e permitissem a entrada de um pouco

O Prazer da Ubiquidade

de ar fresco e puro, aí sim é que o trabalho junto ao calor do convívio cordial se tornaria também uma oportunidade para a socialização.

Mas, em geral, o que acontece numa empresa é que uma pessoa é adulada quando tem poder e ignorada quando não tem muita sorte.

Há poucos dias um consultor empresarial muito conhecido perdeu o filho, jovem, num acidente automobilístico: no funeral estava presente uma multidão comovida de jovens, abraçados em volta do féretro do companheiro de escola e do pai, dilacerado. Já os executivos contavam-se com os dedos das mãos, chegavam correndo, assinavam o livro de presença e desapareciam apressados. Socialização? Muito pelo contrário!

Voltemos ao teletrabalho.

Um outro equívoco a ser dissipado: o teletrabalho não é de jeito nenhum um remédio contra o desemprego. É possível que surjam algumas oportunidades de trabalho a mais, por exemplo, o serviço de manutenção das estações informáticas nos lares, mas podem diminuir outras: haverá uma menor demanda de postos de gasolina, de babás, menor necessidade de varrer e consertar as ruas, porque ficarão menos sujas e com menos buracos.

O teletrabalho pode resolver algumas alienações, mas criar outras. Não serei mais obrigado a dividir a sala com um colega antipático, digamos, mas serei obrigado a trabalhar mantendo contato em tempo integral com minha mulher, que pode também ter se tornado antipática aos meus olhos (me vem à mente o aforisma de Karl Kraus: "Ao monólogo com minha mulher, prefiro o diálogo comigo mesmo").

São todas questões inéditas, abertas.

O Ócio Criativo

O senhor falava de desemprego: a maior flexibilidade "espacial", dada pelo teletrabalho – poder trabalhar no escritório, em casa, no hotel ou na casa de praia –, não trará consigo uma vantagem sequer quanto à oferta de empregos?

Como eu já disse, é até possível que o teletrabalho diminua, em vez de aumentar, a oferta de empregos. Aliás, o termo "flexibilidade" evoca um tema que nos países pós-industriais tornou-se uma verdadeira obsessão. Por decênios predominou uma rigidez absoluta: diante de empresários que controlavam rigidamente o poder, os sindicatos, por sua vez, se tornavam rígidos. Por "flexibilidade", com efeito, os empresários entenderam, e entendem, o que lhes é cômodo: poder demitir quantos e quando quiserem. E daqui nasce a intransigência dos sindicatos. É preciso levar sempre em conta que o interesse dos empregados coincide só em parte com o do empregador.

Hoje começa-se a difundir o emprego *part-time* ou de meio expediente. Na maioria dos casos, trata-se de "empreguinhos", ou subempregos, mal-remunerados e sem garantias sociais, que duram só poucos meses ou poucos anos, sem permitir ao empregado qualquer oportunidade de profissionalização, de projetar uma carreira e uma vida familiar. Quem faz sermão aos jovens para que não ambicionem um emprego fixo geralmente o possui e toma todo o cuidado para não o perder. Mas o mais grave é que estes subempregos não permitem que quem os desempenha adquira uma profissão. Assim, além da discriminação étnica dos aposentados precocemente, se soma uma privação massificada da profissionalização.

Não se diz que teletrabalhar seja uma coisa agradável a todos. Para as mulheres casadas que têm filhos, ou para aquelas que

O Prazer da Ubiquidade

de todo modo cuidam da família, muitas vezes o emprego fora serve de fuga ao cansaço do lar, o único momento em que podem "refrescar a cabeça", como dizem.

Pode parecer um refresco, mas na verdade é uma alienação menor, mas adicional.

O senhor não acredita que, em relação a esse novo modo de trabalhar, os homens e as mulheres podem ter reações diversas?

As poucas pesquisas de que se dispõe a respeito indicam que os homens ambicionam, mais que as mulheres, a possibilidade de trabalhar em casa, porque as mulheres se liberaram há pouco tempo da carga doméstica e se sentem mais livres quando estão fora de casa. Mas precisam entender que o teletrabalho não é um trabalho doméstico, mesmo se feito em casa.

Rebato ainda esta questão. Muitas mulheres detestam o trabalho doméstico, não porque faz pouco tempo que se liberaram dele, mas sim porque o fazem muito mais que seus parceiros: uma dona de casa trabalha em média 56 horas por semana; uma mulher que trabalha fora, além das 35-40 horas de expediente, dedica à casa, ao marido e aos filhos uma média de 28 horas do seu chamado "tempo livre". Enquanto o marido em questão, se nos ativermos às estatísticas, "oferece" à casa 5-6 horas de trabalho e o restante do seu tempo livre usa para si mesmo: seja acumulando um outro emprego, seja para as suas distrações.

Não acredito que um homem "acumule um outro emprego" só em benefício próprio. O salário dobrado serve também aos familiares, muitas vezes mais consumistas que ele. É verdade que quem desempenha um trabalho intelectual quase sempre usa o tempo livre em *overtime*, conforme já falamos: ficando mais tempo no escritório, para fazer companhia ao chefe, ou simplesmente porque pensa que seja justo e honesto passar mais tempo no trabalho do que o necessário. As mulheres, ao contrário, tendem a ir embora do emprego na hora certa, porque, entre dar de presente duas horas do tempo delas à empresa ou aos filhos, escolhem a segunda opção.

Passemos, neste ponto, a tentar formular uma definição de teletrabalho?

Li uma, em algum lugar, que me parece bastante razoável.

Teletrabalho é um trabalho realizado longe dos escritórios empresariais e dos colegas de trabalho, com comunicação independente com a sede central do trabalho e com outras sedes, através de um uso intensivo das tecnologias da comunicação e da informação, mas que não são, necessariamente, sempre de natureza informática.

Vi, por acaso, na revista *Espansione*, o desenho de um escritório doméstico adequado ao teletrabalho. Parecia uma central nuclear: computador, fax, máquinas fotocopiadoras, modem, etc. Não se deve provocar terrorismo tecnológico, sugerindo a ideia de que, se você não possuir toda essa parafernália, não é habilitado ao teletrabalho. E, além disso, não se trata de uma simples descentralização espacial do trabalho para unidades autônomas, mas sobretudo de uma experimentação social que age tanto na dimensão espacial do trabalho como na sua organização, na sua cultura e na maneira como o trabalho é vivido individualmente.

Formas, existem muitas: empresas de trabalho a distância, escritórios-satélite, centros comunitários, trabalho a domicílio, trabalho

O Prazer da Ubiquidade

em escritórios móveis, como, por exemplo, aqueles instalados nos ônibus da equipe dos políticos durante as campanhas eleitorais. Nem todos os trabalhos, porém, são descentralizáveis. Eles o são mais facilmente sobretudo quando consistem numa atividade simbólica (ler, traduzir, processar dados, etc.) e se têm como matéria-prima a informação, que, devido a sua natureza ubíqua, é transmissível em tempo real.

É um trabalho que se realiza com procedimentos bem codificados, no que diz respeito ao seu início e fim: a ordem é do tipo "até depois de amanhã, na hora tal devo ter feito isso". Porém, apresenta procedimentos bastante decodificados no que diz respeito ao processo: o trabalhador pode cumprir sua tarefa de manhã ou de noite, na cozinha, no terraço, tanto faz, pois isso não interessa à empresa.

Requer portanto uma boa autonomia técnico-instrumental ou ao menos a possibilidade de obtenção por parte de alguém mais qualificado se surgirem dificuldades. E requer também a possibilidade de usufruto de todos os recursos indispensáveis ao trabalho: se este exige o uso do correio eletrônico, devo poder consultá-lo no meu computador ou na minha Web TV.

Desde quando esse trabalho "do futuro" vem sendo estudado na Itália?

A primeira vez que eu ouvi falar disso foi há uns trinta anos, por intermédio de Elio Uccelli, chefe de pesquisas da Iri, a *holding* das empresas públicas italianas. Há vinte anos, organizei com a minha escola de especialização um seminário sobre o teletrabalho na Reiss Romoli, a escola de administração da Telecom, e dois anos depois demos início a uma pesquisa para o Formez, que desembocou no livro *Il Telelavoro – Teorie e appli-*

cazioni, editado por Gianna Scarpitti e Delia Zingarelli. Depois disso aconteceram dois convênios: um nosso, em Roma, e outro promovido por uma organização milanesa. O interesse cresceu nos últimos anos, e estamos dando prosseguimento aos simpósios e às transmissões televisivas.

Da nossa parte, como lhe dizia, criamos a SIT, Società Italiana per il Telelavoro, que já conta com inúmeros parceiros, da ISTAT (Instituto Nacional de Estatística) à Telecom, da Olivetti a muitos bancos e prefeituras.

O senhor considera o teletrabalho uma solução milagrosa para muitos dos males sociais?

Não tem nada de milagroso. Também neste caso é preciso avaliar bem as vantagens e as desvantagens: para os trabalhadores, para os empregadores, para os sindicatos e para a sociedade em seu conjunto.

Para os trabalhadores, me parece que as vantagens sejam sobretudo as seguintes: autonomia dos tempos e dos métodos, coincidência entre o lar e o local de trabalho, redução dos custos e do cansaço provocado pelos deslocamentos, melhoria da gestão da vida social e familiar, relações de trabalho mais personalizadas, além da possibilidade de redução das horas de trabalho propriamente dito.

As desvantagens podem ser: isolamento, marginalização do contexto e da dinâmica da empresa (logo, vale o provérbio "o que os olhos não veem, o coração não sente", significando menores chances na carreira), o problema da reestruturação dos espaços dentro de casa, dos hábitos pessoais e das relações familiares (do tipo "quem leva os filhos para a escola?"). Mas também sobre este ponto goza-se da vantagem oferecida pela

O Prazer da Ubiquidade

flexibilidade dos horários e do fato de se passar mais tempo em casa.

Existirão dificuldades para ações coletivas com os colegas de trabalho até que se descubra a ideia de fazê-las de tipo informático: utilizando os mesmos veículos com os quais a empresa passa a informação para passar contrainformação. Existirão dificuldades para a organização sindical até o momento em que o sindicato aprenda a usar estas tecnologias e se transformar em telessindicato. Pode ser que diminua o poder contratual: se é mais substituível, o trabalho poderá se tornar mais precário.

O espaço da concorrência se estende a todo o planeta. E existe, por esse motivo mesmo, o risco da má distribuição.

O teletrabalho pode implicar também para as empresas riscos desse gênero?

As empresas poderão aproveitar as vantagens de uma maior flexibilidade econômica (podendo empregar, com o teletrabalho, uma pessoa que está na mesma cidade ou outra do outro lado do mundo) e de uma maior flexibilidade organizacional. Poderão reduzir os custos de locação (em Milão, a IBM calcula que um único emprego implica um custo de 30 milhões de liras por ano, contando aluguel e as outras despesas) e os custos com o transporte dos funcionários, nos casos em que pagavam por ele. Poderão gozar de um incremento da produtividade e, em certos casos, também da motivação e da criatividade dos empregados.

As desvantagens em potencial derivam do fato de que, como tudo isso altera a hierarquia empresarial, os quadros oferecem resistência: querem manter os subalternos sob controle, pois, de fato, com o teletrabalho este controle é bem mais difícil de ser exercido, seja em termos da relação pessoal, seja do ponto de vista do processo de trabalho. O controle só pode ser feito com o produto acabado.

Há o perigo de que diminua a identidade empresarial, isto é, que os empregados se sintam mais distanciados e estranhos à empresa. Com efeito, os chefes de pessoal de empresas que adotaram o teletrabalho organizam festas, reuniões, mostras cinematográficas para reavivar nas pessoas o "espírito de empresa".

Além disso, é claro, antes de iniciar o novo processo, é necessário oferecer minicursos de requalificação profissional do pessoal.

E quanto aos custos e vantagens sociais?

As vantagens para a sociedade serão as seguintes: o trabalho poderá ser difundido até em zonas isoladas, deprimidas ou periféricas. Haverá mais trabalho disponível para categorias que até o momento eram excluídas, como deficientes físicos ou idosos, e será possível descongestionar as áreas superpovoadas e sobretudo reduzir o tráfego e a poluição, além da manutenção das ruas e estradas.

As desvantagens para a coletividade poderão ser: os custos com a infraestrutura, como instalação de cabos (mas em geral se usa o do telefone e toda casa tem um), a necessidade de conter as tarifas das comunicações e serviços e o possível surgimento de áreas de trabalho pouco protegidas, de trabalho informático não declarado ao fisco, que é bem mais difícil de ser controlado que o tradicional. Pode ser também que se reduza a dimensão coletiva do trabalho, aumentando a atomização social.

O saldo desse balanço é positivo, nulo ou negativo?

Feitas as contas, as vantagens são maiores que as desvantagens.

O Prazer da Ubiquidade

Se é assim, por que o teletrabalho se difunde tão lentamente?

Devido a um abismo cultural. Antes de mais nada, a maioria da população sempre viveu num outro contexto psicológico, no qual a separação entre vida de trabalho e vida doméstica era considerada um fator de promoção social. Até que esta geração, que passou a vida inteira, desde o nascimento, dentro da organização industrial, seja superada, será difícil acolher sem traumas a reordenação dos lugares da vida e do trabalho.

Um outro obstáculo são os chefes, acostumados a ter os subalternos na palma da mão. E, além disso, um fator que não é mencionado nunca, a dimensão erótica da empresa. A empresa é um lugar de paixões, amores, ligações, atrações.

Há também a resistência dos sindicatos, do chefe de pessoal, da dor de muitos em abandonar o *overtime*. A repulsa dos homens, mas também de algumas mulheres emancipadas, pelo trabalho doméstico, considerado degradante. E, ainda, a necessidade de reorganizar não só o trabalho, mas a própria vida. Porque pela primeira vez em duzentos anos, com o teletrabalho, também isto está em jogo. Há problemas legislativos, porque as leis são todas feitas, sob medida, para o trabalho tradicional. Há a falta de hábito das empresas de calcular, além do desperdício de tempo, também o desperdício de espaço. E há o masoquismo coletivo: nem sempre as pessoas desejam viver melhor e ser mais felizes.

Décimo Primeiro Capítulo
Do "Eu Faço" ao "Eu Sei"

> Acredito que a liberdade seja menos necessária nas coisas grandes do que nas pequenas, porque é um detalhe que é perigoso desservir o homem.
> Alexis de Tocqueville

> Hoje em dia ainda não sabemos se a vida cultural poderá sobreviver ao desaparecimento dos empregados domésticos.
> A. Besançon

O trabalho, ofício ou profissão é o nosso cartão de visitas: ele nos confere uma identidade social. Somos aquilo que fazemos. Além de ser uma atividade necessária, o trabalho é algo mais: suas raízes encontram-se profundamente localizadas entre os arquétipos do nosso inconsciente. Trabalhar cada vez menos e gozar o ócio cada vez mais nos obrigarão a fundar nossa identidade em outras bases? E quanto esforço será necessário para esta metamorfose?

Por milhares de anos, a aristocracia social distinguia-se não pelo que fazia, mas pelo que não fazia. Quem pertencia à nobreza não devia trabalhar: para isso existiam os servos e empregados. Nós estamos atravessando uma passagem de época, da atividade física à atividade intelectual. Isto é, de um mundo explorado, bem conhecido, a um mundo do qual sabemos pouquíssimo.

O Ócio Criativo

O homem é atividade: física ou cerebral. Quase sempre estas duas atividades são articuladas, com exceção de casos extremos, como, por exemplo, o de uma pessoa acorrentada ao leito por alguma enfermidade, mas que possua ainda a liberdade do uso das faculdades mentais ou, ao contrário, um lobotomizado que age só fisicamente. Mas são extremos teóricos.

O homem se move e pensa o tempo todo, desde que nasce até a morte, de dia e de noite, acordado ou dormindo. No curso do tempo, porém, desativamos cada vez mais o corpo e ativamos sempre mais a mente. Não obstante, ainda levamos mais em consideração o cansaço, a doença, a beleza, as habilidades físicas, do que as habilidades e doenças mentais. Somos muito devotos do corpo, porque foi ele que nos salvou ao longo de milênios. Por isso descobrimos tardiamente a doença mental e algumas de suas terapias. Ainda hoje, se alguém está com febre é considerado doente, mas se está triste é considerado saudável. O tratamento psicanalítico ainda nos parece um luxo, enquanto o da pneumonia, uma necessidade.

Estamos, em suma, na fase de transição que consiste em passar da consideração do corpo como elemento onívoro e principal, a considerar como tal a mente. Estamos numa fase de desmaterialização, em muitas frentes.

Uma fase que começou no século XX?

Não, começou muito antes, na Mesopotâmia, com a invenção da escrita, e depois prosseguiu com a invenção da imprensa. Mas no nosso século sofreu uma grande aceleração com a invenção do rádio, seguida da televisão, depois da informática e, portanto, da Internet.

Estamos nos precipitando (ou nos elevando) na afisicidade.

Do "Eu Faço" ao "Eu Sei"

A tal ponto que começamos a negligenciar em demasia a nossa dimensão física. Só nos lembramos dela quando nos faz sofrer ou quando não a aceitamos por algum motivo. E então começamos a esculpi-la, porque descobrimos que dispomos dos instrumentos necessários: recorremos à cirurgia plástica ou corretiva, às dietas para emagrecer ou engordar. Mas todos estes tipos de tratamento assinalam o predomínio da mente sobre o corpo. O qual não é mais um dado inelutável, mas somente uma hipótese.

Em relação ao trabalho, o que tudo isso significa?

Sempre consideramos o trabalho como uma atividade física, cansativa e desagradável, que desejávamos que acabasse o quanto antes. Esta é também a definição de cansaço, esforço ou fadiga. O oposto do cansaço é a motivação. Estamos motivados quando desejamos que alguma coisa continue, que não acabe. Durante milênios, ao contrário, desejamos que o esforço, já que era físico, acabasse tão logo quanto possível. Ninguém nunca afirmou ao iniciar um trabalho físico: "Que ótimo, posso começar a trabalhar!" Enquanto um trabalho criativo – filmar, escrever ou pintar – pode despertar o desejo de ser logo iniciado.

Com exceção da ginástica praticada com vistas à harmonia do corpo, todo o restante do esforço físico é uma necessidade para sobreviver ou um dever exercitado sob a vigilância do patrão. Enquanto o esforço mental, se for criativo, não só admite como ainda exige amor, atração e dedicação. A pessoa deve sentir-se atraída a realizá-lo, pois só pode ser feito por puro prazer. Nossa tendência natural é eliminar ao máximo o dever físico e incrementar ao máximo o prazer criativo. Tanto é assim que todas as religiões se apressaram em explicar que o cansaço físico é um castigo divino do qual é impossível escapar, e todas as leis repetiram que é um dever civil.

O senhor sustenta que caminhamos em direção a um mundo no qual as máquinas se apropriarão cada vez mais do trabalho executivo, e aos seres humanos serão dadas sempre mais ocasiões de desempenhar trabalhos criativos e intelectuais. Isto significa que o trabalho mudará de sinal: de negativo a positivo, ou seja, se tornará um prazer em vez de um dever?

O trabalho pode ser um prazer se, justamente, for predominantemente intelectual, inteligente e livre. Junto com o cansaço pode provocar euforia. O cansaço psíquico obedece a outras leis, diferentes das que se aplicam ao cansaço físico. Quando é físico, traz prostração, impondo que se pare. Quando é psíquico, mental, se for unido a uma grande motivação, pode até nem ser percebido: quem escreve poemas, compõe uma música ou pinta um quadro às vezes chega quase a cair em cataplexia. Um escultor pode esculpir durante horas sem se dar conta do tempo, um poeta pode poetar o dia inteiro, sem adormecer. No trabalho intelectual a motivação é tudo.

A História é cheia de anedotas esclarecedoras a este respeito: Edison, por exemplo, passou a noite de núpcias sozinho no laboratório onde trabalhava na invenção da lâmpada. Paolo Uccello, que estudava desenho, uma bela noite responde à mulher, quando ela o chamou para irem dormir: "Ah, como é doce a perspectiva..."

O trabalho intelectual pode nos agradar a tal ponto, que nem nos damos conta de que nos cansamos, correndo o risco de um esgotamento nervoso. Até porque o cansaço psíquico não permite um desligamento instantâneo, como acontece com o físico. Se eu

Do "Eu Faço" ao "Eu Sei"

trabalho na linha de montagem ou se aro o campo, quando paro e me jogo na cama, desligo completamente. Mas se estou em busca de uma ideia, minha mente continuará a trabalhar até de noite. Porém, sobre este assunto praticamente não existe nada escrito até o momento. Existem milhares de volumes que tratam do torno e da linha de montagem, mas pouquíssimos estudos sobre o trabalho criativo. É um tipo de pesquisa que ainda gera perplexidade.

Quando entrevistei o físico Amaldi para o livro *A Emoção e a Regra*, ele me perguntou: "Mas você está interessado em saber algo sobre a bomba atômica?" Não, eu queria saber como é que o grupo de cientistas dele trabalhava, quem tomava as decisões, a que horas se encontravam de manhã, como obtinham os financiamentos e como os administravam, a que horas paravam de trabalhar, essas coisas.

A forma de organizar o trabalho intelectual, sobretudo quando é criativo, é um campo ainda pouco explorado. Para a organização do trabalho físico existem imensas bibliotecas.

Realizar um trabalho físico ou intelectual, executivo ou criativo: qual é o sentido de si mesmo que isto proporciona ao indivíduo e quais são os sentimentos que desperta?

Vejamos alguns elementos. Em primeiro lugar, a formação: o trabalho físico requer uma preparação muito menor. Eu dediquei quinze anos da minha vida para estudar o trabalho operário. Quando perguntava a um operário: "Quanto tempo você levou para aprender o trabalho que está fazendo?", a resposta variava entre "dois ou três dias" até, no máximo, "uma semana". Em vez disso, qualquer trabalhador intelectual falaria em "meses", "anos". Até chegarmos ao cirurgião que se prepara por vinte anos, antes de meter o bisturi numa barriga. Para adestrar alguém a guiar

O Ócio Criativo

uma carruagem são necessários poucos dias, para adestrar um motorista a dirigir um carro bastam poucas semanas, já para adestrar o piloto de avião a jato são necessários meses. Outros elementos têm a ver com o tempo e com o espaço. Ainda aplicamos ao trabalho intelectual regras que foram pensadas para o trabalho material. Mas o trabalho material, como já vimos, requer quase sempre uma unidade de tempo e lugar – a fábrica –, enquanto o trabalho imaterial não exige nem copresença física, nem sincronismo. Os horários de trabalho dos executivos e empregados ainda são programados, hoje em dia, como o dos operários na linha de montagem. Muitos ainda assinam o ponto, mesmo sob a forma de cartão eletrônico. Ser isento do ponto é um sinal de *status*.

Um outro elemento distintivo importante é que o trabalho intelectual não se restringe ao ócio e ao estudo. Entre trabalho material e ócio, compreendido como inércia física, existe uma contradição total. Quando o trabalho era físico, ou se trabalhava, ou se gozava o ócio. Mas entre inércia física e trabalho intelectual não existe essa separação: o sujeito pode passar horas deitado numa rede e estar trabalhando só com a cabeça, vertiginosamente. A rede é a antítese da linha de montagem. Além disso, talvez seja o objeto mais bonito e funcional que tenha sido inventado até hoje pelos seres pensantes.

Porém, também neste caso, somos condicionados culturalmente e por isso pensamos que se possa trabalhar, isto é, pensar, só em certos lugares ou em uma determinada hora definidos para isso.

Os contratos coletivos servem justamente para afirmar que devemos estar todos juntos, a uma certa hora, em determinado lugar. Numa refinaria em Augusta trabalham oitocentas pessoas, que entram de manhã, às sete horas e quarenta e dois minutos, e largam o serviço à tarde, às quatro e trinta e três! Eu me lembro

Do "Eu Faço" ao "Eu Sei"

de uma discussão com o chefe de um serviço em Parma, que achava que tinha sido demasiado flexível por ter introduzido cinco minutos de tolerância para a chegada pela manhã.

As empresas permanecem rígidas. Mas até que ponto nós introjetamos este condicionamento?

Sobre isso posso lhe dar um exemplo: dei um curso a um grupo de profissionais do setor de estudos de uma empresa petrolífera. A localização aqui em Roma é muito bonita: pequenos edifícios de no máximo três ou quatro andares, completamente circundados pelo verde e por um muro que delimita o espaço. Lá trabalham jovens engenheiros, químicos, biólogos, cujos trabalhos consistem basicamente em ler e escrever. Eles se queixavam de ter poucas salas e pouco espaço. Perguntei se era um problema que sentiam só durante o inverno, já que tinham amplos e lindos gramados à disposição. Responderam que era um problema também durante o verão, pois era proibido ocupar os gramados.

Fiz então uma pequena pesquisa e descobri que não existia proibição alguma: nada impedia aqueles jovens profissionais de trazerem de casa uma daquelas cadeiras de praia reclináveis e trabalharem, alegremente, na grama. E mesmo depois de termos discutido juntos o assunto, ninguém teve coragem de ir estudar no meio do verde.

Os etólogos dizem que quando os peixinhos vermelhos, depois de passar meses num aquário, são liberados em pleno mar, continuam ainda por um certo tempo a nadar em círculos, como se estivessem dentro do aquário. Os seres humanos trabalharam por duzentos anos dentro de uma fábrica ou dentro de um escritório e agem como se ainda estivessem ali, não saem nem mesmo quando a parede de vidro não existe mais.

O Ócio Criativo

Quer dizer que o futuro do trabalho intelectual-criativo nos libertará da escravidão também sob o aspecto do tempo e do espaço. Mas permanecerá ainda alguma diferença entre uma atividade feita por obrigação e outra feita por puro prazer, gratuitamente? Pode existir um trabalho que seja completamente livre de regras e leis?

É uma pergunta que deve ser invertida. As atividades físicas eram quase todas de tipo *instrumental*, ou seja, eram um meio de sustento para si mesmo e para a família. As atividades intelectuais são mais frequentemente *expressivas*: além do pão de cada dia, nos dão o prazer de nos expressar, de nos realizar. Dito isto, é preciso lembrar que todas as atividades criativas, com exceção talvez de alguns *hobbies,* possuem as suas regras.

Os artistas sempre trabalharam "sob encomenda" e com prazos de entrega. A criatividade deles muitas vezes se atiçava com a ideia de desafiar estes limites. Os grandes artistas do Renascimento recebiam instruções muito precisas por parte de quem lhes encomendava a obra: quero uma Madona assim ou assado, com uma idade tal, e o menino Jesus posicionado da seguinte maneira. O desafio era inovar, criar a obra de arte, mas respeitando os limites impostos. O artista ama os vínculos, assim como o jogador ama as regras: no bridge, as regras são muito rígidas e, se não as respeito, deixo de ser um jogador de bridge para tornar-me um trapaceiro.

A diferença entre trabalho criativo e trabalho executivo, no entanto, é a seguinte: no primeiro caso as regras representam um desafio, no segundo são apenas um limite. No trabalho executivo as regras servem só para nos obrigar a fazer a maior quantidade possível de coisas desagradáveis no menor espaço de tempo.

Do "Eu Faço" ao "Eu Sei"

Em que consiste explorar o trabalho intelectual?

Muitas vezes significa usar as pessoas aquém das suas possibilidades. Preparamos uma pessoa durante vinte anos para depois fazê-la executar algo que poderia ter aprendido em três meses. Este é um capítulo da grande novela sobre a infelicidade no mundo empresarial: a empresa é um sistema que, com demasiada frequência, produz infelicidade e medo. E desperta raiva ver que hoje em dia a infelicidade e o medo poderiam ser eliminados e, em vez disso, continuam a existir sem motivo: não são mais úteis à produtividade, são nocivos. Não há mais qualquer compatibilidade entre os modelos de trabalho e de vida industrial e os pós-industriais.

Assim, toda vez que quero fazer com que uma regra da sociedade industrial sobreviva numa sociedade como a nossa, devo impô-la. Ou com a alienação, ou com a força física ou ainda com a chantagem psicológica. E para fazer isso é preciso ter um desprezo quase total pela vida pessoal, afetiva e familiar dos empregados. Muitas empresas, por exemplo, obrigam seus funcionários a se transferir de uma cidade para outra, com a mulher e os filhos, mesmo quando eles não desejam. E a transferência se transforma numa arma, pois frequentemente é usada para chantagear, constrangendo à demissão, como extrema forma de *mobbing*.

Ao ponto de provocar verdadeiras tragédias. Não é muito antiga a notícia de um técnico da Telecom que se suicidou em Ancona para não enfrentar a enésima transferência.

Dá-se por certo que se um trabalhador, sobretudo do sexo masculino, quiser fazer carreira, ele deve estar completamente disponível a contínuas transferências, arrastando consigo a família inteira.

O Ócio Criativo

E quais poderiam ser, por exemplo, as condições mais adequadas ao novo trabalho pós-industrial de tipo intelectual-criativo?

Na Atenas de Péricles, como eu já disse, os homens podiam se dedicar completamente ao trabalho intelectual. Graças ao fato de os trabalhos pesados serem feitos pelas mulheres e pelos escravos, "ociavam". Na linguagem da época isso significava simplesmente "não suar". E era no ócio que se produziam as ideias filosóficas, artísticas e políticas. Para tal, era preciso levar uma vida propícia a isso, com corpo e mente sãos.

As condições de trabalho que ativam a máquina física são em parte diferentes das que ativam a máquina psíquica. Os gregos cuidavam bem da sua vida mental, mas também faziam muita ginástica para manter em forma o corpo. Competições poéticas eram tão frequentes quanto as competições de ginástica. A máquina física é contínua, a psíquica é descontínua. Algumas máquinas psíquicas produzem mais ideias ao amanhecer, outras, ao entardecer, algumas produzem continuamente, outras são intermitentes, algumas são hiperprodutivas durante um certo tempo e depois repousam por grandes intervalos ou para sempre. Como me disse uma amiga, lembrando uma frase de Oscar Wilde: "Só os medíocres dão o melhor de si o tempo todo."

Talvez valha a pena citar alguns exemplos famosos: Rimbaud escreveu seus últimos poemas quando tinha vinte e um anos e depois viveu até os trinta e sete anos, mas sem escrever mais nada. Rossini compôs vinte óperas nos seus primeiros trinta e seis anos de vida e depois, até a morte, quando tinha sessenta e dois anos, compôs só o *Stabat Mater*, uma missa e música de câmara. Ticiano, ao contrário, pintou *A Batalha de Lepanto* com mais de noventa e dois anos de idade. Michelangelo projetou a cúpula de São Pedro com mais de setenta anos e esculpiu a *Pietà*

Do "Eu Faço" ao "Eu Sei"

Rondanini. com quase noventa anos. Tomaso di Lampedusa escreveu *O Leopardo*, seu único romance, no final da sua vida. Talvez a organização do trabalho intelectual, tal como era pensada pelos gregos, tenha sido até agora a melhor. Nós continuamos a nos surpreender diante das obras-primas que uma centena de intelectuais elaborou, então, no arco de um século ou um pouco mais.

Quais são essas condições ótimas?

São aquelas que nós, na disciplina da Sociologia do Trabalho e na S3-Studium procuramos identificar. Estudamos dezenas e dezenas de grupos criativos de hoje e do passado para tentar entender o segredo da sua fecundidade ideativa. Que condições permitiram ontem a criatividade do grupo de Enrico Fermi ou hoje a do ateliê de Valentino ou do laboratório de Rita Levi-Montalcini? E por que a equipe de Fellini foi mais criativa quando produziu *Oito e Meio* do que quando fez *Entrevista com Fellini*? As causas podem ser encontradas nos tipos diversos de agregação, de liderança ou nos incentivos. Muitas vezes a criatividade é estimulada pela opulência, como em Tales de Mileto, em Wagner, em d"Annunzio; outras vezes pela miséria, como em Schubert, em Beethoven ou em Modigliani. Existem muitas obras da juventude, feitas com poucos recursos, muito melhores do que obras posteriores, produzidas com excelentes condições financeiras. Francesco Rosi, Lina Wertmüller, Hector Babenco, Glauber Rocha e o próprio Fellini estrearam com obras-primas de baixo custo.

A criatividade está muito mais ligada à capacidade de acolher e de elaborar estímulos do que aos recursos disponíveis, ou mesmo à ressonância que o encontro de duas ou três pessoas criativas pode produzir, quando se estimulam intelectual e reciprocamente com suas ideias. As condições ideais, na minha opinião, são ainda aquelas descritas por Platão em *O Banquete:* comodidade, um grupo de amigos criativos, paixão pela beleza e pela verdade, liderança carismática, tempo à disposição, sem a angústia de prazos ou vencimentos improrrogáveis. No final das contas, a felicidade consiste também no fato de não ter prazos a cumprir.

Mas, como prova em contrário, temos o exemplo de muitos outros gênios criativos que produziram obras extraordinárias sob condições desastrosas, perseguidos por tiranos ou por credores, pressionados por quem lhes havia encomendado a obra, até encarcerados ou moribundos. Basta pensar no Marquês de Sade, em Mozart, em Evariste Gaulois, em Marx ou em Gramsci.

Mas, no final das contas, a criatividade precisa ou não precisa de regras?

Precisa de vínculos, de desafios, não de barreiras burocráticas. E deve ser capaz de jogar tanto com os vínculos como com os desafios. O jogo se dá entre uma pessoa (quem encomenda), que tem todo o interesse em obter o produto o mais rápido possível, e uma outra pessoa (o criativo), que tem todo o interesse em produzir a coisa mais genial possível.

A relação entre Rafael e o duque de Urbino é emblemática, sob este aspecto. Rafael não respeitava nunca os prazos, mesmo recebendo pagamento adiantado e chegando a ser ameaçado de morte. Quando encomendamos um móvel a um carpinteiro, a nossa expectativa é de que o prazo para a entrega dependa dele e até prevemos que provavelmente não o respeitará. Já quando nossa encomenda é feita a uma fábrica, não aceitamos sequer

Do "Eu Faço" ao "Eu Sei"

um dia de atraso na entrega: no trabalho criativo é inerente uma relação muito mais cheia de caprichos com o tempo.

Eis que chegamos ao ócio. Os atrasos, tanto de Rafael como do carpinteiro, são devidos, presumo, também ao ócio?

A terem vontade e inspiração. Mas como é que nasceu esta ideia atual que se tem do ócio, completamente negativa? Enquanto o trabalho requeria esforço físico, as pessoas eram obrigadas a trabalhar, porque, se a escolha fosse delas, se absteriam. Uma das coerções era de tipo psicológico: consistia em enfatizar o preconceito de que gozar do ócio fosse um pecado. Quem é ocioso é ladrão, porque rouba o tempo de esforço no trabalho, seja do empregador, seja da sociedade. Quem goza do ócio peca e, até prova em contrário, se entrega aos vícios. Quem se entrega ao ócio não se redime do pecado original e portanto vai para o inferno.

Porém, até as primeiras décadas deste século existiam classes, ou castas, praticamente condenadas ao ócio: o aristocrata, devido ao sangue azul, o rentier, devido à posse de terras e imóveis, que lhe permitiam viver de renda. Eram a exceção que confirmava a regra?

Eram figuras sociais "de excelência", como os cidadãos livres na Atenas de Péricles. E nos casos em que se tratava de gênios, se dedicavam pessoalmente à produção de ideias, como o príncipe de Salina que estuda Astronomia no Leopardo, se dedicavam pessoalmente à produção de ideias. Nos casos de menor genialidade, mas igual apreço pela criatividade, eram mecenas, fecundavam as ideias dos outros.

Por que para eles o ócio se tornava uma virtude?

Não ter a necessidade de trabalhar colocava o ocioso numa posição de perigo: a tentação dos vícios. Se era capaz de evitá-los, apesar de ser rico, significava que se tratava de um heróico virtuoso. Durante dez séculos, do século V ao século XV, o percentual de santos da Igreja provenientes das classes superiores supera 70% no número. Em determinado período, como do século VIII ao século X, chegou a ser 97%. Todos estes ricos santificados eram rebentos de famílias nobres, que poderiam ter escolhido o caminho do vício, mas em vez disso optaram pelo do amor de Deus e da caridade. Em outros tempos, os pobres trabalhavam muito mais do que os ricos. Hoje um executivo ou um empresário trabalha muito mais do que um operário.

Agatha Christie contou que seu pai era um perfeito cavalheiro que passou a vida inteira sem fazer nada, vivendo na zona rural. John Fowles, no romance A Mulher do Tenente Francês, *explica que seu protagonista é aquele tipo de homem do século XIX cujo problema consistia em matar o tempo e vencer o tédio. Não devia ser fácil tal proeza. Por que aceitavam esta condenação?*

Eram proibidos de fazer coisas ilícitas e proibidos de trabalhar. Produzir era um sinal das classes inferiores, como na Grécia clássica. O problema por trás disso é o seguinte: qualquer pessoa é capaz de desempenhar um trabalho físico, mas nada garante que todas possam ser capazes de ter ideias. Portanto, como suporte de base aos poucos criativos, aos gênios era necessária uma classe subordinada que trabalhasse fisicamente. Os que estavam por

Do "Eu Faço" ao "Eu Sei"

cima, no ócio, podiam ter ou não ideias, dependendo do indivíduo. Mas mesmo quando vadios eram aceitos, por constituírem a escória de uma classe que, no seu conjunto, produzia ideias. E que portanto governava a sociedade.

Logo, consentia-se no ócio para uma determinada casta, com o objetivo de haver assim uma classe dirigente e ideativa?

Sim. O ócio nestes casos era considerado útil, porque servia à gestão da coisa pública e à melhoria da vida privada.

Mas hoje nós não delegamos mais o ócio a um grupo social.

Nós o delegamos cada vez menos, porque todos nós exercitamos atividades cada vez mais intelectuais, que implicam o cansaço mental. E, para o cansaço mental, a compensação é justamente o ócio. Muito trabalho físico requer pouco repouso da mente. Já para poucas ideias é necessário muito ócio. Mas o ócio criativo não é ficar parado com o corpo, ou uma ação corporal não obrigatória. O ócio criativo é aquela trabalheira mental que acontece até quando estamos fisicamente parados, ou mesmo quando dormimos à noite. Ociar não significa não pensar. Significa não pensar regras obrigatórias, não ser assediado pelo cronômetro, não obedecer aos percursos da racionalidade e todas aquelas coisas que Ford e Taylor tinham inventado para bitolar o trabalho executivo e torná-lo eficiente.

O ócio criativo obedece a regras completamente diferentes. Mas é o alimento da ideação. É uma matéria-prima da qual o cérebro se serve. Do mesmo modo que a máquina usava matérias-primas como o aço e o carvão, transformando-as em bens duráveis, o cérebro precisa de ócio para produzir ideias.

O Ócio Criativo

Chegamos ao ponto-chave. Falávamos do trabalho como identidade social. A nova identidade exigirá que a gente não mais viva ou perceba o ócio com complexo de culpa?

Sim, porque o ócio é necessário à produção de ideias e as ideias são necessárias ao desenvolvimento da sociedade. Do mesmo modo que dedicamos tanto tempo e tanta atenção para educar os jovens para trabalhar, precisamos dedicar as mesmas coisas e em igual medida para educá-los ao ócio.

Existe um ócio dissipador, alienante, que faz com que nos sintamos vazios, inúteis, nos faz afundar no tédio e nos subestimar. Existe um ócio criativo, no qual a mente é muito ativa, que faz com que nos sintamos livres, fecundos, felizes e em crescimento. Existe um ócio que nos depaupera e outro que nos enriquece. O ócio que enriquece é o que é alimentado por estímulos ideativos e pela interdisciplinaridade.

Foi uma cena do filme *Beldades no Banho* que sugeriu a Crick e Watson a hipótese de que a hélice do DNA pudesse ser dupla. Se não gostassem de cinema, talvez tivessem levado muito mais tempo para descobrir a estrutura tão pesquisada. Um artista como Calvino pode encontrar uma inspiração até mesmo ouvindo uma conferência de Física. Um matemático como Poincaré pode resolver um teorema fazendo uma caminhada pela montanha. As intuições surgem exatamente da hibridização de mundos diversos. Desse modo, para o trabalhador intelectual, ir ao cinema, ao teatro ou sair de férias não são perdas de tempo, mas um estímulo para intuir coisas e compreender outras.

Isso é verdade para todos os tipos de trabalho intelectual-criativo? É válido não só para os artistas – uma espécie rara –, mas também para os executivos?

Do "Eu Faço" ao "Eu Sei"

Para o executivo é fundamental. Hoje ele ainda vive trancado dentro da empresa e acaba, assim, tendo menos ideias e cada vez mais medo do mundo externo. Quando, no passado, produzia os parafusos que tinha que produzir, a empresa não tinha do que se queixar: menos intensamente vivia, mais obedecia à máquina e mais se mecanizava e produzia. Mas hoje não é mais assim: mais tempo alguém passa dentro do escritório e menos produtivo é, tem menos ideias.

E, apesar de tudo, para não ter que mudar os próprios regulamentos, a empresa prefere se prejudicar e paga a pessoas que não produzem nada. Existem executivos que nunca caminharam pelas ruas do centro às dez da manhã, que vivem o mundo externo só na dimensão dos domingos, que nunca foram ao cinema numa sessão das três e meia da tarde, em pleno dia de semana.

Existem milhões desses executivos que vivem num tipo de quartel psíquico e são infelizes porque são limitados. Suas casas são bonitas, mas nelas passam só as noites, os escritórios onde trabalham o dia inteiro são horríveis, moram em bairros agradabilíssimos, cheios de áreas verdes, mas passam a quase totalidade do tempo trancafiados entre quatro paredes de cimento. E para os próprios filhos, na maioria desempregados, sonham com um trabalho parecido com o deles. Enquanto estes mesmos filhos, de vinte ou trinta anos, esconjuram um emprego similar, como se fosse a peste.

Eu acredito que os executivos de meia-idade sejam, sob um certo aspecto, pessoas doentes. E o que é pior: a doença deles é contagiosa.

Qual é a epidemia que transmitem?

Transmitem aos mais jovens um estilo de vida baseado no excesso de esforço, na subordinação, em vez da dignidade, e também uma gestão arcaica e opressiva dos tempos e dos espaços, recorrendo à chantagem psicológica: ou você se comporta dessa maneira, ou não terá nunca uma boa carreira. Deveriam ser isolados, para não contagiarem os executivos das novas gerações (por isso eu sou muito cauteloso antes de enviar um aluno meu para fazer um estágio numa empresa). Mas também deveriam ser tratados com carinho. São uns alienados: depois que se aposentam, têm ainda vinte ou trinta anos de vida diante de si, mas estão desadaptados da vida privada e familiar, e portanto sua velhice será feita só de solidão e saudosismo.

E as mulheres também sofrem com o fato de que, de repente, têm que suportar esse marido que passou a vida inteira fora de casa e que agora passa a perambular dentro dela, como um "estranho" que começa a ocupar quartos e partes da casa que até aquele momento eram só delas.

É a consequência da organização social que nos dominou até o momento. Quando, ao contrário, o casal e a família operam em uníssono, como uma célula viva, aí então podem ser felizes por estarem juntos. É uma das possibilidades inaugurada pelo teletrabalho: a família pode voltar a ser uma unidade alegre. As tarefas podem ser alternadas: hoje eu faço as compras e você busca as crianças na escola. Pode-se fazer amor durante o dia, se der vontade, e trabalhar de noite, querendo.

Atualmente os executivos dependentes de empresas públicas ou privadas, tanto na Itália como na América, no Brasil ou no Japão, acumulam uma dupla alienação: a do local de trabalho e a do mundo externo. Qual é o território de um executivo que vive em Ipanema, trabalha na Avenida Brasil e possui uma casa de campo na Serra da Mantiqueira? Trata-se de um monge sem

Do "Eu Faço" ao "Eu Sei"

raízes. Passa dentro da empresa dez horas por dia, mas a empresa condiciona também as suas noites. Sartre disse a propósito de uma operária da linha de montagem: "Até de noite, quando faz amor, não é ela quem ama, mas a máquina que vive nela." A mesma coisa poderia ser afirmada hoje em dia a propósito de um trabalhador intelectual.

A empresa é uma "instituição total", como uma prisão ou um hospício?

Sim. Suga a inteligência, manipula as emoções e os afetos. É o coletivo que prevalece sobre o individual. Até quando fazem amor, é a empresa que ama em seus corpos. A cultura empresarial foi durante duzentos anos um motor de modernização e civilização, se comparada à cultura rural. Mas agora ela também já está numa crise irreversível.

Hoje, nas empresas, em nome da paridade, persiste o máximo da discriminação feminina. Em nome do "homem certo no lugar certo", prevalecem os critérios de meritocracia, em nome da eficiência, consumam-se desperdícios incríveis de tempo, dinheiro e inteligência, e, em nome da racionalidade, realizam-se as escolhas mais disparatadas e incoerentes. Tomemos Romiti como exemplo: ele foi presidente da Fiat, uma das empresas mais rígidas do mundo, e pretende que seus dependentes sejam flexíveis. É completamente incoerente.

Em nome da produtividade multiplicam-se os procedimentos burocráticos na empresa e em nome da honestidade profissional se afirma que "os fins justificam os meios": frauda-se o fisco, pagam-se subornos. É interessante o fato de que o círculo mais próximo dos executivos que sofreram inquérito durante a Operação Mãos Limpas fingiu nunca ter tido a sombra da mais leve suspeita. Nos lares, as mulheres e os filhos encontravam-se todos prontos a jurar sobre a retidão do cônjuge e do pai, como se nunca tivessem perguntado a si mesmos de onde é que vinha todo aquele dinheiro para pagar o iate e a mansão de veraneio. No escritório, idem. Cagliari, o ex-presidente da Eni, suicidou-se na prisão, mas quantos entre os seus colaboradores, dos diretores até os *boys*, também participavam do sistema de subornos? De Benedetti, o presidente da Olivetti, foi condenado pela venda de computadores de péssima qualidade para os Correios: mas quantos revendedores estavam também envolvidos?

Com efeito, a Operação Mãos Limpas não provocou declarações públicas por parte dos funcionários nas sociedades que sofreram inquérito, dizendo que não tinham qualquer envolvimento. Enquanto isso, uma parte da Confindustria construiu uma barreira de proteção em torno de Romiti, assim que recebeu a sentença de primeiro grau. Qual é o tipo de solidariedade que prevalece nestes dois exemplos?

A da dupla moral: enquanto indivíduo não posso fazer certas coisas, mas como funcionário ou dirigente de empresa, sim. Não só porque "os fins empresariais justificam os meios adotados", mas também porque o excesso de rigor e o atraso das leis em vigor impõem a milhares de pessoas comportamentos ilícitos. Em nome da ética profissional, os mais fracos são sacrificados numa empresa, e em nome da participação triunfa o autoritarismo: junto com os partidos, as empresas são atualmente uma das estruturas mais autoritárias que existem. Mas ao menos nos partidos sobrevive o rito democrático: são as bases que elegem os chefes. Na empresa, em nome da praticidade, a estética também é sacrificada, sob um amontoado de fórmicas com cores que

Do "Eu Faço" ao "Eu Sei"

mais parecem de hospital e bandejões onde a comida também tem gosto hospitalar.

Eu sei que a empresa não é só isso. Ela também é sobrevivência, salário, convívio social, erotismo, carreira, é a sensação de estar por dentro, de ser *in*, porque dá a ilusão de que as notícias que contam realmente chegam até ela sempre como de primeira mão. Mas os problemas são o preço que se paga por tudo isso, as renúncias, as neuroses.

Todas as organizações que atualmente produzem bens de serviço e informação são filhas da velha indústria de manufaturas que durante duzentos anos administrou o exército de analfabetos que assumiram tarefas repetitivas. Agora se tenta fazer a mesma coisa com os diplomados e graduados.

Por duzentos anos a empresa manufatureira aperfeiçoou a sádica arte do controle sobre tudo e todos: hora de entrada e de saída, despesas, ritmos e biorritmos. Hoje se tenta fazer a mesma coisa com as pessoas que exercem trabalhos criativos, que, ao contrário, requerem motivação.

Durante duzentos anos esta mesma indústria aposentou seus trabalhadores aos sessenta anos, porque era a idade média com que morriam. Hoje que a vida média prolongou-se por mais vinte anos, realizam-se pré-aposentadorias quando o trabalhador atinge 55 anos de idade, sendo condenado assim a trinta anos de inutilidade, depois de ter sido sugado e iludido com a ideia de que era indispensável e insubstituível.

A empresa subutiliza todo mundo. Qualquer executivo de hoje seria capaz de fazer as mesmas coisas que faz o seu chefe. Enquanto é tempo, os executivos deveriam reorganizar as próprias vidas, começando pela cura desse delírio que os faz pensar que são eternos e adiar continuamente para a velhice o momento de curtir a família e os filhos. Deveriam começar a cultivar a própria vida interior, no lugar da carreira que um dia terá fim, que será num nível bem mais baixo do que aquele que a empresa, com esperteza, os fez sonhar: todos ambicionam virar presidente, mas o presidente é sempre um só. Assim que acabarem de fazer o trabalho do dia, os trabalhadores devem ir para casa. Devem parar com essa história de chegar em casa exaustos, passando do domínio do chefe ao domínio da telinha. Estas pessoas, que estão acostumadas a trabalhar de dia e dormir de noite, devem sobretudo entender que não existe uma hierarquia ética entre o dia e a noite, como se a noite fosse malvada e o dia bondoso, como se a noite pertencesse aos vagabundos, enquanto o dia pertence aos trabalhadores virtuosos e honestos.

Mas o senhor mesmo é um hiperativo e confessa que dorme só cinco horas durante a noite.

Eu aproveito a noite, usufruo dela, a vivo, seja quando estou com amigos ou com parentes, seja quando fico sozinho. O telefone finalmente emudece e eu posso ser senhor do meu tempo.

Mas dormir significa sonhar. E o sonho é uma coisa boa, ou melhor, maravilhosa.

Em vez de sonho, para aqueles que vivem debaixo da pressão da competitividade, trata-se de pesadelo. Eles sonham a própria vida, enquanto o chefe chama a atenção deles ou a colega que estavam paquerando não lhes dá a mínima bola.

Insisto sobre esse ponto. Neste momento estão conversando duas pessoas com ritmos completamente opostos: uma dorme só quatro ou cinco horas e a outra dorme dez. "Colonizar" a noite pode

Do "Eu Faço" ao "Eu Sei"

significar usá-la para sair, ler, navegar na rede, mas também para dormir e sonhar?

O importante é não a usar só para recarregar as baterias. As duas opções que descreve são, com certeza, igualmente respeitáveis. O sono é um estado físico e psíquico que não podemos gerir racionalmente. Infelizmente não podemos escolher nossos sonhos (por exemplo, sonhar com a pessoa amada). Podemos só predispor algumas condições: as persianas abertas ou fechadas, o tipo de colchão, dormir sozinho ou acompanhado.

Quando se perde o controle, aflora uma parte de nós desconhecida, obscura. Que não é nem pecaminosa nem assustadora: a escuridão faz parte da vida, tanto quanto a luz. O senhor não acha que a imprevisibilidade do inconsciente seja exatamente a riqueza dele?

Eu gosto daquilo que posso controlar. Depois, se decido, posso até perder o controle. Gostaria de poder encomendar meus sonhos ao meu bel-prazer, ao acaso, ou ainda, se me vem a vontade, sonhar que estou na Bahia. Pode ser que um dia isso aconteça: a invenção de pílulas para programar a atividade onírica.

Deixariam de ser sonhos para ser aspirações ligadas a algum país, ou a pessoas que já conhecemos ou que ao menos já demos uma olhada num folheto ou numa revista. Seriam repetições de experiências em vez de imagens imprevisíveis.

A história da civilização humana consiste exatamente nesse deslocamento progressivo de zonas existenciais do universo do imprevisível para o universo do programado, o que não contradiz aquilo que a senhora diz, ou seja, que necessitamos também de zonas deixadas ao acaso e à fantasia.

Resumindo: o senhor gosta do escuro só quando sabe que pode acender a luz?

É claro. Não suporto os países nórdicos durante o inverno, com aquela noite sem fim. Não é uma coisa natural para os seres humanos. O nosso ciclo de sono e vigília no arco de vinte e quatro horas demonstra que a nossa espécie surgiu numa parte do planeta onde as noites duram poucas horas. As espécies originárias das zonas polares hibernam por muitos meses.

Vamos voltar aos pesadelos noturnos dos executivos. Segundo o senhor, quanto mais perto estão do topo, mais a empresa suga seus dependentes. Logo, são também os mais alienados. Que outro tipo de estresse os pesadelos deles provocam?

Todos os executivos já sabem que são supérfluos por ao menos quatro ou cinco horas de cada dia de trabalho. Sabem que dos trinta anos da vida deles que dedicam à empresa, só uns dez ou quinze bastariam. Sabem também que muitos dentre eles são como folhas de uma árvore no outono: basta um computador novo e uma categoria inteira de trabalhadores é liquidada. Quando o Concílio do Vaticano II modificou a liturgia, faliram umas quatro ou cinco empresas na Itália que produziam *harmonium*. Some-se a esta incerteza os caprichos da economia planetária: pode ser que de um momento para o outro uma fábrica de botões tailandesa faça com que uma outra fábrica de botões, na Itália, ou no Brasil, se torne obsoleta.

Do "Eu Faço" ao "Eu Sei"

O que acontece é que uma grande parte das energias vem sendo usada na gestão desta ansiedade. De improviso se toma conhecimento de que dez, cem ou mil pessoas são excedentes e começa a loteria para saber quem será demitido. E aí começam as trapaças recíprocas, pelo salve-se quem puder da dizimação.

Nas grandes empresas já é um dado estável: a quantidade de trabalho a ser feito diminui, a cada ano, em 3 a 5%. Teriam duas estradas diante de si: reduzir, a cada ano, o horário de expediente no mesmo percentual ou demitir 3 a 5% do pessoal. Escolhem sempre a segunda via, que é também a mais burra.

Imaginemos que, graças à tecnologia, uma única pessoa fosse capaz de produzir todo o PIB da Itália: seguindo a lógica das empresas, esta única pessoa deveria reter todo o trabalho e toda a riqueza dele derivada, deixando morrer de fome os outros cinquenta e sete milhões de italianos.

O senhor fala também de uma "limpeza étnica" em curso já há algum tempo nas empresas privadas, mas que agora atinge, igualmente, a administração pública.

As empresas hoje estão sujeitas a contínuas comoções organizacionais: se fundem, terceirizam – como se diz no jargão – escritórios inteiros, vendem ou compram outras empresas. E as pessoas que trabalham nelas vivem à mercê desses terremotos.

Muitas vezes o funcionário descobre só através dos jornais que a empresa para a qual trabalha está para fazer uma fusão ou um desmembramento. Do disse-me-disse dos corredores acaba sendo informado de que essas operações implicam uma redução de pessoal e que ele, provavelmente, faz parte dos chamados "excedentes". Tem início assim o seu longo calvário, feito de temores, esperanças, notícias pela metade, ameaças e bajulações, que frequentemente se conclui com uma aposentadoria precoce: lhe dão o fundo de garantia, que aqui na Itália também chamam de "escorregão", e se desfazem dele como se fosse uma embalagem descartável. E, assim, um cinquentão que foi educado para concentrar toda a própria identidade no trabalho e na dedicação à empresa – mas indefeso diante de um colosso econômico que é soberano com respeito à sua posição sempre menos sindicalizada e protegida – é precocemente privado de uma coisa e da outra. Tempos atrás isso acontecia só aos operários. Agora diz respeito a empregados, executivos e até aos diretores que permitem que sejam dizimados sem fazer oposição, não protestam nem individualmente, muito menos de forma coletiva.

A aposentadoria compulsória toca trabalhadores cada vez mais jovens: na França foi aprovado um acordo que permite que as empresas automobilísticas aposentem trabalhadores de cinquenta e dois anos; na Itália, a RAI e a Telecom pré-aposentaram colaboradores de primeira grandeza que acabaram de completar cinquenta anos; na Espanha, a sociedade Telefonica efetuou pré-aposentadorias de pessoas de apenas quarenta e dois anos.

Para os chefes de pessoal, encarregados da dizimação, não pesa o fato de que a empresa esteja perdendo excelentes colaboradores, nos quais investiu durante anos, nem conta o fato de que os fundos de garantia constituem muitas vezes despesas enormes: conta só reduzir o número de dependentes e portanto o custo do trabalho.

Assim, enquanto aumenta a vida média, um número crescente de pessoas, completamente não preparadas para ter tempo livre, são condenadas a viver trinta ou quarenta anos na mais idiota inatividade. Simplesmente esperando a hora de morrer.

Do "Eu Faço" ao "Eu Sei"

Quer dizer que as empresas inventaram um novo despotismo?

Lembra-se do verso "Dos átrios musgosos, das flores pendentes"? Naquele coro do *Adelchi*, Manzoni descreve um povo medieval submisso que com a chegada repentina do exército "afina o ouvido, alça a cabeça" e "sonha o fim do duro servir", ou seja, sonha uma liberdade que lhe deve ser dada, não graças à sua própria rebelião, mas graças à generosidade dos novos conquistadores.

Do mesmo modo hoje, a arraia-miúda de empregados ou executivos assistem, dos seus escritórios, corredores ou bandejões, cheios de temor ou de esperança, mas em todo caso inermes, à chegada do novo chefe. Acontece quase todos os dias, sobretudo nas grandes empresas, onde virou rotina o corte de pessoal em 3 a 4% ao ano.

Uma sociedade é democrática quando os governados podem escolher seus governantes. Mas as empresas, por definição, são hierárquicas, piramidais e autoritárias: seus chefes não são eleitos pela base, mas nomeados pelo topo. E muitas vezes de fora. Aos dependentes, mesmo aqueles do mais alto nível, não resta senão acatar as novas nomeações, das quais tomam conhecimento através de jornais ou telejornais, e não pelos canais internos, como seria de esperar.

Se, passados séculos desde a descoberta da democracia, os Estados democráticos ainda funcionam pessimamente, é exatamente porque eles, dentro de um invólucro igualitário, mantêm grupos, como estes, que são geridos ditatorialmente. A participação, sancionada pelo rito solene como a eleição do Parlamento, é banida da vida cotidiana, a parte que mais conta para a nossa felicidade.

Quando Alexis de Tocqueville, provindo da França monárquica, chegou à América republicana, ficou estarrecido diante da liberdade constitucional do Novo Mundo, mas se deu logo conta do ardil que estava por trás dela. Naquela obra-prima jamais superada que é *A Democracia na América*, escreve: "Acredito que a liberdade seja menos necessária nas grandes do que nas pequenas coisas, porque é nos detalhes que é perigoso desservir o homem. Significa contrariar o tempo todo o indivíduo, irritá-lo e lembrá-lo a cada instante da sua condição. (...) Uma constituição que seja republicana no cérebro e ultramonárquica em todas as demais partes sempre me pareceu mais um monstro efêmero. Os vícios dos governantes e a imbecilidade dos governados a conduzirão à ruína."

Mas os soberanos empresariais, felizmente, não estão onde estão por direito divino, nem são irremovíveis. Como dizíamos antes, mudam frequentemente. E já a mudança em si mesma desperta esperanças.

Cada mudança de esquadrão nos vértices dos arranha-céus diretivos provoca terremotos que, antes que o terreno se ajuste, projetam efeitos sísmicos sucessivos nos andares adjacentes dos diretores, mais ainda naqueles mais abaixo dos executivos e empregados, até a área de serviço, dos *boys* e porteiros.

Em algumas salas brinda-se ao novo patrão, uma outra é tomada pelo pânico: alguém tenta se esconder, com a esperança de ser esquecido até que venham tempos melhores, um outro vira a casaca, alguém mais se rende e se demite.

O novo presidente e os novos administradores delegados que chegam de fora, portadores de discórdia, muitas vezes são escolhidos até por uma minoria de acionistas que têm conexões com políticos, *lobby*, ou com os serviços secretos. Frequentemente são completamente incompetentes para aquele tipo de empresa: basta pensar no caso italiano, no nosso troca-troca de dirigen-

Do "Eu Faço" ao "Eu Sei"

tes que, da noite para o dia, são catapultados de uma empresa petrolífera ou editorial para uma no setor das telecomunicações ou da eletricidade, passam de um banco aos correios, ou ainda para a rede ferroviária.

Como, porém, é impossível improvisar uma estratégia num setor que se ignora quase tudo, assim que chegam ao novo *top*, esses executivos agraciados miraculosamente encarregam disso uma dessas enormes e caríssimas companhias americanas de consultoria. Estas escancaram em nome da transparência e do mercado e aceitam sem pudor como clientes até mesmo empresas concorrentes entre si.

Enfim, também nesse caso a falta de democracia se traduz em pouca ou nenhuma transparência. E como é que isso não transparece fora dos muros das empresas?

Defenestrações, substituições, demissões, aposentadorias precoces, hiperpoder das sociedades de consultoria, tudo acontece de uma maneira camuflada e silenciosa. Se é alguém dos altos escalões a falar, usa para isso uma entrevista chamativa aos jornais, mas se quem fala faz parte dos baixos escalões, não dá entrevista, mas cochicha nos corredores. Não aparece nunca alguém que peça as credenciais do novo patrão para avaliar a sua competência. Ninguém o enfrenta de peito, para negociar o próprio destino ou ao menos para sucumbir com a cabeça em pé.

Executivos que construíram uma carreira trabalhando duro durante anos, renunciando para isso às alegrias do lar, da cultura e do tempo livre, aceitam com uma resignação excessiva passar a ser dirigidos por esses recém-chegados que não sabem nada de nada acerca dos projetos, da produção e das vendas desse novo reino, onde se sentem e agem como soberanos.

O Ócio Criativo

"Tudo somado", observava profeticamente Tocqueville, "me parece que a aristocracia industrial de hoje seja das mais duras, entre todas as que existiram. (...) É desta porta que a democracia deve temer o retorno das desigualdades sociais."

Pelo que o senhor diz, trabalhar numa dessas empresas é pior que ser desempregado.

A vida de um desempregado é horrível, porque na nossa sociedade tudo depende do trabalho: salário, contatos profissionais, prestígio e (quando se é católico) até o resgate do pecado original e o bilhete de ingresso para o paraíso. Portanto, se falta o trabalho, falta tudo.

Mas corre-se o risco de que o problema do desemprego coloque em segundo plano o problema de quem tem um emprego. Com uma frequência sempre maior, a vida do trabalhador é transformada num inferno, porque as organizações das empresas se preocupam em multiplicar a quantidade de produtos, mas não dão a mínima para a felicidade de quem os produz.

Mas já falamos disso.

Qual poderia ser então a cura para essa infelicidade?

Do mesmo modo que o desemprego pode ser debelado, a atual organização do trabalho também pode ser salva dessa sua estupidez gratuita, liberada das restrições do taylorismo, reavivada com boas doses de motivação e descentrada através do teletrabalho. Conforme repito sempre, as atuais fronteiras, rigidamente demarcadas, entre estudo, trabalho e tempo livre devem desaparecer, de modo que as três formas de atividade acabem coincidindo. Da atual competitividade destrutiva, que almeja só

Do "Eu Faço" ao "Eu Sei"

a eliminação do concorrente, deve-se passar a uma concorrência leal e solidária, capaz de garantir não só a produção da riqueza, mas também a sua distribuição. E tudo isso pode ser feito. Portanto, *deve* ser feito. Graças ao progresso tecnológico e à difusão cultural, é finalmente possível eliminar tanto o cansaço pesado da época rural como o estresse aflitivo da época industrial.

Na prática, o que deveriam fazer os jovens executivos, em vez de se estressarem tentando sobreviver?

O que é que fizeram os operários no início da era industrial? Tomaram consciência da exploração da qual eram vítimas, identificaram seus opositores, se agregaram, realizaram alianças e lutaram com coragem e sacrifício. O trabalhador intelectual deveria fazer alguma coisa parecida, neste início de era pós-industrial.

Mas existem ainda muitas dificuldades para que isso aconteça. Os trabalhadores intelectuais não pensam que pertencem a uma classe diferente da classe dos empregadores. Por mais que sejam explorados, ainda gozam de privilégios com os quais os operários não podiam sequer sonhar. Eles têm dificuldade em identificar opositores e aliados e não estão habituados a suportar sacrifícios como os que estão implícitos numa luta de classes. E tanto a formação escolástica que tiveram quanto a empresarial inculcaram-lhes tolerância, maleabilidade e condescendência. Existem pouquíssimos modelos alternativos de organização do trabalho intelectual.

E quais são?

Por exemplo, o aviltado modelo de vida do professor universitário, que a meu ver representa o futuro e não o passado.

O Ócio Criativo

O professor universitário estuda em casa, quando não precisa de aparelhos ou instrumentos especiais, e escolhe como bem entende os horários, os livros e as pessoas com quem interage. Mantém mais contato com um colega estrangeiro do que com quem trabalha na mesma faculdade. Alunos e programa de ensino mudam todo ano, trabalho intelectual se confunde com o estudo e o tempo livre, e tudo isso o acompanha trezentos e sessenta e cinco dias por ano, vinte e quatro horas por dia.

Quem raciocina com base no trabalho forçado considera o professor um vadio, pois conta só as horas que ele passa na faculdade, ou seja, num dado lugar a uma dada hora.

Nós estamos acostumados a nos apresentar com o cartão de visitas: "Muito prazer, sou fulano de tal e sou isso: açougueiro, costureira, técnico de computador, etc." Na sociedade pós-industrial, segundo o senhor, esse embaralhar das cartas de trabalho e ócio solicitará que a gente desenvolva uma identidade diversa, baseada em elementos múltiplos da nossa vida?

Por séculos, a identidade era ligada à classe a que se pertencia: o filho do rei era príncipe, o filho do pintor de paredes era pintor de paredes. Depois passou a ser ligada à estirpe e à riqueza.

Com a sociedade industrial se passou a dizer: a riqueza não depende mais da quantidade de terras que você herda, mas da capacidade que você possui. Se você tem valor pode ser um *self-made man*, um homem que se realiza sozinho, e é desta sua capacidade que depende a sua identidade.

Hoje a identidade é menos ligada ao que possuo e mais ligada ao que sei. Até porque o saber se transformou em fonte de riqueza, de riqueza explicitamente material, como eu já disse. Somos nós que esculpimos a nossa identidade. Inclusive do ponto de

Do "Eu Faço" ao "Eu Sei"

vista físico: operamos o nariz, pintamos os cabelos, consertamos os dentes, emagrecemos, engordamos.

Nossa identidade depende cada vez menos da natureza, que pode nos ter feito bonitos ou feios, da estirpe, que pode nos ter feito nascer ricos ou nascer pobres, e do fato de pertencer a uma classe, seja aristocrática ou proletária. A identidade depende cada vez mais daquilo que aprendemos, da nossa formação, da nossa capacidade de produzir ideias, do nosso modo de viver o tempo livre, do nosso estilo e da nossa sensibilidade estética.

E quando nos apresentarmos nessa sociedade do futuro próximo, o que diremos?

Diremos: "Eu sei isso e aquilo."

Décimo Segundo Capítulo

O Grande Trompe-l'Oeil

> *Numa dada situação, em que alguém coloque a* Gioconda B *ao lado da* Gioconda A *que está exposta no Louvre, poderemos dizer que a* Gioconda B *é falsa somente se conseguirmos provar que a* Gioconda A *é autêntica... Dos falsos podemos nos defender muito bem, basta ter claro o que é autêntico.*
>
> Umberto Eco

> *No fundo, do real em si não conhecemos nada.*
>
> Claude Lévi-Strauss

Comecemos com um aparente lugar-comum. O tempo livre pode ser uma coação, fazendo com que a gente se sinta prisioneiro de um grande vazio. Que a gente sinta tédio. O tédio é uma doença?

Os seres humanos viveram o ócio durante milênios: até mesmo um escravo de uma casa grega ou romana se cansava muito menos do que um torneiro mecânico da idade industrial. Os excessos de trabalho que Engels e Dickens descrevem nunca tinham acontecido antes, nem mesmo nos trabalhos forçados dos presidiários. Até um gladiador, no final das contas, vivia no ócio uma boa parte do tempo.

O Ócio Criativo

O único verdadeiro esforço deles era morrer de morte matada?

Exatamente. Foi a sociedade industrial que introduziu a lei da eficiência baseada na relação entre o trabalho e o tempo necessário para a sua execução, porque a sua atividade era manufatureira e podia ser cronometrada.

A introdução dessa medida artificial do tempo, substituindo a lenta alternância das estações, dos dias e das noites, foi uma coisa imposta, forçando a natureza humana, ou melhor, forçando a própria natureza. Há duzentos anos passou-se do tempo "vivido" ao tempo "aturado", e agora, finalmente, se começa a entrever a possibilidade de passar ao tempo "escolhido".

Na época rural, embora a vida média fosse mais breve, como havia pouco o que fazer, o tempo à disposição era abundante, mas as pessoas não se davam conta disso. Já os ritmos infernais da sociedade industrial não nos deixaram um minuto sequer para respirar, e só assim compreendemos a importância de ter tempo, porque o que tínhamos não era mais suficiente. Agora, pela primeira vez, a duração da vida aumenta e a duração do trabalho diminui. Portanto, não só temos mais tempo à disposição, mas também dispomos de uma maior cultura e somos mais conscientes para dar valor e importância a isso.

Diante dessa revolução, como é que cada um de nós reage? E como é que reagiram os intelectuais? A angústia em relação ao tempo faz parte de toda a literatura existencialista e de muitos filmes, como os de Antonioni.

O senhor se refere a romances como A Náusea, *de Sartre, ou* O Tédio, *de Moravia?*

Claro. Tanto durante os meus anos de faculdade quanto nos

O Grande Trompe-l'Oeil

anos subsequentes, quando frequentei o ambiente parisiense com maior assiduidade, o pensamento de Sartre sempre exerceu sobre mim uma fascinação ambivalente. Sempre me encantaram suas intuições, situadas entre a Filosofia e a Sociologia, e as situações descritas nos seus romances, corriqueiras e extraordinárias ao mesmo tempo, além da sua militância política, que, sem admitir compromissos, possuía um desejo obstinado de libertar os fracos do domínio dos poderosos.

Já a impressão que os romances de Moravia sempre me causaram é de que são literariamente impecáveis, mas desagradáveis do ponto de vista humano. Eu o conheci pessoalmente nos últimos anos de sua vida, através de alguns amigos em comum: a atriz Piera Degli Esposti, a diretora Lina Wertmüller e o cenógrafo Enrico Job. Durante nossos frequentes jantares, aos quais se seguiam longas conversas com todo o grupo, de repente, com aquela voz rude que tinha, ele declarava que estava morrendo de tédio. Saía da sala com um "Hoje eu me entedio!", como alguém diria "Hoje estou com dor de cabeça".

Mas a visão do mundo de Moravia sempre me pareceu excessivamente cínica, e a de Sartre, fria demais. A eles sempre preferi Albert Camus, mais caloroso e cheio de generosidade. Como esquecer *O Mito de Sísifo, A Peste* ou *O Estrangeiro?* Sísifo, assim que atingia o topo da montanha e a pedra de novo despencava vale abaixo, era capaz de descer com toda a calma necessária para poder se desesperar com a própria tragédia: a condenação, por toda a eternidade, a desempenhar um trabalho inútil e sem esperança. O doutor Rieux, que gastou todas as suas energias para salvar seus pacientes da peste e que, quando escuta os gritos de alegria que ecoavam da cidade que tinha acabado de ser libertada da epidemia, "recordava que aquela alegria estava para sempre ameaçada, que o bacilo da peste não morre, nem desaparece nunca, que ele pode permanecer por dezenas de anos adormecido nos móveis, nas roupas guardadas, que sabe esperar pacientemente nos quartos, nos porões, nas malas, nos lenços e nos papéis amontoados, e que talvez viesse o dia em que, desventura e ensinamento para os homens, a peste despertaria os seus ratos para enviá-los à morte numa cidade feliz".

Para Moravia o tédio tinha uma dimensão física?

Notei que, quando dizia que se entediava, ele tocava instintivamente na perna que não era sadia, que o fazia mancar desde criança. Participava das conversas de forma sempre muito atenta e perspicaz, mas durante alguns momentos era como se sua mente se retraísse dos assuntos em discussão. Era como se sentisse um alarme corporal do tédio.

O senhor se entedia de vez em quando?

Eu sou o contrário de Moravia: não me entedio nunca. Eu me lembro de ter sentido um certo mal-estar fugaz, durante um breve período da minha vida, muito monótono, assim que me formei, mas antes de começar a trabalhar. É a lembrança de algumas tardes de domingo, quando me mudei para Nápoles, após os anos de faculdade. Mas era mais um sentimento de solidão do que de tédio.

De fato, o tédio abordado pelos existencialistas é sobretudo uma falta de sentido.

Uma falta e uma busca de sentido, que nascem, justamente, do excesso de tempo disponível e da inexistência de compromissos que sirvam para preenchê-lo. Como quando estamos carentes de

O Grande Trompe-l'Oeil

alguma coisa fundamental que possa servir de âncora para a nossa existência, ou como quando não compartilhamos objetivos para os quais possamos canalizar as nossas energias mais positivas.

Seguramente as situações de tédio vão aumentar no futuro, porque estamos acostumados a basear tanto o sentido da nossa existência quanto a programação do ano, das férias, do dia a dia, das compras e até dos nossos amores num único compromisso--chave: o trabalho.

Agora devemos mudar de base, porque este compromisso começa a ser minoritário, do ponto de vista temporal. E aumenta o tempo que não mais é sujeito a uma obrigação, mas sim a uma escolha. Somos como o presidiário do filme com Tim Robbins, que mencionamos antes: a liberdade inesperada pode nos encher de alegria ou nos atirar num buraco feito de pânico ou de tédio.

Há quem, para matar o tempo, acabe matando os outros, como o caso daquelas pessoas na Itália que atiraram pedras da passarela nos carros que passavam embaixo. Homicidas por tédio?

Uma primeira reação possível diante do tempo livre é vivê-lo como se fosse uma doença. Em *O Tédio*, de Moravia, encontramos uma representação concreta desse fenômeno. O protagonista é um pintor e tem diante de si a tela branca sobre a qual deve começar a intervir de algum modo. Mas não possui a força para dar a primeira pincelada. Não lhe falta a vontade, mas a força psíquica. É como uma pessoa que sofre de anorexia e não sente estímulo para comer. Este é um dos efeitos do tédio: a paralisação.

Quem padece desse estado de espírito pode ceder mais facilmente a um tipo de tentação que pode ser até criminal: como atirar pedras de uma passarela ou atravessar a autoestrada correndo, às cegas, em plena noite.

O Ócio Criativo

O primeiro é um jogo homicida, o segundo, suicida. O senhor os situa no mesmo plano?

Atravessar a autoestrada às cegas não é um suicídio direto, é um risco, como a roleta-russa. Como também não o é o fim que Moravia reserva ao protagonista de *O Tédio*, que se espatifa involuntariamente contra um muro lateral da autoestrada, possivelmente acabando assim com qualquer possibilidade de se entediar. Claro que, do ponto de vista psicológico, arriscar a vida dos outros ou a própria não é a mesma coisa. Um psicanalista ou um jurista encontrariam enormes diferenças.

Só que eu sou um sociólogo e me parece que esses dois fenômenos têm uma causa em comum: a tentativa de ancorar a vida em alguma coisa. A mesmíssima causa, combinada a configurações psíquicas diferentes, pode produzir efeitos opostos: sádicos ou masoquistas.

Voltam à minha memória outros casos de jovens homicidas. Nos últimos anos houve um particularmente cruel. Sabe o que mais me impressionava na leitura das declarações durante os interrogatórios? A repetição, a circularidade do discurso do jovem assassino parricida e dos seus três amigos cúmplices: para passar o tempo, quando se encontravam na praça durante as tardes, conversaram durante meses sobre como matar o pai de um deles para poder comprar um carro. Até transformarem o jogo em realidade. Esses parricidas e os atiradores de pedra das passarelas são verdadeiros monstros?

Todas as épocas tiveram os seus monstros. Mas eles são uma categoria residual, sobre a qual não se pode fundar uma categoria sociológica importante. Não podemos elaborar uma teoria dos

O Grande Trompe-l'Oeil

copos descartados a partir da produção de um milhão de copos em que apenas três são inaproveitáveis.

Com isso, não estou dizendo que não devemos levar em consideração as anomalias para tentar preveni-las, curá-las e educá-las. Digo só que, até onde eu sei, nunca existiu uma época sem criminosos, abobados ou loucos.

Quer dizer que o tédio pode ser vivido ou como uma paralisação, ou de uma maneira dissipativa-criminosa. Existe ainda algum outro efeito possível?

Sim, convertendo-o: de tédio a ócio criativo. Preenchendo o tempo com ações escolhidas por vontade própria, em vez daquelas que se faz por coação, como o trabalho de escritório ou na linha de montagem. É a situação do poeta, do cientista, do estudioso, do amante de xadrez ou de quem adora o computador, o alpinismo ou o voluntariado. A criatividade se nutre de desperdício: de milhares de horas de reflexão ou exercício, que vistas de fora podem parecer pura perda de tempo. Mas na verdade são uma perambulação do corpo e da mente, que mais cedo ou mais tarde acaba desembocando numa ação positiva: numa obra de arte, num novo teorema, num romance.

Posso criar obras concretas esculpindo uma estátua ou fazendo um bolo. Ou posso trabalhar num plano virtual, seja no sentido tradicional do termo, seja no novo.

No sentido tradicional, uso os instrumentos que herdei de Gutemberg: enquanto estou sentado, o cérebro passeia e escrevo um conto que narra uma viagem ao Oriente, como fazia Salgari. Ou então uso os instrumentos que me foram dados pelos irmãos Lumière e realizo um filme.

No sentido novo, somo à virtualidade do cinema as mais

recentes, mais penetrantes, a da informática e da eletrônica. Um exemplo é a arte gráfica com o computador: posso realizar "transplantes" numa fotografia e, manipulando uma imagem, transformo num lindo sorriso o que antes era uma sorriso sarcástico.

De fato, a fotografia perde cada vez mais credibilidade, é cada vez menos um "documento".

Exatamente, é falsificável. Pode não ser "verdadeira", mas ser "verossímil". Podemos criar mundos virtuais completamente "verossimilhantes": não podemos tocá-los, cheirá-los ou saboreá-los, mas podemos vê-los e ouvi-los.

A virtualidade, por exemplo, me permite viver num mundo verossímil, no qual é possível descarregar certas pulsões, que não posso ou não quero descarregar de forma real. Gostaria de matar a minha sogra, mas não desejo realmente fazer isto, já que detesto sangue, teria que ocultar o cadáver, temo que me descubram e posso acabar na prisão. Mas posso usar este desejo como pretexto para escrever um romance, fazer um filme no qual a atriz desempenha o papel da minha sogra. Posso também realizá-lo de uma maneira mais à mão e verossímil: na tela do computador "mato" só a imagem da minha sogra, uma, duas, três vezes, até me sentir saciado.

Constrói um video game?

Sim. Enquanto o tédio como doença é uma decorrência senil da excessiva disponibilidade de tempo, o *video game* é uma decorrência infantil. Posso também me enfurecer com o cadáver virtual. E por quê? Para descarregar. Em *Nirvana*, o filme de Salvatores, há um personagem que mata o seu inimigo cinco vezes pela manhã

O Grande Trompe-l'Oeil

e outras cinco ao entardecer, e ele ressurge sempre. É o modelo de cinema e literatura *pulp*, de cineastas como Quentin Tarantino.

Os filmes pulp aumentam a violência ou são catárticos?

Sobre isso os psicólogos têm opiniões divergentes. Alguns afirmam que, se realmente desejo matar a minha sogra, tenho duas opções: ou a mato de verdade, ou realizo meu desejo através da ficção, por exemplo, fazendo um filme. Deste modo, descarrego as minhas pulsões homicidas enquanto estou filmando, e toda a parte do público que também deseja matar a própria sogra se descarrega assistindo ao filme.

Já outra corrente de psicólogos afirma que, quando sublimo a minha pulsão na forma de um filme, estou simplesmente fazendo com que se torne mais aguçada e sofisticada. Para alguém do público que também sofra de um desejo criminoso igual ao meu, a visão do filme serve como "empurrão" para ir em frente, atiçando ao homicídio real. E se ele acaba matando de verdade a sogra, isso significa que o meu filme realmente incitava ao crime.

Que eu saiba, não existem pesquisas definitivas sobre o assunto que possam permitir uma dedução segura quanto aos efeitos positivos ou negativos da virtualidade, se ela atenua ou difunde e aumenta a violência.

Vamos consultar o dicionário Devoto-Oli, *na sua edição de 1990, para ver a definição da palavra "virtual". Leio para o senhor: "Do latim medieval dos escolásticos* virtualis, *derivação de* virtus, *isto é, virtude. O que é em potência e não em ato, por exemplo: 'as suas qualidades são mais virtuais que reais'; por vezes em presença da iminência e inevitabilidade de uma situação da qual estão já em ato as premissas, por exemplo: 'os dois países estavam já em virtual* estado de guerra'; na física, oposto de real, efetivo, a propósito de grandezas introduzidas por convenção com objetivos de pesquisa ou representação, por exemplo:'deslocamento virtual' ou 'trabalho virtual'; ou ainda de fenômenos ou entes que se apresentam sob aspectos não correspondentes à realidade, por exemplo: na ótica se diz 'foco virtual', 'imagem virtual'. Por fim, pagamento virtual de um imposto fiscal, diretamente à sede administrativa, sem justaposição material do selo ou carimbo correspondente ao imposto, durante o ato no qual o imposto é pago..." Esta é ótima: para a burocracia, o dinheiro depositado diretamente em caixa é menos real do que o dinheiro representado pelos selos ou carimbos. Porém hoje, no ano 2001, qual é o significado que damos à palavra "virtual"?

Este dicionário foi escrito antes da era da Internet, quando tanto o número de pessoas ligadas à rede quanto a potência dos microprocessadores eram cem vezes inferiores aos de hoje. Na época, a virtualidade era feita em grande parte de truques. Nas filmagens, por exemplo, para fingir o barulho dos cascos dos cavalos, o encarregado da sonoplastia batia com cocos sobre a mesa. Hoje, os "efeitos especiais" são produzidos com o suporte de uma tecnologia e informática sofisticadas, que permitem a construção de realidades que não existem no plano tátil, mas só no visual e auditivo.

Isso em relação ao cinema. Mas entre os significados da palavra enumerados pelo dicionário, quais ainda são válidos no nosso "virtual" de hoje, feito de computador e Internet?

Um diz respeito à óptica. A "virtualidade" é uma coisa que se vê, mas que não existe: o carro que eu vejo numa foto não é um carro, mas é um carro, ao mesmo tempo. O que faz pensar no famoso quadro de Magritte, com um cachimbo e a frase embaixo: "Isso não é um cachimbo." De fato, não é um cachimbo de madeira, só é um cachimbo *pintado*. Toda a nossa vida está virando um quadro de Magritte, um grande *trompe-l'oeil*.

Logo, a virtualidade é baseada no fato de que eu posso obter sobre a tela uma coisa mais semelhante à realidade do que na fotografia, porque é dotada também de movimento. Porém, enquanto o cinema me restitui na tela, em nível virtual, algo que realmente aconteceu, mesmo que de forma fictícia – um duelo entre os atores, por exemplo –, a virtualidade informática não possui nem mesmo este remoto gancho com a realidade. Pego uma fotografia de Marilyn Monroe e a transformo numa Marilyn que se mexe e fala. Ou, mais ainda, posso criar ao meu bel-prazer a imagem de uma nova atriz, com o corpo de Sofia Loren e a cabeça de Greta Garbo.

O outro significado interessante é o de "modelo". O que é um modelo? Na Física consiste em uma reprodução bastante fiel, real ou matemática, que me permite fazer uma experiência sem recorrer ao original, sem gastar dinheiro ou correr algum risco. Na sua forma aumentada, pode ser o modelo de um átomo ou de uma molécula, por exemplo, e na sua forma diminuída, o modelo de um Concorde.

Graças ao modelo do avião, reproduzindo as condições de voo num túnel de vento, posso verificar a sua estabilidade com índices de probabilidade muito altos, sem colocar em perigo o avião ou a vida do piloto.

Mas a virtualidade nos permite igualmente, além de economizar dinheiro e evitar riscos, ter uma experiência ótica superior à que se tinha antes. Dispomos de um modelo diminuído da Basílica de São Pedro, exatamente como Bramante o desejou: é razoavelmente grande, posso até abrir a porta e, depois de ter olhado a parte externa, observar também o seu interior. Porém não é grande o bastante para que eu entre. Já a virtualidade me permite até me mover dentro da imagem, o que provocará em mim sensações muito parecidas com as que eu sentiria se estivesse na verdadeira Basílica de São Pedro. Neste sentido, a virtualidade é um modelo: forneço ao computador os dados fundamentais de uma casa e ele faz com que eu a visualize. Depois, chega a me mostrar a inserção da casa no bairro. E o efeito que provoca nos faz sentir como se estivéssemos realmente dentro dele.

Portanto, quando hoje falamos de "mundo virtual", a que é que estamos nos referindo?

A um mundo construído com a ajuda determinante das tecnologias informáticas e que, até o momento, nenhuma outra reprodução havia proporcionado com um grau tão elevado de verossimilhança.

Mas a Internet também é um "mundo virtual", só que nela os interlocutores não são falsos e sim verdadeiros.

Neste caso a Internet também é "virtual", à medida que, na ausência de transmissões visuais, os interlocutores têm a impressão de estarem reunidos numa única sala e não espalhados pelos quatro cantos do planeta.

Falamos de pulp *que aqui na Itália foi chamado também de "canibalismo", como um dos mundos e modos virtuais nos quais se pode passar o tempo vago. Mas há também um fenômeno oposto: o "bonismo". Na política, pode-se dizer que o papa ou Romano Prodi são "bonistas". Na literatura, Susanna Tamaro, com o romance* Vá Aonde Seu Coração Mandar, *foi "bonista". Há alguma conexão entre* pulpers *e "bonistas"?*

O Grande Trompe-l'Oeil

São duas reações opostas à pós-modernidade. Uma se caracteriza por sua visão dura, drástica e violenta. Mas é uma violência tão exagerada, que acaba desembocando na comédia ou, pelo menos, na ironia. Como já acontecia na comédia napolitana: na cena principal o marido dava uma facada no amante da mulher e o público aplaudia freneticamente. Quando se pedia bis, e depois tris, o morto se levantava e levava outra facada. O outro modo de se defender contra a neutralidade e a frieza da técnica é refugiando-se num sentido de "planetariedade" dos bons sentimentos, chegando a uma bondade lírica, ou seja, ao "bonismo". E isso se liga ao fato, já mencionado por nós, de que no nosso tipo de sociedade a guerra feroz do conflito de classes foi substituída por uma gelatina feita de microconflitos.

Porém, eu considero que tanto o "bonismo" como o canibalismo são dois comportamentos igualmente artificiais. Mas quando digo "artificial" não estou expressando só uma crítica: porque a ficção, muitas vezes, tem um efeito purificador.

O interessante é que enquanto esta tendência que se compraz com a violência precisa, para ter sucesso, do uso amplificado dos meios de comunicação de massa, a que se compraz com os bons sentimentos pode até ir num sentido oposto. O papa faz um uso excessivo da mídia, mas Romano Prodi derrotou Berlusconi nas eleições, sem as redes da Fininvest que este possuía. E o livro de Susanna Tamaro virou um *best-seller* sem qualquer publicidade.

Como sociólogo, o senhor tira alguma conclusão desse uso diferente da mídia feito pelos canibais e pelos "bonistas"?

São mundos coerentes com eles mesmos. Os "canibais", para serem atraentes e eficazes, devem exagerar, sair do tom, gritar, surpreender, assombrar ao máximo. Já os "bonistas" rejeitam os excessos da tecnologia avançada, do consumismo, da violência, gostam das tonalidades pacatas e macias. O "bonismo" não usa linguagens provocadoras, prefere caminhar em terra firme, cedendo aos léxicos familiares. E usa canais mais dissimulados, como o boca a boca dos comentários do momento, e adora o minimalismo.

Lê-se nos seus escritos acerca de um novo fantasma que ronda este mundo: o da "digitalidade" e dos "digitais". O senhor se refere ao mesmo fenômeno de que fala também Nicholas Negroponte?

Eu me refiro ao fato de um número crescente de pessoas ter adotado um modo de viver completamente novo e diverso daquele que nos últimos dois séculos caracterizou a sociedade industrial. Estas pessoas – que eu chamo de "digitais" – já chegam a compor uma massa bastante expressiva, homogênea e compacta, uma massa que é separada e oposta a todos os que não são "digitais".

Negroponte identifica na passagem do átomo ao *bit* o cerne desta questão. O outro profeta, Bill Gates, sustenta que esta passagem teve duas etapas: a invenção do computador pessoal e a autoestrada informática. Como ambos são especialistas em computadores, enfatizam o papel da eletrônica, como já ressaltamos.

Eu, ao contrário, acho que essa revolução não pode ser atribuída a uma única causa, por mais incisiva que seja, mas que se trata de um conjunto de causas. Cada uma dessas causas emergiu isoladamente, mas todas foram confluindo aos poucos, formando um sistema coerente que, por comodidade, podemos chamar de "digital". Na realidade, este sistema ultrapassa a "digitalidade" e diz respeito a campos completamente disparatados, da tecnologia à estética, da biologia ao trabalho, do tempo livre aos costumes.

A maioria dos que se deixaram conduzir pelo fascínio dessa revolução – em alguns casos a ponto de serem possuídos por

O Grande Trompe-l'Oeil

ela – têm uma atitude otimista em relação à vida e ao destino humano. Alimentam expectativas positivas quanto à sorte futura do planeta e estão convictos de que a tecnologia, aliada à inteligência e à criatividade, vencerá os instintos autodestrutivos da humanidade.

Em poucas palavras, soa como se detivessem a invejável fórmula de uma poção antidepressiva? Além da fé absoluta na informática, quais são os outros ingredientes desta poção mágica?

A satisfação pela ubiquidade conquistada graças aos veículos personalizados de comunicação, a esperança legitimada pela engenharia genética, graças à qual se pode contar com uma vida ainda mais longa e sadia do que a atual, e a alegria pela feminilização social. Mas disso nós já falamos.

Os "digitais" têm total intimidade com a informática e com a ubiquidade, com as conquistas da biologia e com a igual oportunidade dada a ambos os sexos. Além disso, adoram tanto o tempo livre quanto o do trabalho, vivem a noite tal como vivem o dia, admiram a arte contemporânea, o *design* e todas as outras formas atuais de expressão artística, da mesma forma como admiram a arte clássica. Tendem ao ecletismo, à colagem e ao *patchwork*.

Esses gostos e essas habilidades são suficientes para fazer deles um grupo social?

Os "digitais" aderem em bloco a todas essas novidades de época e acabam compondo um único paradigma, que é um verdadeiro divisor de águas, praticamente intransponível, entre eles (jovens, frequentemente desempregados e pertencentes à cultura pós-

-moderna) e os outros (menos jovens, geralmente com trabalho e renda garantidos e que ainda pertencem à cultura moderna).

Por "paradigma" eu entendo um conjunto de elementos, de características e modos de pensar e viver que distinguem um novo grupo social cada vez mais vasto e diversificado: sua maioria é formada por jovens, mas não exclusivamente, e a maior parte deles é desempregada, apesar de muitos trabalharem.

Se os chamo de "digitais", isso não significa que eles se distinguem somente por uma identificação quase maníaca com o computador, o correio eletrônico e a Internet. Significa que o computador é o emblema deles, como a televisão foi o emblema da geração que se identificou com os meios de comunicação de massa, e a linha de montagem da que se identificou com a fábrica.

Os "digitais" são muito sensíveis à ecologia e militam por um desenvolvimento sustentável. Aceitam com entusiasmo a multiplicidade de raças e a convivência pacífica de culturas e religiões diferentes, e não fazem muita distinção entre os dias oficialmente úteis e os feriados oficiais.

Eles não fazem demasiada distinção entre as atividades de estudo, trabalho e lazer. A convivência com o desemprego os acostumou a conciliar períodos de trabalho intensivo com outros dedicados mais ao estudo, a viagens, ao cuidado com a família ou ao grupo de amigos. Por isso também tendem a falar várias línguas, sobretudo o inglês, e a se comunicarem através de "novos esperantos": o *rock,* a arte pós-moderna, a desinibição nas relações sexuais e a ausência de ideologias fortes.

Têm preferência por determinadas revistas, determinados cantores e artistas, com os quais se identificam.

Da mesma forma como são otimistas os que aderem ao paradigma "digital", são pessimistas os que ficam de fora: amedrontados pela avalanche de novidades que não param de surgir, em

O Grande Trompe-l'Oeil

vez de aproveitar as vantagens que tais coisas proporcionam, só veem motivos para pânico.

Obviamente, isso é uma esquematização cômoda à explicação.

Passemos aos detalhes.

Diante do crescimento demográfico, os pessimistas "pré-digitais" temem a fome generalizada e a invasão do primeiro pelo terceiro mundo. Consideram o desenvolvimento tecnológico como um cataclismo incontrolável, culpado pelo desemprego e pelo consumismo. Veem em todas as novidades, do telefone celular à Internet e à clonagem, perigos iminentes, radiações mortíferas, agentes cancerígenos, pérfidas ocasiões que facilitam a pedofilia, a pornomania, a mania em geral e o terrorismo. Consideram a violência social e as guerras como inevitáveis e crescentes. Temem novas doenças, estresse, instabilidade política, dívida pública, inflação e corrupção, como males conaturais à sociedade atual e inexistentes num passado fantasioso, que eles adoram mitificar.

Os "digitais", muito pelo contrário, confiam no controle da natalidade, no aumento do tempo livre, nos novos medicamentos, na biotecnologia, na Internet, no desenvolvimento científico, na longevidade, na solidariedade humana, na difusão da cultura, na globalização e no *welfare state*.

Consideram esta vida como uma aventura única e excitante que a ciência e a tecnologia permitem que se aproveite e usufrua cada vez mais.

Mas do que é que vivem os "digitais"?

Muitos estão desempregados, mas são cultos e bem de vida, e vivem da renda familiar. Nem todos, porém, dispôem de um patrimônio familiar. Porém estes dois subgrupos tendem a se misturar e a dar pouca importância seja ao dinheiro como um fim em si mesmo, seja ao consumo como símbolo de *status*. Cuidam do próprio corpo, mas não se vestem com roupas caras, dando mais valor ao conhecimento do que à aparência.

Os "não digitais" tendem a considerá-los como "dilapidadores do patrimônio dos outros", mas eles não têm culpa de estarem desempregados. Tentaram achar um emprego, se adaptaram a mil biscates e só quando seus esforços se revelaram completamente vãos cederam ao tipo de vida "digital", isto é, baseada na redução ao mínimo dos consumos vistosos e supérfluos, convivendo no clã de amigos e nos circuitos existenciais e culturais alternativos.

Na verdade, os verdadeiros culpados do desemprego deles são seus pais, que se matam trabalhando dez horas por dia, monopolizando assim todo o trabalho disponível, convencidos de que se sacrificam, mas, no final das contas, negligenciando a família por causa da carreira.

O que é que os "digitais" fazem quando estão desempregados?

Não ficam nunca de braços cruzados: produzem cinema e música experimental, publicam jornais e revistas, ajudam as pessoas idosas ou os deficientes físicos, viajam, navegam na Internet, criam e vendem bijuteria, animam centros comunitários e por aí vai. São, enfim, fundadores de uma nova cultura material, social e de ideias. Apesar de marginalizados pelo turbocapitalismo, esses jovens batalham para mudar o mundo e, a partir de Seattle, começaram a fazer ouvir a própria voz, ainda que de maneira contraditória.

Há algum tempo, Maurice Béjart, o mais refinado dentre os coreógrafos vivos, integrante da Académie Française, admirado pelo público e pelos críticos do mundo inteiro, concluiu uma

O Grande Trompe-l'Oeil

entrevista com a seguinte frase lapidar: *"Malgré la merde, je crois."* É este o moto que poderia estar escrito na bandeira dos "digitais": apesar da merda, eles acreditam.

Os "digitais", a mais moderna das espécies, ressuscitam a fé no progresso que existia no século XIX?

Progressistas, modernistas e digitais, todos eles são fascinados pelo desenvolvimento do homem, mas isto não basta para fazer deles uma só categoria. Teses e antíteses sociais, inovadores e conservadores são categorias perenes e, apesar da mudança dos costumes que se manifesta no curso dos séculos, conservam sempre sua validade e alguns traços comuns.

Do mesmo modo que a infinita variedade das sinfonias é sempre uma resultante da combinação de apenas sete notas, a sociedade dá vida a sistemas sempre diversos, apesar de constituídos por sujeitos que se alimentam de sentimentos eternos como o amor, o ódio, a esperança ou o mal-estar. Explicar este mistério é a ambição da Sociologia. Uma ambição que fascinou também alguns filósofos dos quais gosto muito, como Giambattista Vico.

E o senhor, Professor, se identifica com os "digitais"?

Sim, até onde isto me seja permitido, já que pertenço, cronologicamente, à geração anterior.

Décimo Terceiro Capítulo

Palavras-Chave para o Futuro

De que serve viver, se você não se sente viver.

James Bond

Em 1967, Raoul Vaneigem publicou o seu tratado do saber viver para ser usado pelas novas gerações. Sobre quais princípios o senhor basearia o "saber viver", hoje em dia? Que conselhos daria a um rapaz ou a uma moça que está ingressando num mundo como o que o senhor descreve, pós-industrial?

As duas bases fundamentais que todas as pedagogias adotaram até o momento, no mundo industrial, foram a do *trabalho como dever* e uma *ética utilitarista*, como base para o comportamento. Sob esta ótica, Leão XIII, Taylor e Ford têm muito mais afinidades entre si do que se poderia supor à primeira vista.

Hoje, é claro que a necessidade de oferecer aos jovens uma formação ética permanece intacta, mas o princípio utilitarista de uma competitividade destrutiva deveria dar lugar a um princípio baseado na solidariedade de estímulos criativos.

O trabalho também deve ser, obviamente, ensinado não mais como uma obrigação opressora, mas sobretudo como um prazer criativo estimulante. E a tudo isso se deve somar a necessidade, cada vez mais imprescindível, de ensinar também o *não trabalho,* ou seja, as atividades ligadas ao tempo livre, aos cuidados e às atenções. John Maynard Keynes tinha entendido muito bem isto, quando, em 1930, escreveu aquele pequeno, mas admirável, artigo sobre as *Perspectivas para os Netos,* no qual diz: "A desocupação devida à descoberta de instrumentos que fazem com que se economize mão de obra progride a um ritmo mais rápido do que o ritmo com que conseguimos criar novos empregos para esta mesma mão de obra. Mas esta é somente uma fase de desequilíbrio transitório. Observado numa perspectiva mais ampla, isto significa, na verdade, que a humanidade está progredindo em direção à solução do seu problema econômico... Portanto, pela primeira vez depois da sua criação, o homem se verá diante do seu verdadeiro e constante problema: como utilizar a sua liberação dos problemas mais opressores ligados à economia, como empregar o tempo livre que a ciência lhe proporciona, para viver bem, prazerosamente e com sabedoria... Mas serão somente aqueles que saberão manter viva e conduzir até à perfeição a própria arte de viver, e que não se vendem em troca dos meios de subsistência, que poderão gozar desta abundância, quando ela chegar."

Esta arte de viver não se ensina, e não se aprende, de uma vez por todas. Portanto, o que deve ser ensinado aos jovens, por uma formação, é como *reprojetar,* continuamente, a própria existência.

Quando a vida humana era breve e estática, bastava que fosse projetada uma só vez, durante a adolescência e juventude. Até mesmo a indissolubilidade do matrimônio de alguma forma se explicava: morria-se cedo, o que fazia com que a convivência durasse poucos anos, terminando antes que um cônjuge se cansasse do outro. Agora que a nossa vida foi prolongada, temos à disposição todo o tempo para que a relação com o primeiro cônjuge se desgaste, para nos apaixonarmos por um outro, mais adequado às nossas novas aspirações, e, quem sabe, até para nos cansarmos do segundo e depois do terceiro.

A mesma coisa vale para o trabalho: quando se morria com mais ou menos cinquenta anos, antes mesmo da aposentadoria, ou imediatamente depois, projetar a vida profissional significava escolher uma empresa na qual ingressar com tenra idade, para depois deixá-la, já bem idoso, carregando consigo um relógio de ouro, "lembrancinha para os aposentados".

Tipo o "idoso da Fiat", que aparece, periodicamente, no necrológio da imprensa?

Exatamente. Atualmente, se um trabalhador se aposenta com sessenta anos, sabe que, em média, viverá por mais vinte. E que só durante os últimos dois ou três não gozará de uma boa saúde. Portanto, se ele começa a programar a sua terceira idade a partir dos cinquenta/cinquenta e cinco anos, disporá de um bom quarto de século para uma nova ocupação e uma nova vida: exatamente o número de anos que, há um século, correspondia à duração de uma vida normal, breve e feita de uma única experiência de trabalho. Sobretudo hoje em que são cada vez mais frequentes os casos de trabalhadores aposentados antecipadamente, em torno dos cinquenta anos.

Vamos tentar fazer uma operação de futurologia: imaginemos o mundo no qual, daqui a alguns anos, viverão as crianças e os jovens de hoje. Para usar um número redondo, digamos em 2015. E vamos usar algumas palavras-chave. Comecemos por "expectativa de vida".

Em 2015 teremos vencido a AIDS, muitos tipos de câncer não

serão mais mortais, a fecundação artificial estará na ordem do dia (e isto fará com que se reduza o número seja de partos arriscados, seja de recém-nascidos portadores de doenças hereditárias), existirá um modo de fazer com que o monóxido de carbono se torne inócuo, os transplantes de órgãos naturais e artificiais serão muito mais fáceis e difundidos e os cegos disporão de sensores muito mais sofisticados do que os atuais. Além disso, o analfabetismo informático terá provavelmente desaparecido nos países avançados.

Esse fator se refletirá também de forma positiva na longevidade: uma pessoa mais informada e mais instruída cuida melhor da própria higiene e da saúde. Se hoje vivemos 700.000 horas, é provável que em 2015 venha a ser considerada legítima uma expectativa de vida em torno de 850 ou 900 mil horas.

Mas estas horas a mais não serão um prolongamento da velhice. Por velhice se deve entender somente a fase terminal da vida humana: os dois ou três últimos anos que precedem a morte e que infelizmente, com frequência, são caracterizados por uma inabilidade física e psíquica. Basta observar a progressão das despesas médicas e farmacêuticas: no último ano de vida nós gastamos uma quantia equivalente à que tínhamos gasto durante toda a vida até aquele momento. E o último mês custa tanto quanto o último ano inteirinho. Portanto, a velhice é calculada não a partir do ano de nascimento, mas tendo como referência o ano da morte.

O aumento do número de horas que nós viveremos prolongará o tempo da maturidade, aquela terceira idade durante a qual, graças ao progresso, se têm ainda uma boa saúde e uma força razoável, tanto sob o aspecto físico quanto psíquico. E, além disso, é um período da vida em que se têm uma maior cultura, sabedoria e preciosas experiências acumuladas.

Esta terceira idade a que não estávamos habituados, quando morríamos em torno dos 60 anos, é hoje a fase existencial a que se dá menos atenção e que é desperdiçada. Os idosos, convencidos de que o trabalho é tudo na vida (dinheiro, segurança, dignidade, poder e socialização), são prematuramente privados deste pilar da sua existência e amontoados numa longa antecâmara da morte. Raramente conseguem se reciclar profissionalmente e mais raramente ainda encontrar um novo trabalho que os gratifique. Se são homens, continuam a se comportar como estranhos dentro da própria família, a mesma família da qual se descuidaram durante toda a vida.

Mas, ao contrário dos jovens desempregados, os aposentados não entram na categoria oficial dos desempregados. Portanto, expulsar trabalhadores idosos e substituí-los por trabalhadores jovens constitui um truque bastante cômodo para os governos demonstrarem, estatisticamente, que o desemprego está em queda.

"Tecnologia".

É provável que em 2015 a duração dos bens de consumo seja quatro vezes maior que a atual. A potência dos chips, as células do computador, como eu já disse, duplicam a cada dezoito meses. Dada a atual situação das pesquisas, daqui a quinze anos um *chip* terá as dimensões de um neurônio humano, custará poucos reais e terá uma potência maior que a de todos os atuais computadores do Vale do Silício juntos. No mesmo volume de um cérebro humano será possível conter a mesma massa de memória e a mesma capacidade de elaboração, tudo isso obtido artificialmente.

Portanto, todos os trabalhos manuais e intelectuais de tipo executivo poderão ser executados por máquinas: fazer com que pessoas realizem trabalhos manuais será algo cada vez mais antieconômico ou cada vez mais sofisticado.

O Ócio Criativo

Quer dizer que a próxima palavra-chave, "trabalho", será sinônimo de apocalipse?

Ou de paraíso. Será um apocalipse caso se continue, teimosamente, a distribuir o trabalho e a riqueza como se estivéssemos ainda na sociedade industrial.

Dou um exemplo muito simples: se nós comêssemos só bananas e para produzi-las fosse preciso muito trabalho, poderíamos decidir dar bananas só a quem trabalha. É isto que diz São Paulo e que repete um verso de *Bandiera Rossa*, o hino comunista que ninguém mais canta mas que foi a trilha sonora da nossa juventude.

Porém, se um dia descobríssemos um modo de produzir bananas mecanicamente, sem a necessidade de qualquer esforço humano, todos nós poderíamos comer quantas bananas quiséssemos. Mas, se insistíssemos em dizer que só comerá banana quem trabalha, deveríamos inventar trabalhos falsos ou artificiais, para poder assim retribuir com bananas quem os efetuasse. É exatamente o que estão fazendo, com uma frequência crescente, os governos de esquerda para fazer face ao problema urgente do desemprego: graças ao progresso tecnológico, a produção de riqueza não só existe, mas continua a aumentar a cada ano que passa. Mas para fazer com que uma parte desta riqueza atinja também os desempregados, permanecendo ao mesmo tempo fiel ao moto "quem não trabalha não come", é preciso inventar subterfúgios e ficções de vários tipos, como, por exemplo, os assim chamados trabalhos "socialmente úteis".

Com muita frequência no Brasil, mas às vezes também na Itália, sobretudo nos hotéis ou nas diretorias empresariais, vejo rapazes que, para ganhar o pão de cada dia, passam o dia inteiro dentro de um elevador, apertando os botões correspondentes aos andares onde os clientes desejam sair. Eu me pergunto: como é possível depreciar a este ponto a vida e a inteligência de um rapaz, mantendo-o fechado, mofando, oito horas por dia num elevador, para fazer um trabalho completamente idiota e inútil? Não seria melhor para ele e para a sociedade que lhe dessem a mesma importância de dinheiro, pedindo-lhe, em troca, que continuasse a estudar?

Quer dizer que o senhor não acredita que em 2015 terá sido aplicada a sua receita de redução drástica dos horários de expediente?

Eu não defendo uma redução drástica e indiferenciada de *todos* os tipos de emprego. Se existem à disposição somente poucos cirurgiões cardíacos capazes de salvar vidas humanas, quanto mais eles operam melhor é. Se dispomos de poucos diretores cinematográficos capazes de produzir bons filmes, quanto mais eles filmam melhor é.

Porém para a maioria dos empregos seria necessária uma redução do expediente em proporção direta ao aumento da produtividade. Serei repetitivo com um exemplo: se nos últimos dez anos as grandes empresas italianas produziram 18% a mais, com 22% a menos de trabalho humano, as soluções poderiam ser duas: ou se demitem 22% dos trabalhadores, inflacionando o desemprego com todos os problemas socioeconômicos dele decorrentes, ou se reduz em 22% a carga anual de horas de trabalho, incrementando desta forma o tempo livre e o consumo. Bem sei que é uma simplificação, mas vale a ideia.

Não há nada que possa ser feito: o aumento de potência da tecnologia é muito mais rápido do que a capacidade de invenção de novos empregos. É preciso portanto refundar os modelos de vida e de produção. Quinze anos equivalem a menos de quatro legislaturas, que me parecem poucas para conseguir liquidar os velhos modelos, tão caros aos nossos políticos e aos conselheiros econômicos que os inspiram. Eles continuam a se iludir pensando que a tartaruga da criação de empregos possa alcançar e superar o Aquiles do progresso tecnológico.

Para os jovens do sul da Itália, por exemplo, assim como para os rapazes brasileiros que citei antes, inventam-se ocupações ou empreguinhos que, em vez de ser úteis, só servem para fazê-los mudar de lugar na coluna estatística: de "desempregados" para "empregados". E para lhes proporcionar uma certa renda. Esta é uma solução tipicamente "industrial", que aposta tudo nos novos investimentos produtivos. Mas, numa ótica pós-industrial, o maior investimento consiste na formação, no conhecimento, no saber. Portanto, em vez de dar um milhão de liras por mês a um jovem em troca de uma atividade inútil e banal, poderia ser dada a eles a mesma soma, mas para permitir-lhes, como já disse, prosseguir nos estudos.

Se os meus cálculos estão certos, é provável que em 2015 cada trabalhador disporá, em média, de trinta mil horas de trabalho, contra as atuais oitenta mil horas, que ele atualmente desempenha entre os vinte e os sessenta anos de idade.

Eu realmente espero que até lá se tenha, finalmente, compreendido que é melhor que todos trabalhem quinze horas por semana, como Keynes já tinha sugerido, em vez de quarenta horas para uns e zero para outros. Como já lembramos, a Volkswagen introduziu um horário flexível de expediente, de 28 horas, mas depois entregou os pontos: talvez fosse uma mentalidade avançada demais para a mentalidade corrente.

Além disso, graças ao teletrabalho, muitos poderão começar a ser pagos segundo o resultado e não segundo o tempo.

Palavras-Chave para o Futuro

Quer dizer que retornaremos às velhas empreitadas?

Na empreitada o empregador estabelecia o que o operário devia fazer, como devia fazer e até o tempo que tinha para fazer a tarefa. Se o trabalhador fosse mais rápido do que o previsto, ganhava um prêmio.

O trabalho "por objetivo" é uma coisa bem diferente: o trabalhador promete entregar um certo produto, de uma certa qualidade, dentro de um determinado prazo. Todo o resto, quando e como produzi-lo, é o trabalhador quem decide.

Outra palavra-chave: "criatividade".

Será sempre e cada vez mais útil. E como as empresas, à medida que crescem, tendem a se burocratizar, a luta entre criativos e burocráticos se tornará mais acirrada. O mesmo acontecerá no plano psicológico entre a parte criativa e a parte burocrática que coexistem dentro de cada um de nós.

Vão ser estas as formas futuras de "conflito"?

Exato. Os burocratas têm medo da inovação, os criativos têm medo do imobilismo. As duas posições serão cada vez mais inconciliáveis. Mas vencerão os criativos, porque a sociedade pós-industrial se alimenta de invenções, não tem outra saída, premia a iniciativa e joga para fora do mercado o imobilismo.

Mas há também uma outra fonte potencial de conflitos. Na sociedade industrial existia uma divisão clara entre o profissionalismo dos chefes e o dos seus subalternos. O engenheiro Taylor e o engenheiro Ford tinham como dependentes diretos esquadrões de operários analfabetos. Hoje, pelo contrário, graças à escolarização, o subalterno de um engenheiro é outro engenheiro, às vezes mais atualizado e ágil. É claro que isso mina na base a antiga concepção de chefia, cria um forte microconflito e leva a uma organização por projetos, com rotação da liderança.

"Corpo".

A tecnologia e a virtualidade farão com que nos tornemos cada vez mais sedentários, aumentando o risco de nos tornarmos obesos, devido à falta de movimento. Assim, será preciso compensar o excesso de sedentarismo durante o trabalho, fazendo mais movimento no tempo livre.

Por outro lado, graças à cirurgia plástica, o corpo e o rosto serão cada vez mais modeláveis, segundo o nosso bel-prazer. E a farmacologia nos permitirá exacerbar, atenuar ou combinar os sentimentos: hoje, uma vez vencida a dor física, as indústrias farmacêuticas se concentram sobretudo na pesquisa para aliviar a dor psíquica, diminuindo a angústia, o mal-estar e os tormentos mentais produzidos pelo ciúme, pela inveja ou pela hipocondria.

E isto lhe parece uma coisa positiva?

Por instinto biológico o homem sempre tentou evitar a dor. Entretanto, as "pílulas dos sentimentos" serão sempre uma opção voluntária por parte de quem sofre, não uma obrigação.

"Tempo livre".

Os jovens que terão entre vinte e quarenta anos em 2015 disporão de aproximadamente 300 mil horas de tempo livre.

Palavras-Chave para o Futuro

Por conseguinte terão o problema de saber como gastá-lo, exatamente como os nobres cavalheiros do século XIX?

Quanto à disponibilidade de tempo, todos serão "cavalheiros do século XIX". Mas a questão é: serão cavalheiros *à la* Tocqueville, *à la* Oscar Wilde, *à la* Drácula, *à la* Gattopardo ou de que outro tipo? O tédio os levará a refugiar-se nas drogas ou a se realizarem através da violência? Ou serão movidos pela liberdade e inventarão novos mundos vitais? O ócio será o pai de todos os vícios ou de uma virtude? Serão capazes de transformá-lo em ócio criativo? Matarão o tempo ou o valorizarão?

A humanidade precisou de milênios antes de entender que o trabalho não era coisa para autodidatas, mas que devia ser ensinado e aprendido, durante anos de paciente dedicação. De quanto tempo ainda precisa para compreender que o tempo livre também precisa de uma longa formação *ad hoc*?

De vez em quando a mídia se sacode de indignação porque um bando juvenil violentou uma moça ou assaltou um banco. Mas quem é que se preocupou até agora em formar estes jovens para um bom uso do ócio? Descontados os oratórios paroquiais, as seções dos partidos e a organização dos escoteiros – todas organizações com abundante cheiro de mofo e fora de moda –, quem é que enfrenta, organicamente, esta questão? E no entanto, se observarmos alguns aspectos, fica claro que a sociedade de hoje já é mais do tempo livre do que do trabalho: o tráfego das noites de sexta ou de sábado, quando todo mundo sai para se divertir, é muito maior do que o de segunda ou terça-feira de manhã, quando sai quem vai trabalhar.

Daqui a pouco falaremos mais sobre o tempo livre. Vamos passar a uma outra palavra-chave referente à vida em 2015. "Estética".

Esta talvez venha a ser a palavra-chave por excelência. Todas as tecnologias estão se tornando mais potentes, mais rápidas e mais precisas do que é necessário para o usuário médio. Portanto, os objetos – tecnologicamente impecáveis – serão cobiçados não mais com base na sua perfeição técnica, mas sim no nível de beleza estética, assim como os serviços serão escolhidos de acordo com o refinamento e a cortesia que oferecerem. De uma certa maneira, a forma se transformará em substância, nas palavras de Pareto, a utilidade marginal da qualidade estética superará a utilidade marginal da qualidade técnica.

Consequentemente, quem se dedicar a profissões ligadas à estética (design, arte, cenografia, moda, arquitetura de exteriores e de interiores, computação gráfica, etc.) talvez venha a ser mais apreciado e gratificado do que quem se dedicar a atividades ligadas à política, à administração ou à ciência.

"Subjetividade".

A sociedade industrial fundou o seu sistema em grandes organizações coletivas: na fábrica, nos partidos, nos sindicatos e nas instituições. Já a pós-industrial reivindica, decisivamente, o papel fundamental do sujeito e leva ao fim dos modismos, a uma desmassificação.

Consequentemente, a motivação individual e o consenso das massas se tornará bem mais útil do que o controle tanto de uns como dos outros.

"Ética".

Numa sociedade de serviços, a ética tem cada vez mais um fundamento prático. Os serviços são consumidos "quentes". Se eu compro um carro, e depois descubro que é defeituoso, posso substituir as peças ou até fazer com que troquem o carro. Mas se chego no aeroporto e descubro que os controladores de voo estão em greve e que não posso viajar, falto a um compromisso de negócios ou a um encontro amoroso, perco uma ocasião que talvez seja insubstituível. Portanto, uma sociedade baseada nos serviços precisa de mais garantia e confiabilidade do que uma sociedade baseada nos produtos materiais. Tem maior necessidade de ética: profissional e civil. Os jovens que no ano 2015 estarão em busca de sucesso e prestígio social não poderão se dar ao luxo de ser desonestos.

Quais seriam os outros "valores" também emergentes?

Aqueles que já citamos várias vezes: intelectualização, emotividade, estética, subjetividade, confiança, hospitalidade, feminilização, qualidade de vida, desestruturação do tempo e do espaço e virtualidade. Uma menor atenção ao dinheiro, à posse de bens materiais e ao poder. Uma maior atenção ao saber, ao convívio social, ao jogo, ao amor, à amizade e à introspecção.

Porém, com a mudança dos valores, devem mudar também os métodos pedagógicos adequados à sua transmissão. Se para educar um jovem a lutar por dinheiro e poder adotava-se uma pedagogia que premiava o egoísmo, a hierarquia e a agressividade, para educar os jovens para os valores emergentes, os métodos a serem usados deverão valorizar mais o diálogo, a escuta, a solidariedade e a criatividade.

Ser sociável é certamente muito melhor do que ser marginal ou criminoso. Mas uma sociedade que faça com que nos tornemos melhores é uma fantasia sua, uma aspiração ética? Ou na socie-

dade pós-industrial nós nos tornaremos, aos poucos, mais sociáveis, mais subjetivos e introspectivos, porque, no final das contas, nos será mais conveniente, mais útil?

A agressividade era funcional tanto no mundo agrícola, para nos defendermos de quem competia conosco e sobretudo dos animais ferozes, como no mundo industrial, para superar os concorrentes. A ideia comum do bom selvagem ou dos bons tempos antigos é pura lenda. Basta ler *Os Noivos,* de Manzoni, para descobrir quantas injustiças faziam da sociedade rural uma barbárie. E basta consultar as pesquisas de sociologia urbana, realizadas na Chicago dos anos 30, para constatar o quanto era cruel a violência e quantas noites de São Valentino ocorreram na sociedade industrial.

E ainda que não chegasse ao crime propriamente dito (Mas como é que morreu o executivo Enrico Mattei? E o banqueiro Calvi, que morte teve?), sempre exaltou, ao máximo, a concorrência: em nível macro com o mercado e em nível micro com o carreirismo. A forma piramidal das organizações sempre constituiu um incitamento a comportamentos ditados pela competição implacável, já que nos níveis superiores a oferta de cargos é sempre menor que nos inferiores: os que desejam subir devem acotovelar, passar rasteiras, armar ciladas para eliminar o adversário custe o que custar.

A sociedade pós-industrial, pelo contrário, é menos ligada à agressividade, porque sua estrutura tem a forma de uma rede, com um número potencialmente infinito de nós e malhas. A sua organização pode se expandir como um rizoma e as relações dela decorrentes são bem mais paritárias do que hierárquicas.

Porém, a passagem de um sistema de vida ao outro não pode se dar espontaneamente: requer treinamento e formação.

Palavras-Chave para o Futuro

Falemos então destas duas outras palavras-chave: "treinamento" e "formação".

As máquinas continuarão a evoluir e nós deveremos nos atualizar ininterruptamente, seja para usá-las no trabalho, seja no estudo ou no lazer. Quando foi produzido o *software* Windows 98, precisamos aprender a usá-lo. Apenas dois anos antes tínhamos aprendido a usar o Windows 95, logo depois tivemos que aprender a usar o Windows 2000 e outros programas cada vez mais avançados.

Quando a primeira máquina de escrever foi colocada no mercado, tinha diante de si meio século de vida antes de se tornar obsoleta. Hoje, um *hardware* ou um *software* são ultrapassados em poucos meses, obrigando todo mundo a se reciclar.

É isso que o senhor chama de "treinamento"?

Em parte. Durante nosso crescimento, acumulamos três tipos de bagagem cultural: as técnicas, que constituem nosso ganha--pão, as normas, para nos regularmos em relação aos outros membros da sociedade, e os comportamentos, com os quais interagimos com o próximo.

O aprendizado de técnicas e de normas requer um "treinamento", que se realiza com a transmissão de noções por parte de quem as conhece para quem ainda não as conhece.

Já o aprendizado de comportamentos é bem mais complexo e requer uma "formação".

Naturalmente, não existe um divisor de águas claro e rígido entre estes dois tipos de aprendizado e entre as suas respectivas pedagogias. Com a mudança de tecnologia, por exemplo, muda, entre outras coisas, o modo de nos relacionarmos com o mundo, simplesmente porque se alteram as categorias de tempo e de espaço. Portanto, é necessária uma formação filosófica, ética, estética, linguística, psicológica e sociológica, além da que se dá na área técnica e econômica. A globalização, por sua vez, exige que se estude mais: se hoje é publicado na Índia um livro importante para a minha profissão, eu tomo logo conhecimento do fato e devo, portanto, estudá-lo imediatamente. Em suma, está se tornando cada vez mais difícil distinguir treinamento e formação de jogo e trabalho. Por exemplo, na nossa organização S3-Studium, sempre que sentimos vontade, interrompemos as atividades normais para assistir a um bom filme ou descemos para dar uma volta pelas praças famosas de Roma que, por sorte, ficam perto do nosso escritório, como Campo dei Fiore ou praça Navona. Ou simplesmente passeamos à beira do Tibre. Desse modo fazemos com que trabalho, aprendizado e distração coincidam.

Em que outros princípios a pedagogia pós-industrial deveria se inspirar?

Nos países de primeiro mundo sabe-se bem até demais como produzir riqueza. Dedicamos os últimos dois séculos da nossa história a esta ciência. Agora devemos projetar um modo novo para distribuí-la, para substituir a competitividade e a exclusão pela solidariedade e hospitalidade. Vamos refletir sobre a carga de egoísmo contida no uso, por exemplo, do termo "extracomunitário", que cunhamos e usamos o tempo todo na Europa, sem sentir nenhum pingo de vergonha. Ele se origina do fato de a pessoa a quem nos referimos ser procedente de um país que não faz parte da Comunidade Europeia. Mas ao chamarmos qualquer estrangeiro de "extraeuropeu" ou de "extracomunitário" passamos uma mensagem, no mínimo, antipática.

Palavras-Chave para o Futuro

Em vez de compartilhar a riqueza, até agora temos preferido acumulá-la. Nas escolas de administração americanas e europeias até hoje ainda se ensina como conquistar sempre mais bens e poder, como escalar a pirâmide empresarial, como acumular e investir. No mundo inteiro, as revistas luxuosas dirigidas ao público de executivos (como *Capital, Vip, Fortune, Class,* etc.) e às suas esposas (*AD, Vogue, Marie Claire,* etc.) são um incitamento contínuo a que se esbanje vistosamente, a uma ostentação luxuosa e a uma acumulação inútil. Em vez disso, seria muito melhor se ensinassem como dar sentido às muitas coisas que já possuímos: é inútil e pouco inteligente gastar energias para tentar angariar novos bens, se ainda não usufruímos realmente os que já dispomos. É inútil comprar novos livros e novos discos se ainda não lemos ou escutamos os que já temos. Existem milionários que não conseguem nem mesmo dividir seu tempo livre entre as várias mansões que possuem, espalhadas por todos os continentes.

Em outros tempos os ricos repousavam e os pobres se esfalfavam. Hoje isso se inverteu: os ricos correm como doidos para cuidar dos seus negócios e os pobres são condenados à inércia do desemprego.

Porém, o que é ainda mais grave, um número enorme de trabalhadores é obrigado a desempenhar tarefas que estão nitidamente aquém das suas capacidades. Este é um fato não só aviltante como alienante.

A pedagogia pós-industrial deve levar em conta ainda mais alguma palavra-chave?

É preciso educar para a "complexidade" e para a "descontinuidade", duas categorias que não devem nos meter medo, porque estão em plena consonância com a nossa natureza humana.

O Ócio Criativo

Quanto mais e melhor uma pessoa é capaz de administrar a complexidade e a descontinuidade, mais madura ela é. Quando a sociedade industrial enfrentava um problema complexo, tentava simplificá-lo, buscando transformá-lo em vários pequenos problemas simples. Já a sociedade pós-industrial é capaz de enfrentar problemas bastante complexos porque dispõe de instrumentos igualmente complexos e potentes. E quando problemas complexos são enfrentados com instrumentos complexos encontram-se, sem maior problema, soluções complexas, mas nem por isso difíceis, e sim adequadas a todo o portentoso saber acumulado ao longo dos séculos. E desse modo toda a cadeia de necessidades, problemas, técnicas e soluções se torna mais coerente e mais rica e, portanto, mais humana. Porque o ser humano é complexo e aspira a poder administrar esta complexidade. Só os instintos animais são simples.

O senhor poderia me dar dois exemplos concretos das duas maneiras de raciocinar: a simples e a complexa?

Simplificar significa separar artificialmente, em qualquer sistema, as estruturas das funções, sem levar em conta a recíproca interferência entre elas. Significa limitar-se a observar só a continuidade dos fluxos e a sequência das várias fases. Já acolher e apreciar a complexidade significa, ao contrário, aceitar o seu caráter mesclado, incongruente e descontínuo, valorizando todos esses elementos e considerando-os de um nível superior aos que eram utilizados durante o paradigma industrial.

Dou um exemplo banal: muitas vezes vemos turistas usando a videocâmera como se fosse uma máquina fotográfica: pedem às pessoas que querem filmar para fazer pose, recomendam que fiquem paradas e depois filmam. Não utilizam a dimensão mais avançada e evoluída da câmera filmadora, ou seja, a capacidade de documentar também o movimento. Quem usa o computador como se fosse uma máquina de escrever faz a mesma coisa. Usar um instrumento mais avançado, como se ainda pertencesse à fase anterior, significa rebaixar a complexidade, reportando-a a uma fase mais atrasada, mais simples, mas menos útil.

O relógio mecânico não é a continuação da ampulheta, nem o relógio de quartzo é o prosseguimento do mecânico. O avião a jato não é o desdobramento do avião a hélice, assim como o fax não o é do telefone e o celular dos primeiros telefones portáteis.

A continuidade cedeu lugar à descontinuidade e a pedagogia pós--industrial deve nos ajudar a adequar, rapidamente, os mecanismos da nossa mente aos contínuos saltos lógicos que o progresso exige.

Exatamente com esse objetivo o meu grupo criou a revista *Next*, e não é por acaso que seu subtítulo é *Strummenti per l'innovazione*, ou seja, "instrumentos para a inovação"; a revista almeja ser um suporte à educação permanente, à complexidade e à mudança.

O que significa usar um fax como se fosse um telefone?

Significa, por exemplo, desligá-lo quando saímos. Mas o fax tem um arquivo e uma memória: pode armazenar as mensagens que recebe e enviar uma mensagem a uma hora programada, em plena noite, por exemplo, quando as tarifas são reduzidas.

O uso antropomórfico das máquinas pertence a um estágio primitivo, em que ainda não adquirimos o adestramento necessário para usá-las corretamente. Até poucos anos atrás, as pessoas ficavam algo perplexas quando escutavam a mensagem de uma secretária eletrônica e acabavam botando o telefone no gancho, sem deixar recado. Uma vez na Fiat, tive a ocasião de observar uma equipe de trabalhadores que, quando interrompiam o trabalho para almoçar, desligavam os robôs, sem que existisse qualquer motivo técnico para isso, como se fosse indecoroso fazer uma pausa enquanto os robôs ainda estavam no batente. Esta abordagem linear, esta exigência de continuidade completamente anacrônica desperta medo e insegurança diante do novo. E como hoje a inovação está na ordem do dia, quem não foi educado para a descontinuidade vive permanentemente em pânico.

Este pânico coincide com a rejeição à tecnologia, de que falávamos no início?

Muitas vezes sim, mas nem sempre. Um engenheiro pode aceitar com desenvoltura todas as novidades tecnológicas, mas de repente entra em pânico quando o filho *punk* chega em casa com os cabelos rosa-*shocking*. Já um sociólogo pode aceitar tranquilamente o filho punk, mas rejeitar o computador, e um homossexual que aceita sem problemas a androginia talvez não veja com os mesmos bons olhos a chegada de estrangeiros ao seu país.

Uma vez Alberto Moravia me perguntou: "Mas como é que você consegue usar o caixa eletrônico? É difícil demais..." Um gênio como ele, capaz de decifrar os meandros mais complicados da nossa época, que percebeu antecipadamente a passagem da cultura moderna à pós-moderna, se assustava diante de um caixa bancário automatizado.

O temor de muitas pessoas, digamos quase "apocalíptico", em relação ao futuro nasce aqui, desta incapacidade de aceitar a descontinuidade?

Em boa parte, sim. Por que é que tanta gente hoje em dia vive com medo? Levam uma vida mil vezes melhor do que a dos seus avós e apesar disso continuam a repetir: "Com os tempos que correm..." Mas qual é o tempo que corre? Quanto mais as pessoas são ricas, mais são cínicas e amedrontadas. Têm medo de perder os privilégios que, justamente, não merecem. Foi este o medo que serviu de base ao fascismo. Quem tem medo deseja um pai disposto a assumir a responsabilidade de todas as suas questões mais complicadas. Depois, acaba aceitando até as palmadas do papai.

"Com os tempos que correm...", as pessoas ricas e hiperasseguradas, que talvez tenham prosperado com a sonegação do imposto de renda, pagando subornos, poluindo o território e fazendo especulação imobiliária nas zonas urbanas, têm medo de tudo e de todos e por toda parte veem só ameaças: o declínio demográfico, a chegada dos imigrantes, o buraco de ozônio, a radiação dos celulares, a perda dos valores, a pedofilia, os assaltos. Segundo elas, tudo e todos estão à espreita e prontos para atacar, neste nosso mundo que, por definição, é o pior dos mundos possíveis.

Vivemos o dobro do tempo que viviam nossos avós, em muitos países a fome e a dor foram praticamente debeladas, nós nos liberamos razoavelmente da escravidão, do autoritarismo e da tradição. E apesar de tudo isso, muitos, sobretudo os privilegiados, não se dão conta.

O meu avô era um melômano, ou seja, um verdadeiro amante da música, mas para ouvi-la ao vivo tinha que esperar pela festa do santo patrono e se contentar com a banda. A alternativa era viajar de carruagem, durante horas, até chegar a Nápoles, para finalmente se deleitar com uma ópera lírica no Teatro San Carlo. Isto ele só fazia uma vez a cada quatro ou cinco anos. Eu, passadas somente duas gerações, refestelado na poltrona, posso apreciar as melhores orquestras do mundo e os melhores regentes de todos os tempos, graças simplesmente a um CD comprado no jornaleiro da esquina.

Os apocalípticos veem a humanidade caminhar em direção a um precipício e pensam que ela seja incapaz de corrigir a rota em tempo hábil. Hoje, ao menos duas vezes por ano, surgem condições muito parecidas com as que em 1929 determinaram o famoso crack da Bolsa. Porém, neste meio tempo, nós aprendemos a evitar aqueles eventuais efeitos desastrosos, além de termos desenvolvido métodos que amortizam a crise. Do mesmo modo, a partir de 1945, muitos países passaram a dispor de mortíferas armas atômicas, mas desde Hiroshima ninguém mais as usou. Em resumo, não só os problemas, mas também os instrumentos para enfrentá-los se tornaram mais complexos, como eu já disse antes: por causa de sua maior complexidade ambos são mais potentes. E os instrumentos são potentes exatamente porque, por sua vez, colocam em ação descontinuidades contínuas, contínuas revoluções.

A descontinuidade, a aceleração da velocidade com que surgem as novidades é mais típica do nosso mundo do que dos mundos precedentes? Querendo ou não, é melhor se adaptar?

Sim, durante milênios o ser humano assistiu a transformações lentíssimas, das quais nem se dava conta, porque os tempos da evolução correspondiam a vários múltiplos do tempo da sua vida. Como já lembrei antes, a teoria de Copérnico levou trezentos e cinquenta anos até se difundir por toda a Europa. Isto significa que ninguém podia testemunhar, no correr da própria vida, a descoberta e o triunfo desta teoria.

Quando eu nasci, a minha cidadezinha, Rotello, que fica na província de Campobasso, no sul da Itália, não dispunha ainda de sistema de esgotos e água corrente. Até 1946, existia só um telefone e uma geladeira em toda a cidade. Depois, assisti ao momento em que toda casa passou a ter um telefone, depois o advento do rádio, depois a difusão do automóvel, depois ainda a lambreta, a motocicleta, o advento do plástico, da televisão, dos voos espaciais, dos transplantes de órgãos, das fotocopiadoras, do fax, do computador, do microcomputador, das biotecnologias e da Internet. Além de ter assistido à difusão de inúmeros novos remédios. Meu pai morreu em 1947 de diabetes porque não conseguíamos obter suficiente insulina, não só porque fosse muito cara, mas também muito rara. Atualmente a insulina é distribuída, gratuitamente, por todas as unidades sanitárias locais do INPS italiano. Entre os dez ou quinze medicamentos que mudaram a face do mundo, muitos foram inventados durante a minha existência. A todos eles somem-se ainda a ressonância nuclear magnética, a tomografia computadorizada, as mais variadas e eficazes formas de anestesia, etc.

Quando fiz minha primeira pesquisa sociológica, em 1961, elaborávamos os dados com a Divisumma, um modelo imenso de calculadora à manivela, produzida pela Olivetti, que fazia as operações com uma lentidão sem fim, uma de cada vez. Hoje existem calculadoras de enorme potência, do tamanho de um cartão de visitas. Para não falar do computador, que elabora os dados literalmente no tempo de um piscar de olhos.

Assisti primeiro à ampliação e depois à miniaturização dos equipamentos: até um certo período da minha vida um objeto era mais apreciado na proporção direta de seu volume. Um rádio a válvulas, por exemplo, devia ser enorme e para isso o colocavam dentro de um móvel, de forma a aumentar o volume. Depois, a tendência se inverteu: um objeto (por exemplo, um celular) pode ser considerado melhor se for portátil e de tamanho reduzido.

O Ócio Criativo

Poder carregar consigo um objeto por toda parte, estar de posse do computador, do telefone, da máquina fotográfica e de um arquivo revoluciona as categorias mentais do tempo e do espaço. Quando eu preparava a minha tese de formatura, passei dias e dias na biblioteca, para copiar à mão alguns textos. Depois apareceu a fotocopiadora que mudou radicalmente a vida dos intelectuais, multiplicando seu rendimento. A mesma coisa aconteceu com a chegada do microcomputador. Hoje posso preparar e escrever três artigos no tempo que antes eu levava para escrever um só.

O que mais ainda é necessário ensinar aos jovens da sociedade pós-industrial?

Não tanto as novidades já existentes, que logo, logo se tornarão obsoletas, mas sobretudo os métodos para aprender a infinidade de coisas novas que estão por vir. De modo que, qualquer que seja a novidade que surja, os jovens estarão em condições de assimilá-las com segurança. Além de ensinar como se usa o último modelo de computador, é preciso desenvolver a atitude mental que serve para entender a lógica do computador. Só assim o computador que aprendo a usar hoje não será um obstáculo quando for aprender a usar os computadores de amanhã.

Um outro princípio pedagógico importante, mas do qual já falei, consiste em assumir como objeto de reflexão e de planejamento não só o tempo dedicado ao trabalho, mas também o tempo livre. A pedagogia da idade industrial ensinava a separar as duas coisas: trabalho era trabalho, diversão era diversão. Hoje, ao contrário, trabalho e lazer se misturam e se potencializam reciprocamente. De toda forma, o tempo livre, propício ao lazer, predomina. Junto com a estética e a biotecnologia, ele será o sinal distintivo do século XXI.

Décimo Quarto Capítulo
O Trabalho Não É Tudo

> *Ajudei a retirar uma mulher de sessenta e cinco anos da máquina ensanguentada que tinha acabado de arrancar-lhe os quatro dedos de uma mão e ouço ainda os seus gritos: "Meu Jesus Cristo, Virgem Maria, não vou poder mais trabalhar!"*
> Alvin Toffler

> *Malgré la merde, je croix.*
> Maurice Béjart

Estamos chegando ao fim. O senhor é o único sociólogo italiano que dedicou muita atenção ao estudo do trabalho criativo, sobretudo das equipes criativas.

Nos tempos de Marx, a grande maioria da força de trabalho era composta de operários e trabalhadores braçais, empregados das indústrias de manufaturas. Com a introdução das técnicas científicas de administração, no início do século XX, a relação numérica entre os operários de macacão e os "colarinhos brancos" de terno e gravata começou a se alterar, a favor dos últimos. De todo modo, até o final dos anos 60 a força operária continuou a ser o nervo da fábrica e a fábrica continuou a ser o coração e o emblema do sistema econômico. Quando parava a fábrica, toda a empresa entrava em crise, enquanto, se parassem os funcionários de escritório, a produção ia em frente por um bom tempo, como se nada tivesse acontecido.

Consequentemente, a Sociologia do Trabalho, com uma influência predominante do pensamento marxista, continuou a focalizar seus estudos na questão do trabalho, dos conflitos, da organização produtiva, sindical e política da classe operária. Praticamente não existia nenhuma análise um pouco mais aprofundada sobre o trabalho intelectual dos artistas, dos profissionais liberais, dos funcionários e muito menos dos executivos ou dos dirigentes. O ensaio de Talcott Parsons sobre os médicos, o de Merton sobre o papel do intelectual na burocracia pública, as pesquisas de Crozier sobre os bancários representavam raridades. O *Traité de Sociologie du Travail*, editado em 1961 por Friedmann e Naville, e com base no qual se formaram todos os sociólogos europeus da minha geração, aborda quase exclusivamente o trabalho operário: ao longo das suas 1.200 páginas, não dedica mais de dez à atividade empregatícia. Na Itália, a única exceção era constituída pelo sociólogo Gianpaolo Prandstraller, que publicou pesquisas empíricas sobre os advogados, sobre os donos de galerias de arte, sobre os cineastas e sobre as novas profissões.

Com um intervalo de dez anos, a Eni me encomendou duas grandes pesquisas empíricas – uma em 1970, outra em 1980 – sobre a condição dos trabalhadores italianos empregados nas indústrias manufatureiras. Comparando os dois resultados, saltou-me aos olhos a mudança da relação entre operários e funcionários, que estava se alterando muito rapidamente não só em termos numéricos, mas sobretudo em termos de incidência sobre o fluxo produtivo e sobre as relações de poder. Em 1980, observei que, devido à informatização dos estabelecimentos, a produção se paralisava imediatamente tanto durante a greve dos encarregados do *hardware* quanto dos empregados que traba-

O Trabalho Não É Tudo

lhavam com o *software*. Se era isso o que estava acontecendo nas indústrias de manufatura, imagine no setor de serviços!

Quando tomei consciência dessa grande mudança, redigi o relatório conclusivo da segunda pesquisa com uma abordagem completamente nova e dando um título coerente com o que constatei: *Os Trabalhadores Pós-Industriais*. Logo depois iniciei, com o colega Angelo Bonzanini, a elaboração de um grande *Tratado de Sociologia do Trabalho e da Organização*, redigido com a colaboração de dezenas de estudiosos. Para evidenciar a continuidade ao tratado de Friedmann e Naville, solicitamos a este último um prefácio. A abordagem, porém, era completamente diferente e várias centenas de páginas foram dedicadas ao trabalho intelectual do artista e do cientista, à organização dos serviços, das igrejas, dos profissionais liberais, da pesquisa científica, das artes visuais, das organizações culturais e dos meios de comunicação de massa.

Para que se compreenda todo o alcance inovador desta abordagem, é preciso recordar a simultaneidade de dois movimentos. Enquanto o trabalho mudava diante dos nossos olhos, os equipamentos iam substituindo cada vez mais rapidamente os operários, e nas empresas surgiam novas figuras, todas de tipo intelectual. Pelas nossas ruas as Brigadas Vermelhas davam tiros para conquistar o "poder operário", fazendo com que todo o debate político empacasse no estágio industrial, quando, na verdade, deveria ter se desenvolvido acerca de temas ligados ao advento pós-industrial.

De toda maneira, depois de ter dedicado vinte anos ao estudo do trabalho operário, naquele ponto me parecia já completamente claro e inadiável o salto para o estudo da criatividade organizada. A partir daquele momento, minha atenção passou a se concentrar cada vez mais no trabalho criativo desenvolvido por um grupo, no mercado de trabalho, na necessidade de recriar uma ciência da organização, numa perspectiva pós-industrial.

O senhor desenvolveu e aperfeiçoou um esquema e um conceito novo de "criatividade". Poderia novamente resumi-lo?

Parti dos estudos de Silvano Arieti, um grande psiquiatra italiano, que infelizmente é mais conhecido nos Estados Unidos do que na Itália, segundo o qual a criatividade é um momento de síntese entre o consciente e o inconsciente, entre o nível primário – onde, segundo Freud, os materiais primitivos da nossa existência se sedimentam – e o nível secundário, lógico e consciente.

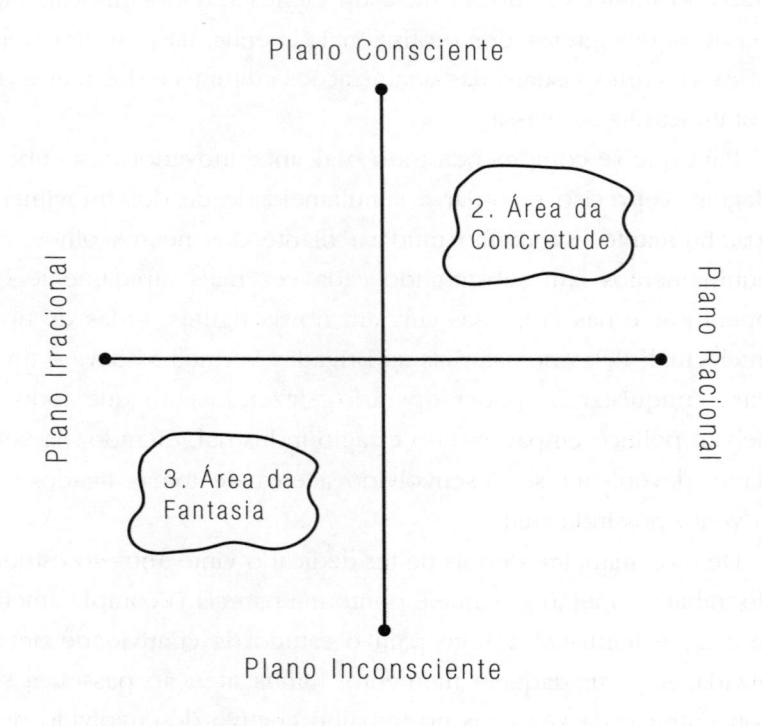

```
                    Plano Consciente
                           |
                           |
                           |      2. Área da
                           |      Concretude
   Plano Irracional ———————+——————— Plano Racional
                           |
        3. Área da         |
        Fantasia           |
                           |
                    Plano Inconsciente
```

O Trabalho Não É Tudo

Ao aprofundar esta fórmula, me dei conta de que ela não era suficientemente completa. Adicionei à síntese entre os níveis consciente e inconsciente a síntese entre a esfera racional e a esfera emotiva. Por esfera racional entendo o conjunto dos nossos conhecimentos e habilidades, e por esfera emotiva o conjunto das nossas opiniões, comportamentos, emoções e sentimentos. Na minha opinião, a criatividade brota dessas duas sínteses.

Tomemos uma folha de papel e tracemos uma cruz (ver esquema 3 na página anterior).

O eixo vertical une dois pontos extremos que representam o nível consciente no alto e o nível inconsciente, embaixo. O eixo horizontal, por sua vez, une dois pontos extremos que representam o pólo da emotividade à esquerda e o pólo da racionalidade à direita.

Esta cruz desenhada assim determina quatro áreas. Para não complicar demais o discurso, vamos nos limitar a considerar apenas duas destas quatro áreas: aquela de baixo à esquerda (área 3), delimitada pela emotividade e pelo inconsciente, representa a área da fantasia. E aquela do alto, à direita (área 2), delimitada pela racionalidade e a consciência, representa a área da concretude.

Portanto, o que é a criatividade? Em que consiste?

Consiste em um processo mental e prático, ainda bastante misterioso, graças ao qual uma só pessoa ou um grupo, depois de ter pensado algumas ideias novas e fantasiosas, consegue também realizá-las concretamente. Portanto, não se trata de simples fantasia, nem de simples concretude: trata-se de uma síntese entre estas duas habilidades. Ou seja, voltando ao nosso esquema, uma síntese entre as áreas 2 e 3. A criatividade, para mim, não é só ter ideias, mas saber realizá-las: é unir fantasia e concretude. O burocrata é só concreto, quem se alimenta de veleidades é um sonhador. É uma síntese que pode acontecer entre uma fantasia medíocre e uma concretude medíocre, e neste caso a criatividade obtida é muito baixa. Ou pode acontecer entre uma forte fantasia e uma forte concretude: é quando a criatividade que se obtém é genial. É uma síntese difícil, porque só os gênios conseguem juntar em si duas qualidades tão díspares. Michelangelo, por exemplo, não só soube inventar a cúpula de São Pedro, quando era já bem idoso, mas também soube convencer o papa a privilegiar a sua proposta, conseguiu que sua empresa fosse financiada, soube conduzi-la durante mais de vinte anos com tenacidade e inteligência, coordenando o trabalho de centenas de pedreiros, carpinteiros, escultores e fornecedores.

Mas como hoje precisamos de muita criatividade para satisfazer as infinitas necessidades sofisticadas do mercado, não podemos mais contar só com os raros e únicos gênios. Devemos dar vida a inúmeros grupos criativos.

A criatividade para mim não é só ter ideias, mas saber realizá--las: é unir fantasia e concretude. O burocrata é só concreto, e quem alimenta veleidades é só um sonhador. Para que se obtenha um grupo criativo, é preciso fazer conviver pessoas que sejam prevalentemente sonhadoras e pessoas prevalentemente concretas. Se eu desejo me inserir numa equipe desse tipo, devo antes descobrir se sou mais concreto ou mais propenso à fantasia. Só então deverei tentar encontrar o parceiro adequado, ou seja, complementar: que me ajude a botar os pés no chão, se eu for muito sonhador, propenso à fantasia; ou que me ajude a voar entre as nuvens, se eu for do tipo concreto.

Mas não basta uma mistura adequada de pessoas, é necessária uma liderança carismática que saiba guiar o grupo na direção de metas compartilhadas por todos os integrantes, num clima de entusiasmo e de jogo.

O Trabalho Não É Tudo

A criatividade grupal é um fenômeno peculiar às empresas? Ou é um fenômeno mais generalizado da nossa época: uma realidade que não só o jovem que decidiu ser executivo deverá enfrentar, mas também uma pessoa que pretende fazer uma atividade completamente diferente?

É um fenômeno social. Hoje o excesso de informação chega a tal ponto que todo livro, toda obra deveria conter a indicação "editado por…", "organizado por…". Tudo é fruto de ideias coletivas, ainda que um indivíduo possa produzir uma reelaboração pessoal.

A criatividade é, ao mesmo tempo, heteropoiese e autopoiese: isto significa que adquiro materiais dos outros (heteropoiese), mas os reelaboro dentro da minha mente até chegar a uma visão nova (autopoiese).

Há uma analogia entre o que está ocorrendo na produção empresarial e na produção social. Como já disse, há cinquenta anos um carro da Fiat ao sair da fábrica continha peças produzidas, quase que em sua totalidade, no interior daquela fábrica. Atualmente, a maioria dos milhares de peças que um carro contém é comprada de outras fábricas, muitas vezes de outros países, dos mais variados continentes. O produto final apresenta a marca e o logotipo da Fiat, mas não se pode afirmar que seja realmente produzido *pela* Fiat. Uma coisa parecida acontece na produção social: há uma tal interação contínua de ideias, linguagens, informações e experiências que já não é possível saber se uma ideia é nossa ou se a escutamos de alguém. Nós "cuidamos" das nossas ideias, as "produzimos" como se produz um filme ou espetáculo, mas nossas ideias não são um produto *só* da nossa mente, e portanto não são "nossas".

Ainda que em menor medida, isso aconteceu também no passado. Se, por exemplo, analisássemos as fontes da *Sexta Sinfonia* de Beethoven, descobriríamos talvez que muitas melodias foram inspiradas em cantos populares da época ou, quem sabe, no assobio de alguém que passava pela rua. A mesma coisa vale para as sinfonias de Mendelssohn-Bartholdy, para as *Bachianas Brasileiras* de Villa--Lobos, ou para as danças romenas de Bartók, além de mil outras obras-primas. Mas hoje o fluxo de informações que recebemos é imensamente maior. E também nesse caso a mudança na quantidade acaba traduzindo-se em mudança de qualidade.

O que é que significa então educar para a criatividade?

Muitas empresas, depois de terem selecionado pessoas medíocres, pelo fato de serem dóceis e portanto manobráveis, e depois de terem sufocado todo e qualquer vislumbre de iniciativa por parte delas com um amontoado de procedimentos e controles, sentem agora a necessidade de revitalizar a criatividade e submetem essas mesmas criaturas a pseudoformadores, especialistas no assunto. É como se eu preferisse as mulheres louras, mas me casasse com uma morena e depois a obrigasse a ir ao cabeleireiro oxigenar os cabelos. Esses formadores de criatividade, quase sempre americanos ou franceses, frequentemente desprovidos de qualquer fundamento científico, assim como do conhecimento do resultado de pesquisas sérias, submetem os alunos pagantes, ou melhor, "bem" pagantes, a exercícios psicofísicos "fantásticos", uma salada feita de ioga, banalizada, e joguinhos de charadas, palavras-cruzadas e por aí vai. Desconfio instintivamente de todas essas técnicas istriônicas que sabe-se lá onde vão dar e que transformam a criatividade, ou seja, a expressão mais misteriosa e preciosa da espécie humana, numa espécie de gincana.

Educar um jovem ou um executivo para a criatividade hoje significa ajudá-lo a identificar sua vocação autêntica, ensiná-lo a escolher os parceiros adequados, a encontrar ou criar um contex-

O Trabalho Não É Tudo

to mais propício à criatividade, a descobrir formas de explorar os vários aspectos do problema que o preocupa, de fazer com que sua mente fique relaxada e de como estimulá-la até que ela dê à luz uma ideia justa. Sobretudo significa educá-lo para não temer o fluir incessante das inovações: "É na mudança que as coisas se repousam", já dizia sabiamente Heráclito.

Muda portanto toda a ótica do trabalho coletivo e dos processos organizacionais?

Na empresa pós-industrial, onde a maioria é composta de trabalhadores intelectuais, a ênfase se desloca do processo executivo ao ideativo, da substância à forma, do duradouro ao efêmero, da prática à estética. Ou seja, da precisão à aproximação, do pré--científico ao pós-científico.

Tudo isso não significa o triunfo da banalidade, da superficialidade, do pecado, da mediocridade e da inutilidade. Significa a necessária substituição de uma cultura (moderna) do sacrifício e da especialização, cuja finalidade era o consumismo, por uma outra (pós-moderna) do bem-estar e da interdisciplinaridade, cuja finalidade é o crescimento da subjetividade, da afetividade e da qualidade de trabalho e da vida.

Em 1948, o filósofo russo Alexandre Koyré escreveu um ensaio que se tornou famoso e cujo título era Do Mundo da Aproximação ao Universo da Precisão. *Em* O Futuro do Trabalho, *o senhor diz que hoje a ênfase se desloca do universo da precisão para o mundo da aproximação. Significa que estamos voltando para trás?*

Não. Significa que estamos andando para a frente.

Esta minha afirmação gerou interpretações muito distantes daquilo que eu realmente penso.

Como dizíamos no início, os gregos e os romanos, apesar da complexidade refinada de sua cultura, negligenciaram o progresso tecnológico a ponto de detestá-lo. Nos mitos greco-romanos, qualquer herói que tenta introduzir uma inovação é punido severamente: lembremos os castigos que sofreram Ícaro, Prometeu, Sísifo e Ulisses.

Mas por que um povo como o da Grécia clássica, capaz de se expressar nos níveis mais altos e refinados na poesia, filosofia, arte e política, se condenou ao atraso científico e não conseguiu antecipar as grandes descobertas e as grandes invenções que só tivemos no século XII e, depois, a partir do século XV de forma bem mais acelerada?

Num ensaio de 1962, intitulado *Por que a Antiguidade Não Conheceu o Maquinismo?*, Pierre-Maxime Schuhl recorda que existiram então grandes filósofos-engenheiros: Tales de Mileto, que conseguiu desviar o rio Halys para permitir a passagem do exército de Creso, Platão, que inventou o relógio de água, Arquita de Táranto, que construiu autômatos surpreendentes, os técnicos chamados a Siracusa por Diógenes, o Velho, que construíram as máquinas que permitiram afastar a frota de Imilcone, Erone de Alexandria, que recorda como eram construídas as catapultas, e Vitrúvio, que descreve uma espécie de taxímetro, em uso no seu tempo.

De acordo com Schuhl, essas invenções não tiveram desdobramentos posteriores devido a alguns bons motivos: os gregos tinham à disposição aquelas máquinas flexíveis e eficientes que eram os escravos, não eram possuídos pelo demônio do utilitarismo, tudo o que era mecânico lhes parecia oposto e inferior ao que era natural, e por fim porque padeciam de uma espécie de "bloqueio mental" que os fazia desprezar tudo o que era ligado

O Trabalho Não É Tudo

ao trabalho, à técnica, aos negócios, modificação ou engano da natureza: "Uma máquina é uma maquinação, um expediente, uma armadilha montada contra a natureza."

As explicações que Schuhl adota são muito perspicazes, mas as que Koyré já dera vinte e cinco anos antes me soam ainda mais convincentes: "Por mais que nos pareça surpreendente, pode-se edificar templos, palácios e até catedrais, escavar canais e construir pontes, desenvolver a metalurgia e a cerâmica sem possuir nenhum saber científico, ou possuindo somente seus rudimentos." Por si só, a prática cotidiana do pedreiro ou do carpinteiro, ainda que perfeita, permanece baseada na simples experiência técnica e portanto não se torna nunca tecnologia. Para que isso aconteça, para que se dê o salto de qualidade, é preciso que existam pessoas desligadas da prática, que disponham de um tempo livre do esforço físico e tenham gosto em teorizar, seja através de especulações mentais, seja através de experimentos por intermédio dos quais a natureza é observada, cutucada e provocada.

Por que é que então, depois de Euclides e Ptolomeu, a ciência não dá novos passos para a frente e é necessário aguardar vinte séculos, até que cheguem Copérnico e Galileu?

Eis a explicação de Koyré: gregos acreditavam que a precisão fosse uma característica exclusiva do mundo celeste e, portanto, perfeitamente mensurável através da paciência e da exatidão dos astrônomos. Já o mundo sublunar, isto é, o mundo humano, era dominado pela imprecisão, o acaso e a imprevisibilidade. E, assim, não valia a pena tentar medi-lo, contá-lo, avaliá-lo de forma alguma com a mesma exatidão matemática reservada ao mundo sideral.

Somente com Galileu, o movimento, o tempo e o espaço serão submetidos a observações sistemáticas, medidos com instrumentos precisos, avaliados através de experimentos pontuais que são a própria "encarnação da teoria". Só a partir do século XV, a reflexão precederá a ação e a técnica se tornará tecnologia. Os gregos tinham usado a astronomia matemática para medir o céu, e Newton usaria a física matemática para medir a Terra. Com Descartes, a teoria penetrará na prática e a guiará. "É através do instrumento de medida que a ideia de exatidão se apossa deste mundo e que o mundo da precisão passa a substituir o mundo aproximativo", diz Koyré.

Depois de Galileu, Newton e Descartes, a exatidão marchou triunfalmente por trezentos anos e colonizou, aos poucos, os vários campos da ciência e da técnica. A sociedade industrial, encarnação histórica desta marcha, se caracteriza pelo frenesi da precisão, pela preferência da quantidade em vez da qualidade, pela planificação da produção e do consumo, que obedecem a procedimentos específicos nos mínimos detalhes. Por intermédio do cronômetro de Taylor, a precisão conquista a fábrica e a organização espontânea se transforma em "administração científica".

Quer dizer que o universo moderno da precisão representa um passo à frente feito pela civilização, com respeito ao mundo arcaico da aproximação?

Certamente é um grande passo à frente em relação ao mundo rural, dominado pelo acaso, pela emotividade primitiva, pela aproximação, pela ignorância e pela miséria. Parafraseando Le Corbusier, eu diria que se trata da linha do homem (mas do homem racionalista) em contraposição à linha do asno. "A vida da cidade moderna", escreve ele em *A Urbanística*, "é toda baseada, praticamente, na linha reta. Tortuoso é o caminho do asno, reto o do homem. O caminho em curvas é um resultado arbitrário, fruto do acaso, do descuido, de um agir meramente instintivo. O caminho retilíneo é uma resposta a uma demanda, é fruto de uma

O Trabalho Não É Tudo

intervenção precisa, de um ato voluntário, um resultado conseguido com plena consciência. É uma coisa útil e bela."

Italo Calvino lhe faz eco, muito mais tarde, quando escreve: "Prefiro entregar-me à linha reta, com a esperança de que ela prossiga ao infinito e me torne inalcançável. Prefiro calcular demoradamente a minha trajetória de fuga, esperando poder me lançar como uma flecha e desaparecer no horizonte. Ou ainda, se muitos obstáculos barrarem o meu caminho, calcular a série de segmentos retilíneos que me conduzam para fora do labirinto no tempo mais breve possível."

Porém, este universo da precisão que coincide com a sociedade industrial é um universo rígido, programado, linear, matematizado, no qual a abundância afluente de produtos estandardizados é produto do trabalho criativo de uma elite restrita de engenheiros e do trabalho mecânico de uma massa sem fim de executores.

Trata-se, talvez, de uma etapa obrigatória na longa história do progresso humano, mas de uma etapa que deve ser superada o mais rápido possível, para finalmente construir um mundo novo, pós-industrial, cujo centro não seja mais a rigidez e sim a flexibilidade, e em que a criatividade substitua a pura execução.

Portanto, a "aproximação" da qual o senhor fala é bem diferente daquela, arcaica, de que tratava Koyré?

Certamente. Eu me explico com um exemplo, desculpando-me pela sua banalidade. Se um jovem possui um talento natural para a música, pode imediatamente se expressar, num estágio primitivo, através da improvisação inculta. Muitos autores de canções populares, napolitanos e brasileiros, incapazes de ler uma única nota do pentagrama, fizeram isso com resultados extraordinários. Mas se aquele jovem desejar progredir na sua expressão artística, deverá superar este primeiro estágio e submeter-se ao longo e duro exercício do estudo sistemático, sob orientação de um mestre e com a adoção de um método: deverá aprender com muito esforço a técnica do solfejo, do contraponto e da orquestração, deverá estudar a história da música, deverá executar exercícios extenuantes. Em poucas palavras, deve passar do universo da aproximação ao universo da precisão musical, dando sentido ao moto de Georges Braque: "Amo a regra que corrige a emoção."

Somente quando tiver superado este segundo estágio e os seus dedos passearem pelo teclado com desenvoltura, dóceis diante de qualquer comando do seu intelecto, só quando for patrão da técnica e conseguir traduzir quase que automaticamente, sem qualquer intencionalidade, as suas notas mentais em notas reais, poderá criar músicas imortais. Este é o caso de Mozart na música clássica ou de João Gilberto na música popular.

Retiro um outro exemplo do célebre livro de Eugen Herrigel, *A Arte Cavalheiresca do Arqueiro Zen*, ao qual a senhora se referiu no início. Na introdução, escrita por Daisetz Teitaro Suzuki, lê-se que "para ser verdadeiramente um mestre no tiro ao arco, o conhecimento técnico não basta. A técnica deve ser superada, de forma que o aprendido se torne uma arte desaprendida, que surge do inconsciente". A perfeita condição mental que leva a acertar infalivelmente o alvo só pode ser atingida se o atirador não tiver mais consciência de ser um atirador e de ter um alvo a atingir. "Mas ele só atinge esta condição de inconsciência se for perfeitamente livre e desapegado de si, se compuser uma unidade com a perfeição da sua habilidade técnica... O homem é um ser pensante, mas as suas grandes obras se realizam quando ele não calcula, nem pensa."

Herrigel, descrevendo minuciosamente as etapas através das quais o mestre o conduz à perfeição, demonstra como só um longo exercício, cansativo até a exaustão, permite introjetar a técnica e obter um absoluto domínio das formas para atingir, finalmente, aquele estágio supremo no qual a fase racional é superada e a mobilidade originária não mais é atrapalhada pela necessidade de refletir. Só então "os preparativos e a obra, o ofício e a arte, o material e o espiritual, o subjetivo e o objetivo se traspassam sem descontinuidade entre eles".

Se nós retomarmos a figura anterior, na qual esquematizamos a criatividade, identificando-a com a síntese entre fantasia e concretude, e a completamos como aparece no esquema 4, podemos representar a "recuperação da aproximação", que equivale a uma síntese entre a área 1 (que corresponde às emoções dominadas) e a área 4 (que corresponde às técnicas introjetadas).

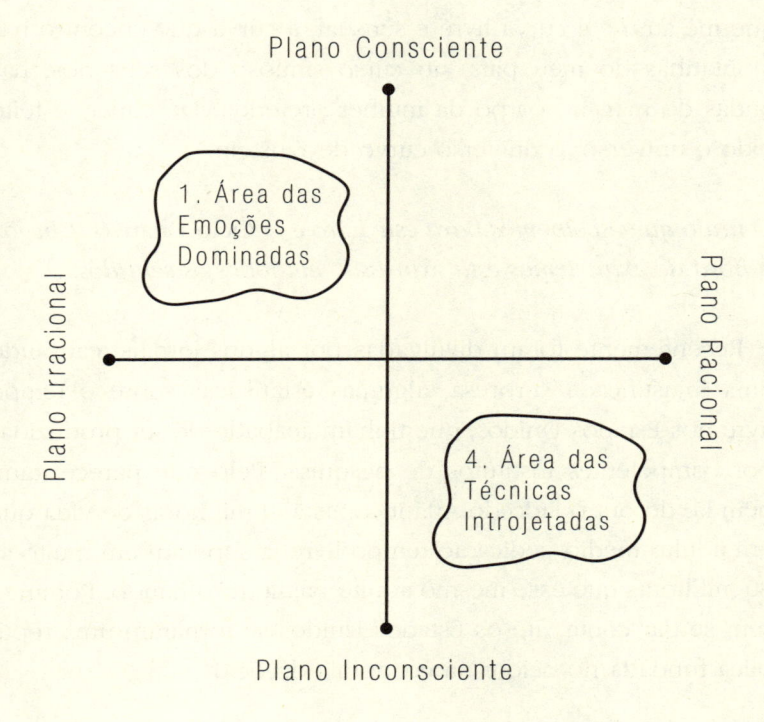

Plano Consciente

1. Área das Emoções Dominadas

Plano Irracional

Plano Racional

4. Área das Técnicas Introjetadas

Plano Inconsciente

Existe portanto uma "aproximação" simples, primitiva, relacionada com a ignorância e com a improvisação, *que precede* a consciência científica, desembocando na superficialidade. Mas existe também uma "aproximação" refletida, madura, consciente, complexa, *que procede* da consciência científica e da precisão, abrangendo-as e superando-as.

Esse estágio me recorda a frase que Juan Gris contrapunha à de Braque: "Amo a emoção que corrige a regra." Mas é alguma coisa a mais: é síntese entre regra e emoção, é criatividade do mais alto nível. É a linha curva que, depois de três séculos de sociedade industrial, dominada pelo racionalismo, retoma o comando da História e substitui a linha reta. Como diria um outro grande arquiteto, Oscar Niemeyer: "Não é o ângulo reto que me atrai, nem a linha reta, dura, inflexível, criada pelo homem. O que me atrai é a curva livre e sensual, a curva que encontro nas montanhas do meu país, no curso sinuoso dos seus rios, nas ondas do mar, no corpo da mulher preferida. De curvas é feito todo o universo, o universo curvo de Einstein."

O título que escolhemos para este livro é O Ócio Criativo. *Chegou a hora de exaurirmos esta expressão em todos os sentidos.*

Recentemente foram divulgadas por alguns jornais, causando uma injustificada surpresa, algumas estatísticas sobre o tempo livre nos Estados Unidos, que tinham acabado de ser produzidas por competentes institutos de pesquisa. Pelo que parece, também lá, do outro lado do Atlântico, as 170 mil horas de vida que um adulto médio dedica ao tempo livre já superam em muito as 80 mil horas que esse mesmo adulto passa trabalhando. Portanto, sem se dar conta, até os Estados Unidos se tornaram uma república fundada no ócio e na economia do ócio.

O Trabalho Não É Tudo

Essa circunstância, que é comum a todos os países avançados, não se deu de uma hora para outra, mas é fruto de um processo secular, feito de descobertas de invenções que durante alguns intervalos são raras e distantes umas das outras, e que em outros períodos são tão numerosas que parecem torrenciais.

Já na década de 30 personagens da estatura de um economista como John Maynard Keynes ou de um filósofo como Bertrand Russel preocupavam-se com a falta de oferta de emprego, devido à crescente mecanização dos processos de produção, que sugeriam uma redução drástica dos horários de expediente, aliada a uma reeducação quanto ao uso do tempo livre, como remédio.

Naquele ótimo e agradável artigo de 1930, ao qual já nos referimos, "Perspectivas para os nossos Netos", Keynes escreveu que "A eficiência técnica veio se intensificando a um ritmo muito mais rápido do que aquele com o qual conseguimos resolver o problema da absorção da mão de obra... A desocupação devida à descoberta de instrumentos que fazem com que se economize mão de obra progride a um ritmo mais rápido que o ritmo com que conseguimos criar novos empregos para esta mesma mão de obra... Observado numa perspectiva mais ampla, isto significa, que *a humanidade está progredindo em direção à solução do seu problema econômico...* Expedientes de três horas, com uma carga semanal de 15 horas, podem manter o problema sobre controle por um razoável período de tempo."

Portanto, já em 1930 Keynes sustentava que "o problema econômico pode ser resolvido ou pelos menos obter uma solução, até a virada do século". E neste ponto, "pela primeira vez, desde a sua criação, o homem se verá diante do seu verdadeiro e constante problema: como utilizar a sua liberação dos problemas mas opressores ligados à economia, como empregar o tempo livre que a ciência lhe proporciona para viver bem, prazerosamente e com sabedoria".

O Ócio Criativo

Poucos anos depois, em 1935, Bertrand Russell publica o seu *Elogio do Ócio,* que nós também já citamos, um livro igualmente agradável no qual anuncia já nas primeiras páginas as suas teses heterodoxas: "Eu acho que neste mundo se trabalha demais e que incalculáveis males derivam da convicção de que o trabalho seja uma coisa santa e virtuosa... Mas, em vez disso, o caminho para a felicidade e prosperidade acha-se na diminuição do trabalho... A técnica moderna permite que o tempo livre, dentro de alguns limites, não seja uma prerrogativa de poucas classes privilegiadas, mas possa ser distribuído de forma igual entre todos os membros de uma comunidade. A ética do trabalho é a ética dos escravos e o mundo moderno não precisa de escravos."

Se já nos anos 30 os efeitos do progresso tecnológico e a questão do tempo livre aflingiam Keynes e Russell, o que é que mentes igualmente refinadas pensariam diante de invenções como a informática e a biotecnologia? Atualmente, a perspectiva existencial de um jovem de vinte anos é que o trabalho representará somente um sétimo da duração da sua vida. Portanto, o trabalho pode muito bem ser convidado a retirar-se do trono no qual havia sido colocado pelos patrões, pelos filósofos e pela Igreja, ao final do século XVIII.

Há cem anos a idolatria do cansaço ainda era indispensável para que nos liberássemos da miséria, mas hoje, na maioria dos casos, ela representa apenas uma escravidão psicológica. Uma vez delegadas às máquinas as tarefas executivas, para a maioria das pessoas sobra só o desempenho de atividades que, pela sua própria natureza, desembocam no estudo e no jogo. O publicitário que deve criar um *slogan,* o jornalista em busca de uma "dica" para um artigo, o juiz às voltas com a pista de um crime têm todos maior chance de encontrar a solução justa, passeando ou nadando, ou indo ao cinema, do que se ficarem trancafiados

O Trabalho Não É Tudo

nas corriqueiras, tediosas e cinzentas paredes dos seus respectivos escritórios.

Em outras palavras, nos anos passados foi o trabalho que colonizou o tempo livre; nos anos futuros será o tempo livre a colonizar o trabalho.

Entre falar de tempo livre até referir-se ao ócio ocorre um salto. A primeira expressão está em moda e evoca a prisão empregatícia da qual, em alguns momentos, ou em algumas fases da vida – como quando ficamos desempregados ou nos aposentamos –, conseguimos escapar. Já a segunda palavra é pouco usada: evoca, para aqueles que estudaram a cultura clássica, o otium *da antiga Roma, ou o* Oblomov *de Goncarov, para quem leu este autor. Já para os adeptos da cultura Disney, a evocação será aquela culpável preguiça do ajudante da alegre Vovó Donalda.*

"Homem que trabalha perde um tempo precioso", diz um provérbio espanhol. Quanto tempo precioso desperdiçamos em trabalhos inúteis? E, enquanto isso, no planeta, ao menos dois bilhões de adultos nunca trabalharam no sentido que nós damos a este verbo.

Quanto ao passado, antes que chegasse a indústria, os aristocratas não trabalhavam de jeito algum e todos os demais, inclusive os escravos, trabalhavam muito menos que os trabalhadores de hoje.

No final do século XVIII chegou a indústria e com ela os problemas. Nas fábricas o expediente de trabalho logo superou as quinze horas diárias, os ritmos se tornaram infernais e o controle de tipo militar. Em 1802, o governo inglês teve que intervir com uma lei "humanitária" para impedir que as crianças trabalhassem mais de doze horas por dia. W. Schulz, na pesquisa que realizou sobre o *Movimento da Produção*, publicada em 1843 e citada inúmeras vezes por Marx, referia que "nos teares ingleses a vapor e a água trabalhavam, em 1835, 20.558 jovens entre oito e doze anos; 35.867 entre doze e treze anos, e 108.208 entre treze e dezoito anos". Ainda em 1880, Paul Lafargue escrevia: "As fábricas modernas tornaram-se reformatórios ideais nos quais são encarceradas as massas operárias e são condenados aos trabalhos forçados por doze ou quatorze horas diárias, não só os homens, mas também mulheres e crianças." E adicionava que não poderia ter sido inventado "um vício que embrutecesse mais a inteligência das crianças, que corrompesse mais os instintos delas, que destruísse mais os seus organismos, do que o trabalho naquela atmosfera viciada da fábrica capitalista".

Em média, os nossos bisavós viviam 300 mil horas, trabalhavam 120 mil horas e dormiam 94 mil horas. Descontados os anos da infância e de escola primária, lhes restavam só 23 mil horas para se dedicarem às atividades domésticas e de higiene, à reprodução, à diversão e à velhice.

Como é que chegamos à situação atual?

Por sorte, em somente duas gerações a sociedade industrial provocou mudanças revolucionárias, de modo que hoje aumentou a massa de pessoas que não trabalham no sentido estrito do termo (estudantes, desocupados e idosos), e mesmo aquela que trabalha dispõe de mais tempo livre. Subtraída a infância e os oito anos de escola obrigatória, o tempo que sobra, livre do cansaço e do sono, supera as 300 mil horas. Portanto, as horas que dispomos como tempo vago são equivalentes a toda a existência de nossos bisavós.

Mas esta sorte chegou de forma tão inesperada, que nos pegou

O Trabalho Não É Tudo

despreparados e quase nos assusta, devido ao seu radical contraste com os nossos hábitos milenares.

Como já vimos, durante séculos a religião por um lado prometia o paraíso no outro mundo, onde não existiria sequer sinal de trabalho, e por outro destinava a vida terrena à dura labuta, concebida como expiação do pecado original. Sob esta ótica, o ócio, evidentemente, não poderia ser concebido senão como o pai de todos os vícios.

Hoje ainda a palavra evoca, já em si mesma, toda uma série de significados negativos. Faça comigo um jogo ocioso: abra um dicionário e assinale todos os sinônimos da palavra "ócio". Veja aqui: neste que eu tenho nas mãos encontro 15 sinônimos, dos quais só três (lazer, trabalho mental suave e repouso) têm significado positivo; quatro são de sabor neutro (inércia, inatividade, inação e divagação) e sete têm significado claramente negativo (mândria, debilidade, acídia, preguiça, negligência, improdutividade e desocupação). O décimo quinto é "ociosidade", que não classifico, já que possui a mesma raiz de "ócio". A preguiça, como sabe, é até mesmo um dos sete pecados capitais.

Quem tiver a ociosa paciência de pesquisar os sinônimos dos sinônimos, acrescentará outros termos, vários de significado positivo (de distração a alívio, de paz a recreio, de diversão a descanso), alguns de significado neutro (passatempo, vacância, desobstrução, equilíbrio e trégua) e os restantes com significados decididamente negativos (de vadiagem a desperdício, de desleixo a esterilidade, de desinteresse a tolice).

Portanto, como se pode deduzir do esquema 5, no nosso universo linguístico, à palavra "ócio" são associadas predominantemente omissões (inutilidade, indolência, desaproveitamento, indiferença) ou ações reprováveis (vagabundagem, dissipação, alheamento, incúria, apatia).

O Ócio Criativo

RIZOMA DO ÓCIO

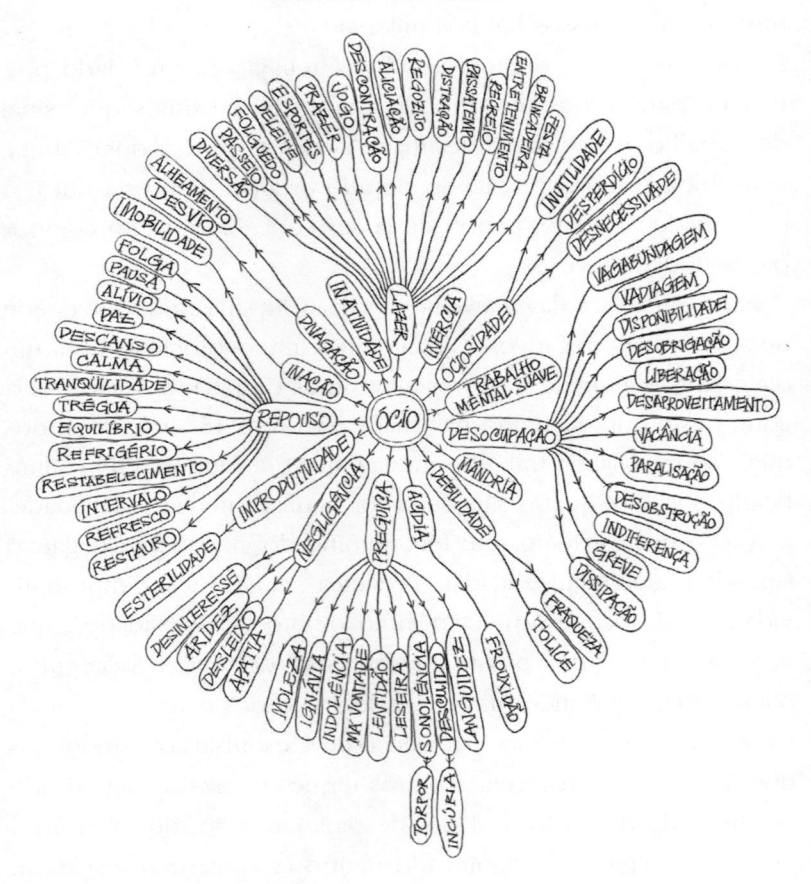

Mas quem é que divulgou uma ideia assim tão negativa?

A filosofia do ócio inculcada pela religião e a filosofia da eficiência inculcada pela indústria. Em coerência com a concepção católica (que nas igrejas luterana e calvinista é ainda mais severa), tanto a educação familiar como a escolar foram destinadas, quase que exclusivamente, à preparação do jovem para o tra-

O Trabalho Não É Tudo

balho. A severidade da disciplina, o ritmo dos compromissos e deveres de escola e o conteúdo dos programas buscam obter cidadãos muito mais preparados para as 80 mil horas de trabalho do que para as 400 mil horas de ausência de trabalho.

Em muitas escolas, sobretudo as de administração, os horários são estressantes e a competitividade não conhece limites, de modo a preparar os alunos exclusivamente para a vida profissional, feita de eficiência e falta de escrúpulos, mas sem qualquer interesse residual para o lazer, os afetos familiares e a liberdade de pensamento.

A isto se deve somar o fato de que tanto os horários como os ritmos de trabalho são estabelecidos pelos empresários ou pelos gerentes, que ocupam postos no vértice da empresa. São todos pessoas que desempenham um trabalho objetivamente mais criativo, de maior motivação e mais gratificante do que o realizado por seus subalternos. Muito frequentemente estas pessoas adoram o trabalho de uma forma neurótica e a ele se dedicam freneticamente, de corpo e alma, dia e noite.

Todos estes privilegiados nunca procuram se colocar na condição psicológica dos seus empregados, condenados a tarefas tediosas, estúpidas e mal pagas. Não conseguem sequer entender o desinteresse deles pelo trabalho, considerando-os desleixados ou parasitas. Além de considerar medíocres e falidos todos os que ousam preterir a luta pelo luxo e pelo poder, privilegiando os afetos e as alegrias familiares, pessoais ou com os amigos.

Portanto, chegou a hora de conferir à expressão "tempo livre" ou "tempo vago" um sentido mais pleno. E à palavra "ócio" um realce mais positivo. Como é que podemos começar isso?

Hoje felizmente conspira com este propósito o progresso tecnológico que prolonga a vida e torna supérflua uma boa parte

O Ócio Criativo

do cansaço humano, hoje delegável às máquinas. A desorientação que isso nos provoca, como trabalhadores calejados que somos, durará enquanto não nos libertarmos do tabu da laboriosidade como um fim em si mesma e não nos convertermos, sem complexos de culpa, da obsessão do bem-feito ao prazer do bem-estar.

O trabalho oferece sobretudo a possibilidade de ganhar dinheiro, prestígio e poder. O tempo livre oferece sobretudo a possibilidade de introspecção, de jogo, de convívio, de amizade, de amor e de aventura. Não se entende por que o prazer ligado ao trabalho deveria acabar com a alegria do tempo livre.

Mas a missão que temos diante de nós consiste em educar nós mesmos e aos outros a contaminar o estudo com o trabalho e com o jogo, até fazer do ócio uma arte refinada, uma escolha de vida, uma fonte inesgotável de ideias. Até realizarmos o "ócio criativo".

O melhor exemplo é do carnaval brasileiro, nas suas diversas variações locais. Até o momento, tive a oportunidade de apreciar só o carnaval do Rio, mas foi o bastante para observar que nele confluem e se misturam, suavemente, produção de sentido com produção de riqueza, alegria com aprendizado, pluralismo com identidade.

A sua auto-organização é um caos que se compõe milagrosamente e estruturas de forma ordenada, graças à motivação. Fantasia e concretude, sensualidade e androginia, emotividade e racionalidade criam um clima de exaltação que sublima o cansaço em jogo, a música em algumas prescrições alegres e as poucas regras em disciplina aceita e introjetada. A organização aprende com a própria experiência; metaboliza as mais modernas técnicas construtivas, comunicativas e estéticas, inclui e acolhe, abolindo todo e qualquer sentimento de estranheza entre quem participa e assiste. É uma festa doce, não agressiva. Não controla, cons-

O Trabalho Não É Tudo

trange, mas domestica com o fascínio dos sons e das cores. Cria riqueza, mas afunda na economia do dom e não do lucro.

Se não dispusesse de uma carga imensa de motivação, se nele não confluíssem esforço, jogo e aprendizado, a imensa máquina organizativa do carnaval carioca precisaria de um aparato enorme e onerosíssimo de funcionários a serem recrutados, selecionados, assumidos adestrados, administrados, controlados, incentivados e punidos. Pois ela envolve, de forma coordenada um número de pessoas bem mais elevado que o da General Motors e da IBM juntas, e cujo giro de capital é superior ao da Petrobrás. E a exuberância criativa do carnaval brasileiro, diante da qual os desfiles de moda de Paris e de Milão mais parecem exibições anêmicas, seria esmagada pela armadura rígida e burocrática de uma marca registrada empresarial.

Mas aqui estamos falando da alquimia dos mestres. Já para os principiantes, qual seria o seu parecer quanto ao bom uso do tempo livre?

Para cada um de nós, tempo livre significa viagem, cultura, erotismo, estética, repouso, esporte, ginástica, meditação e reflexão. Significa, antes de tudo, nos exercitarmos em descobrir quantas coisas podemos fazer, desde hoje, no nosso tempo disponível, sem gastar um tostão: passear sozinhos ou com amigos ir à praias, fazer amor com a pessoa amada, adivinhar os pensamentos, os problemas e as paixões que estão por trás dos rostos dos transeuntes, admirar os quadros expostos em cada igreja, assistir a um festival na televisão, ler um livro, provocar uma discussão com um motorista de táxi, jogar conversa fora com os mendigos, admirar a sábia beleza de uma garrafa, de um ovo ou das carruagens antigas que ainda passam pelas ruas. Balançar numa rede, que, como já disse, me parece encarnar o símbolo por excelência do trabalho criativo, perfeita antítese da linha de montagem, a qual foi o símbolo do trabalho alienado. Em suma, dar sentido às coisas de todo o dia, em geral lindas, sempre iguais e sempre diversas, que infelizmente são depreciadas pelo uso cotidiano

O que estes dados significam para a família, a escola, as políticas de emprego e para a organização social?

Significam que o trabalho perdeu o papel central que ocupou durante um par de séculos até agora, e que, portanto, a família, a escola e a mídia devem colocar ao lado da atual educação profissional dos jovens um outro tipo de educação, igualmente séria, com vistas às atividades lúdicas e culturais. Do mesmo jeito que se aprende a ser técnico de informática, torneiro mecânico, engenheiro ou farmacêutico, também se aprende a ser pai, telespectador, cidadão e turista. Se aprende a escolher e a apreciar um filme, um concerto, ou ainda uma localidade balneária. Se aprende a escolher e a apreciar uma boa culinária, um bom hotel, as belezas da natureza e da arte. Se aprende, enfim, a viver a plenitude da vida pós-industrial, feita não só de trabalho cansativo, mas também de ócio inteligente.

Desde 1935, Bertrand Russell sugeria: "É essencial que a instrução seja mais completa do que é agora e que procure, em parte, educar e refinar o gosto, de modo que um homem possa gozar, com inteligência, do próprio tempo livre... Uma população que trabalha pouco, para que seja feliz, deve ser instruída, e esta instrução deve levar em conta as alegrias do espírito, além das utilidades diretas derivadas do saber científico."

Junto com os indivíduos, é necessário que também as cidades, as nações, as igrejas e as empresas se adequem, aparelhando-se em função de uma vida coletiva na qual predomina o lazer e um

O Trabalho Não É Tudo

número crescente de atribuições que devem ser realizadas não em função de quem trabalha, mas em função de quem repousa ou se diverte.

A avaliação social do divertimento, tradicionalmente condenado pelos educadores e pela religião, deve mudar, já que hoje não representa mais a antecâmara pecaminosa da degradação moral, mas o gozo pleno da nossa existência, a fase tranquila na qual somos mais descontraídos, mais criativos e mais tolerantes. Muito provavelmente, se o trabalho que existe fosse redistribuído também pelos desempregados e as férias durassem seis meses por ano, uma boa parte da nossa agressividade e da nossa violência desapareceria.

Quais são as probabilidades reais de que isso possa acontecer?

A América é calvinista demais para se converter com rapidez a essa nova filosofia, mas a Itália, a Espanha, o Brasil ou a Índia dispõem de todos os números para adotá-la e expandi-la, retirando disso enormes vantagens, até mesmo para as respectivas economias e para a oferta de empregos.

Nós temos paisagens lindíssimas, um clima ameno, obras de arte à vontade, uma tradição religiosa que atormenta menos do que a calvinista, uma cultura com inclinação à música, à poesia, ao repouso, à introspecção, à alegria e à convivialidade. Está portanto nas nossas mãos a tarefa de converter este patrimônio herdado do passado em recursos de riqueza para o futuro.

Mas somos capazes disso?

Para responder a esta pergunta podemos usar as férias de verão como se fosse um teste. De fato, depende de nós transformá-las em ocasião de diversão e de crescimento ou de desperdício e estresse.

No exército de veranistas podem-se distinguir duas fileiras. A que dá mais na vista se caracteriza pela cultura do consumismo, da ostentação, do culto aos ídolos ou estrelas do mundo do espetáculo: milhões de pessoas que consideram "fúnebre" tudo o que não seja invasivo, barulhento, cheio de confusão e de pressa. Essa massa, obcecada pela mania de ver e de ser vista, vai em busca de *fast-food*, megadiscotecas, relacionamentos despersonalizados, viagens hiperorganizadas por agentes de turismo, ou ainda internações em hotéis-fazendas, clubes ou spas, onde cada minuto do dia é programado, em função do consumo, como o setor de uma fábrica é programado em função da produção. Isso vale tanto para Rimini como para Capri, para o Quênia ou a Califórnia.

A outra fileira, mais exígua e mais sábia, cunha as próprias férias com a cultura do repouso, da leitura e da privacidade: considera um inferno tudo o que não seja silêncio, ordem, calma, beleza e limpeza. Este grupo, culturalmente elitista, procura ambientes amenos, entretenimentos variados e refinados, a possibilidade de resguardar sua privacidade sem sofrer a invasão dos outros, é atenta aos detalhes e busca relacionamentos personalizados.

E enquanto isso?

Enquanto isso o fantasma do tempo livre passeia pelo mundo. Enquanto um número cada vez mais exíguo de pessoas – sobretudo os executivos – obrigadas à labuta defende com unhas e dentes suas dez horas de trabalho por dia, sem ceder uma migalha sequer aos desempregados, enquanto estas laboriosas e irascíveis formiguinhas cultivam com solicitude tenaz o mito do

O Trabalho Não É Tudo

trabalhador indefeso, completamente dedicado ao escritório e à empresa, apostando tudo na competitividade, na luta pelo poder, no incremento do maior enriquecimento da própria empresa, uma massa crescente de cigarras bem informadas tomou consciência de que a sociedade pós-industrial é fundada no tempo livre, no lazer, no ócio, na valorização do próprio fim de semana e das próprias férias, muito mais do que na planificação das vendas ou dos investimentos dos outros.

Estamos na soleira de uma sociedade ociosa, e só de pensar nisso o dever laborioso se enfurece, neuroticamente devoto das suas reuniões de trabalho, das suas transferências por motivo de trabalho e dos seus almoços para discutir trabalho. "A ideia de que o pobre possa gozar do ócio – disse Russell – sempre incomodou o rico."

Com o advento de uma sociedade ociosa, todos os parâmetros mudam: a escolha de um colchão cômodo é mais importante do que a escolha de uma escrivaninha funcional, a escolha do amigo com quem sair de férias é mais importante do que a escolha do colega de trabalho, a escolha de uma faculdade universitária que prepara para a vida é mais sábia do que a escolha de uma faculdade que prepara para a profissão. O que conta não é o estresse da carreira, mas a serenidade da sabedoria.

O senhor dizia que educar para o tempo livre e para o ócio é uma das tarefas que mais requerem empenho da nossa sociedade. A pedagogia do ócio é diferente da pedagogia do trabalho?

Educar para o ócio significa ensinar a escolher um filme, uma peça de teatro, um livro. Ensinar como pode estar bem sozinho, consigo mesmo, significa também levar a pessoa a habituar-se com as atividades domésticas e com a produção autônoma de muitas coisas que até o momento comprávamos prontas. Ensinar o gosto e a alegria das coisas belas. Inculcar a alegria. A pedagogia do ócio também tem a sua ética, sua estética, sua dinâmica e suas técnicas. E tudo isso deve ser ensinado. O ócio requer uma escolha atenta dos lugares justos: para se repousar, para se distrair e para se divertir. Portanto é preciso ensinar aos jovens não só como se virar nos meandros do trabalho, mas também pelos meandros dos vários possíveis lazeres. Significa educar para a solidão e para a companhia, para a solidariedade e para o voluntariado. Significa ensinar como se evita a alienação que pode ser provocada pelo tempo vago, tão perigosa quanto a alienação derivada do trabalho. Como a senhora pode ver, há muito o que ensinar e o que aprender!

Mas para aprender tudo isso é necessário frequentar a escola? Não se pode aprender sozinho?

Sim, caso se tenha a sorte de ter nascido num lugar onde tudo converge para a valorização do ócio: na Bahia, por exemplo, ou em Ravello. Mas um número enorme de pessoas vive num contexto urbano-industrial e introjetou seus ritmos e valores. Não sabe se mover sem regras e prescrições, não sabe escolher autonomamente nem mesmo um lugar para passar as férias: vai a uma agência de viagens e engole o pacote que convém ao agente empurrar naquele momento. A grande maioria das pessoas não sabe como se distrair, nem como descansar. Quando tem tempo, se entedia. Com o calar da noite, volta logo para a toca, como se as horas noturnas pudessem pertencer a um reino só de pecados e não de liberdade.

"É preciso admitir" – disse Bertrand Russell – "que o sábio uso do ócio é um produto da civilização e da educação. Um

O Trabalho Não É Tudo

homem que trabalhou muitas horas por dia, durante a sua vida, se entedia imprevistamente, não tem mais nada para fazer. Mas, se este mesmo homem não dispõe de uma certa quantidade de tempo livre, vê-se privado das melhores coisas. Não existem mais as razões pelas quais a grande massa da população deva continuar a sofrer esta privação. Somente um ascetismo idiota para nos induzir a trabalhar muito, quando não existe a necessidade disto."

Além disso, é preciso educar as pessoas para a cultura contemporânea. A maior parte dos empresários italianos, por exemplo, ostenta, como se fosse uma vantagem, o fato de não conhecer a literatura posterior a Manzoni ou a música posterior a Brahms. Alguns ostentam a própria caneta como sinal de desprezo pelo computador.

É verdade que muitas das expressões da cultura moderna e pós-moderna não são imediatamente acessíveis, como era o caso da pintura e da música clássicas. Trate-se de arquitetura, escultura ou *design*. Para apreciar uma obra, muitas vezes é necessário conhecer sua história, seu sentido e sua meta. Posso ficar instantaneamente impressionado diante da *Gioconda* ou diante de uma estátua do Canova, mas, para admirar Mondrian, devo saber o que é o movimento *Der Stijl*, para apreciar Munch, devo saber o que foi o Expressionismo. Para apreciar Mimmo Paladino, devo saber o que foi a Transvanguarda.

Educar significa enriquecer as coisas de significado, como dizia Dewey. Quanto mais educado você for, um maior número de significados as coisas suscitam em você e mais significados você dá às coisas.

Todo engenheiro que inventa um produto novo o acompanha de manuais de instruções cada vez mais volumosos e recomenda a sua leitura atenta antes do uso. Porém, o mesmo engenheiro pretende compreender e apreciar uma obra de Picasso ou de Schoenberg sem nunca ter lido uma linha sequer sobre o Cubismo ou sobre a dodecafonia.

Para dizer a verdade, durante a minha vida encontrei muitos "mestres" no campo do trabalho, mas pouquíssimos dignos de serem considerados "mestres" de vida e de tempo livre.

Para não deixar espaço a equívocos, vamos responder a algumas das objeções em geral feitas à sua teoria? A primeira: quem é que financia uma sociedade na qual o tempo livre predomina dessa forma tão marcante sobre o tempo de trabalho?

Realmente, muitos me perguntam: se de agora em diante todo mundo passar a se entregar a uma alegria louca, começar a gastar e a viver só no bem-bom, quem é que produz a riqueza? Quem é que paga? Toda a minha vida, as minhas aulas na universidade e as minhas publicações demonstram que eu detesto o *dolce far nulla*, ou seja, ficar apenas de pernas para o ar. Que adoro a atividade, a criatividade, a inovação e a produção eficiente de novos bens e serviços, capazes de aliviar o cansaço humano.

Nego porém que a criatividade e a inovação possam brotar nas organizações que ainda são administradas com tempos, métodos e sistemas de comando concebidos há cem anos, não para inovar ou criar, mas para executar. Isso é tudo.

O incremento do tempo livre não é uma profecia referente ao futuro, mas uma simples constatação do presente. Quem é que paga esse ócio criativo? Os cidadãos que trabalham sempre menos e as máquinas que trabalham sempre mais. Se há cem anos, na Itália, 3.100 horas de trabalho humano, ajudado por máquinas rudimentares, mal permitiam a sobrevivência, hoje,

O Trabalho Não É Tudo

1.750 horas de trabalho humano potencializado por equipamentos ultraeficientes nos permitem produzir treze vezes mais e viver muito melhor.

O que não quer dizer que poderemos ficar de pernas para o ar, mas significa que não deveremos mais nos matar de trabalho, como um operário da indústria têxtil de Manchester, descrito por Engels.

Neste novo modelo de sociedade, que não diz respeito a um futuro distante, mas que é já aqui, e agora irrompe na História, quem ganha, além do indivíduo, é a ciência, a arte, a sociedade como um todo e a qualidade de vida.

A segunda objeção: o senhor acredita num mundo feito para os ingênuos, à la Pangloss, que estejamos às vesperas do "melhor dos mundos possíveis"?

Não se trata de auspiciar o melhor dos mundos possíveis, mas, muito mais realisticamente, *o melhor dos mundos realizados até agora*. Onde as operações tediosas, cansativas e perigosas sejam desempenhadas pelas máquinas e a riqueza por elas produzida seja distribuída com base num princípio de solidariedade, e não de competitividade. Um mundo onde as vítimas em potencial do progresso possam também usufruir das vantagens dele derivadas, em que o trabalho intelectual e criativo seja dividido de maneira equânime e organizado de uma forma não alienante. Onde o tempo livre seja resgatado da banalidade, do consumismo e da violência, e em que a cultura no seu conjunto, e não só a economia, guie o agir social.

É uma utopia? Na minha opinião, projetar e realizar um sistema social melhor representa simplesmente um dever. Sou um sociólogo e a Sociologia, como dizia o casal Lynd, tem a tarefa

O Ócio Criativo

de ser questionadora, de desencavar as contradições do mundo atual e de indicar os novos caminhos para que se construa um melhor.

Eximir-se da busca de uma sociedade mais justa equivale a aceitar, crítica e fatalisticamente, o único modelo hegemônico: o americano.

No livro *A Ditadura do Capitalismo*, de Edward N. Luttwack, respeitável expressão do *establishment* americano, nos descreve alguns aspectos e tendências nada idílicas, que dizem respeito a este modelo: "Os trabalhadores dispostos a aceitar a mobilidade para baixo ocuparam todas as posições empregatícias tradicionalmente destinadas ao subproletariado, cujos desempregados constituem por sua vez o grosso da população carcerária estadunidense, igual a um milhão e oitocentos mil detentos. Se a isso se somam os três milhões e setecentos mil indivíduos em liberdade condicional, à espera de julgamento, o total de sujeitos penalmente incriminados nos Estados Unidos é igual a cinco milhões e meio de pessoas, isto é, 2,8% da população do país, o dobro em relação a 1980, na aurora do turbocapitalismo."

É isso, eu rejeitei no passado o modelo proposto pelo comunismo porque era opressor e incapaz de criar riqueza. E rejeito hoje o modelo proposto pelo capitalismo porque é alienante e incapaz de distribuir a riqueza que cria. Rejeito também a assim chamada terceira via proposta por Giddens e por Blair, porque nada mais é do que um capitalismo disfarçado de social-democracia. Não sendo religioso, rejeito enfim também a terceira via proposta por João Paulo II, porque implica compartilhar dogmas que eu não aceito.

Mas já existiram ou existem atualmente modelos concretos que se adequam ao cenário que o senhor auspicia?

O Trabalho Não É Tudo

Um jornalista, resenhando meu livro *O Futuro do Trabalho*, insinuou que as minhas ideias derivam do fato de ser napolitano e portanto propenso geneticamente à atmosfera debochada de um clube de bridge da Índia colonial ou de um círculo náutico napolitano.

Trata-se de uma insinuação com sabor racista, mas que pode sugerir, apesar disso, algumas reflexões válidas. Talvez a civilização baseada no ócio criativo possa ser muito mais bem entrevista, apreciada, projetada e edificada em contextos (como algumas regiões da Itália e do Brasil) onde ainda reinam valores radicais de solidariedade, amizade, jogo, amor e convivialidade, do que em contextos industriais totalmente voltados para a produção material, para o consumismo exibicionista e para uma competitividade agressiva.

Caso se queira encontrar realmente casos concretos, precursores da sociedade criativa que eu tenho em mente, certamente não será nem nos círculos indianos de bridge, nem nos grupos napolitanos, feitos de barões, tanto pela estirpe como pela malandragem. Aliás, sobre estes últimos, felizmente, já faz quarenta anos que *Ferido de Morte*, de Raffaelle La Capria, colocou uma pedra sepulcral, feita de pena e ironia.

Mas os lugares e os casos de referência para uma civilização do tempo livre não são nem mesmo a Seattle de Bill Gates ou a Tóquio de Akio Morito, onde a corrida ao sucesso gera uma sociedade desequilibrada e infeliz.

Apesar de anacrônico, se desejamos um modelo, este é ainda o da Atenas de Péricles, onde o ócio criativo incluía equilíbrio e beleza. Para Platão, as principais matérias a serem ensinadas aos jovens eram sobretudo ginástica, que harmonizava o corpo, e música que harmonizava o espírito. Aristóteles adicionava a gramática e o desenho, e em seu tratado sobre a *Política* recomendava: "A guerra deve ser em função da paz, a atividade em função do ócio, as coisas necessárias e úteis em função das coisas belas... É verdade que é preciso desempenhar uma atividade e combater, mas ainda mais necessário é permanecer em paz e gozar do ócio, assim como é preciso fazer coisas necessárias e úteis, mas mais ainda fazer coisas belas."

Se existem casos concretos mais recentes que podem servir de indicação para uma sociedade baseada no ócio criativo seriam o círculo de Bloomsbury ou a estação zoológica Anton Dohrn, a respeito dos quais tratei amplamente em *A Emoção e a Regra*.

Paul Hazard me encanta quando escreve no seu *A Crise da Consciência Europeia*: "Se a característica específica da Europa é de (...) não se contentar nunca, de sempre recomeçar a sua própria busca da verdade e da felicidade, há neste ímpeto uma beleza dolorosa." No que me diz respeito, encontro esta mesma vocação de busca obstinada e beleza dolorosa também nos povos da América Latina. Muito mais do que em outras partes, é nestes povos, do lado de lá e de cá do Atlântico, que se reencontra o pulso do tempo, a medida humana, a elegância do método.

Para poder viver bem na sociedade pós-industrial é preciso ter mais dinheiro do que na sociedade industrial?

Hans Magnus Enzensberger fez a mesma pergunta na revista *Der Spiegel*. Na sociedade rural e na industrial, caracterizadas pelo contraste gritante entre pobres analfabetos e ricos escolarizados, estes últimos exibiam a própria opulência sobretudo para surpreender, intimidar e reforçar o poder que tinham e a insuperável distância que os separava da massa.

O Trabalho Não É Tudo

Mas em que consistirá o luxo na sociedade pós-industrial? Se vive de forma luxuosa, quem possui bens que são escassos pode-se perguntar: o que será escasso no futuro próximo? Segundo Enzensberger, seis coisas serão escassas: o tempo, a autonomia, o espaço, a tranquilidade, o silêncio e o ambiente ecologicamente saudável. A estes bens cada vez mais "luxuosos", porque cada vez mais raros, eu somaria também a convivialidade e a beleza.

Como pode ver, trata-se de bens cuja disponibilidade depende mais da sensibilidade, da formação e da cultura do que do dinheiro.

A quem favorece uma civilização baseada no ócio criativo?

A civilização baseada no ócio faz com que vivam melhor até aqueles que trabalham: porque é mais agradável trabalhar entre pessoas que descansam ou se divertem (como acontece com os salva-vidas das praias ou com as modelos) do que entre os mortos ou ao lado dos que trabalham com eles (como é o caso dos coveiros ou dos legistas).

Como eu já disse, o trabalho é uma profissão, o ócio é uma arte. Portanto, os escravos do trabalho, aqueles que pararam de pensar, de amar e de jogar para se dedicarem totalmente à carreira, sutilmente invejam e tenazmente combatem os "mestres de vida" que sabem usufruir do ócio e amam apagar a distinção entre arte e vida, como diria John Cage.

Falar do ócio fez com que tivéssemos uma conversa longa, que exigiu empenho intelectual. Vamos nos conceder um pequeno jogo? O senhor é um viajante?

Decididamente.

O Ócio Criativo

Então tente fazer uma viagem com a sua imaginação. Vá ao continente que, na sua mente, mais se concilia de forma natural com o ócio criativo. A África?

A África negra tem o seu fascínio acre e solene. A imensidão dos seus espaços de areia e de verde é soberana e esmaga a nossa fragilidade, fazendo com que nos sintamos pequenos e inermes diante da natureza exuberante, que é hipervitoriosa no confronto com o homem e o conduz a fases anteriores. Fases às quais, sinceramente, neste momento da minha vida eu não tenho a mínima vontade de voltar.

Recordo o mercado de Dacar com as suas cores ofuscantes, as suas mulheres ondulantes como as palmeiras. Recordo as curvas solenes do rio Zaire, que corre imenso numa floresta imensa, do tamanho de um continente.

Mas nesta etapa da minha vida não desejo em torno de mim nem sangue, nem violência, seja dos homens, seja da natureza. Neste período da minha vida não quero afogar as minhas férias, curtas demais, num lago sem margens como a África negra.

A Ásia?

A Ásia também tem a sua voz atraente, o seu calor úmido no qual os corpos e as almas se dissolvem, os seus olhares oblíquos e penetrantes. A Ásia também tem a sua arte sublime, os seus ritos, os seus mitos, as suas vozes submissas, os seus pés descalços, a sua poeira e as suas flautas.

Mas há um mal-estar enorme naquele calor úmido, seus olhares de aço são severos demais, assim como há história demais naqueles ritos e mitos, miséria demais naqueles pés descalços e naquela poeira. Neste momento da minha vida não

O Trabalho Não É Tudo

quero sobrecarregar meu pensamento com filosofia demais e teologia demais.

A América do Norte?

A América do Norte também tem o seu fascínio feito de cimento e frenesi, de desertos vermelhos, bairros efervescentes, artistas enlouquecidos pelos seus excessos e *yuppies* enlouquecidos pelas suas carências febris.

Mas a América é longe demais, cada vez mais longe, do mundo solidário com que eu sonho. Já corri demais para ainda ter vontade de correr por uma Las Vegas onde até a diversão se reduz a uma forma degenerada de trabalho em tempo integral.

Completada a volta de meio mundo, onde é que desembarcamos?

No Brasil. Em Salvador, nas ruas calçadas do Pelourinho, avermelhadas pelo sangue antigo dos escravos. No Rio, na floresta encantada da Tijuca. Em Ouro Preto, nas frescuras da suas igrejas. Em São Paulo, no desespero de suas favelas. Nas praias de Angra e nas pousadas de Paraty. No plano-piloto de Brasília, entre os honestos edifícios projetados por Niemeyer e os exóticos jardins esculpidos por Burle Marx.

Jorge Amado seria nosso guia: "Escutas? É a chamada insistente dos atabaques na noite misteriosa. Se vieres, soaram ainda mais forte, na batida potente da chamada do santo, e os deuses negros chegaram vindos das florestas da África para dançar em tua honra. Com os seus vestidos mais bonitos, dançaram as suas danças inesquecíveis... Os ventos de Iemanjá serão só uma doce brisa na noite estrelada. Com ela não verás somente a casca amarela e luminosa da laranja. Verás também os gomos apodrecidos que dão nojo na boca. Porque assim é a Bahia, mistura de beleza e sofrimento, de abundância e fome, de riso alegre e lágrimas ardentes."

Em nenhum outro país do mundo a sensualidade, a oralidade, a alegria e a "inclusividade" conseguem conviver numa síntese tão incandescente. "Um povo mestiço, cordial, civilizado, pobre e sensível habita esta paisagem de sonho", insiste Jorge Amado.

A sensualidade é vivida pelos brasileiros com uma intensidade serena. Por "oralidade" eu entendo a capacidade de expressar os próprios sentimentos, de falar. Aquela atitude que no Japão, na China, nos países nórdicos, da Inglaterra à Suécia, é substituída pela incomunicabilidade recíproca e, nos casos extremos, pela solidão desesperada. Por "inclusividade" entendo a disponibilidade de acolher todos os diversos, de fazer conviver pacificamente, sincreticamente, todas as raças da Terra e todos os deuses do céu.

Todas essas coisas se tornam leves graças a uma disponibilidade perene e uma alegria natural, expressa através do corpo, da musicalidade e da dança.

Oscar Niemeyer, que dedicou noventa e dois anos da sua vida à arquitetura, escreveu na parede do seu estúdio uma linda frase que, creio, diz assim: "Mais do que a arquitetura, contam os amigos, a vida e este mundo injusto que devemos resgatar."

É este o lugar: é no Brasil, neste país tão puro e tão contaminado, que eu gostaria de alimentar o meu ócio criativo.

Todos conhecemos a ética do trabalho. Qual é a ética do ócio?

Quando eu trabalho, meu comportamento é ético se evito resultados vantajosos para mim e prejudiciais para os outros. Quando vivo o ócio, a filosofia é idêntica, ainda que se manifeste

O Trabalho Não É Tudo

em categorias diferentes. Posso viver o ócio prevaricando, roubando, violentando, entediando ou explorando. Ou posso vivê-lo com vantagens para mim e para os outros, fazendo com que eu e os outros sejamos felizes, sem prejudicar ninguém. Neste caso, e só neste caso, atinjo a plenitude do conhecimento e da qualidade de vida.

Naquele bonito conto de Borges, quando o discípulo pergunta se o paraíso existe, o mestre Paracelso responde dizendo que tem certeza de que o paraíso existe: e é nesta nossa terra. Mas o inferno também existe: e consiste em não se dar conta de que vivemos num paraíso.

CONHEÇA OUTRO TÍTULO DO AUTOR

Uma simples revolução
Domenico De Masi

Para Domenico De Masi, podemos resolver grande parte da complexidade da vida se entendermos que, se não vivemos em um mundo perfeito, nenhum momento histórico nos concedeu tanta liberdade, longevidade e possibilidades de realização quanto o que vivemos hoje.

O desafio é saber como transformar essas possibilidades em fatos concretos. Para tanto, De Masi parte de seu vasto conhecimento para analisar a condição humana e social e colocá-la sob uma perspectiva inédita.

Em capítulos curtos e de fácil leitura, ele apresenta proposições sobre a era pós-industrial, a tecnologia, o trabalho, o tempo, o ócio, a criatividade, o crescimento, o decrescimento, a política e a estética.

Sua ideia é desenvolver uma civilização cada vez menos atribulada e interessada em poder, dinheiro e posse de bens materiais, e cada vez mais voltada à introspecção, à amizade, à diversão, à beleza e à convivência.

Em meio ao excesso de informação, à obsessão com o trabalho e à escassez de tempo, De Masi traz uma proposta revolucionária – e ao mesmo tempo viável – para recuperar nossa capacidade de contemplação, ócio e divertimento e, assim, nos sentirmos plenamente humanos.

CONHEÇA OUTROS TÍTULOS DA EDITORA SEXTANTE

Fora de série – *Outliers*
Malcolm Gladwell

Nesse livro, Malcolm Gladwell realiza uma fascinante investigação das raízes do sucesso. Enfocando a trajetória de pessoas que apresentaram um desempenho extraordinário em áreas e épocas diversas, ele mostra que o êxito não é fruto apenas do mérito individual. Ele também resulta de fatores que garantiram a esses indivíduos a chance de cultivar seu talento intensamente e de forma peculiar, destacando-se assim como personalidades fora de série.

Para Gladwell, todas as pessoas com esse perfil – denominadas por ele de *outliers* – receberam ajuda de alguém da família ou da comunidade ou foram beneficiadas por circunstâncias específicas de sua geração, cultura ou meio. No seu ponto de vista, o sucesso resulta do acúmulo constante de vantagens e, em grande parte, depende de quando e onde nascemos, da profissão dos nossos pais e do tipo de criação que recebemos.

Você lerá aqui histórias de gênios que, apesar de possuírem uma inteligência espantosa, não conseguiram alcançar o sucesso. Para o autor, esse fato demonstra que, embora o QI seja um indicador de *habilidade inata*, a destreza social é construída por *conhecimento*. É um conjunto de capacidades que precisamos aprender e desenvolver – e é no ambiente familiar que isso costuma ocorrer.

O ponto da virada – *The tipping point*
Malcolm Gladwell

Você já ficou intrigado pensando no que faz com que um produto, um serviço ou mesmo atitudes virem moda da noite para o dia? Malcolm Gladwell apresenta uma maneira instigante e original de entender fenômenos sociais desse tipo: vê-los como epidemias. "Ideias, produtos, mensagens e comportamentos se espalham como vírus", diz o autor. E o momento decisivo em que essas novidades se alastram – ou se acabam – é o que ele chama de o Ponto da Virada. Esse instante crítico surge com mudanças que, embora pequenas, surtem um efeito extraordinário.

O objetivo de toda essa reflexão, afirma o autor, é, em suma, responder a duas perguntas: "Por que alguns comportamentos, produtos e ideias deflagram epidemias e outros não? E o que podemos fazer intencionalmente para desencadear e controlar as nossas próprias epidemias positivas?"

Gladwell responde às duas questões dizendo basicamente o seguinte: o mundo, por mais que queiramos, não corresponde àquilo que a nossa intuição nos diz. As pessoas que têm sucesso na criação de uma epidemia social testam sua forma de ver as coisas e a adaptam para que a inovação possa ser assimilada e disseminada.

As armas da persuasão
Robert B. Cialdini

Nossa capacidade de processar informações não dá mais conta da abundância de mudanças, escolhas e desafios típica da vida moderna. Isso nos obriga a abrir mão de uma análise cuidadosa de todos os prós e contras envolvidos numa tomada de decisão, recorrendo a uma generalização – uma abordagem de atalho com base em um único dado.

Essa informação isolada nos permite agir quase sempre de maneira apropriada, fazendo uso de uma quantidade limitada de reflexão e tempo. No entanto, pode ser explorada e transformada em uma arma por aqueles que sabem influenciar os outros a agir como lhes convém.

Nesse livro, Robert B. Cialdini explica como funciona o mecanismo da persuasão, quais fatores psicológicos influenciam nosso comportamento e o que podemos fazer para nos defender dos profissionais que se especializaram em se aproveitar de nossas reações impensadas.

Em cada capítulo, as seis armas de influência que governam nossa conduta – reciprocidade, compromisso e coerência, aprovação social, afeição, autoridade e escassez – são analisadas de forma minuciosa e clara. Por meio de exemplos reais e esclarecedores, o autor explica quais são as circunstâncias em que ficamos mais vulneráveis aos aproveitadores, como podemos reconhecer que estamos sendo persuadidos a agir contra nossos interesses e como decidir por conta própria.

Scrum: A arte de fazer o dobro do trabalho na metade do tempo
Jeff Sutherland e J. J. Sutherland

O mundo vem sofrendo um processo de mudança contínuo cada vez mais acelerado. Para quem acredita que deve haver uma maneira mais eficiente de fazer as coisas, *Scrum* é um livro instigante sobre o processo de liderança e gestão que está transformando a maneira como vivemos.

Instituições que adotaram o método Scrum já registraram ganhos de produtividade de até 1.200%. É por causa dele que a Amazon pode acrescentar um novo recurso em seu site todos os dias, que o Red River Army Depot, no Texas, consegue lançar utilitários blindados 39 vezes mais rápido e que o FBI finalmente criou um enorme banco de dados de rastreamento de terroristas.

Com base em insights de artes marciais, tomadas de decisão judicial, combate aéreo avançado, robótica e muitas outras disciplinas, o método Scrum é prático e fascinante.

Mas a razão mais importante para ler este livro é que ele pode ajudar você a alcançar o que os outros consideram inatingível – seja inventando uma tecnologia pioneira, planejando um novo sistema educacional, viabilizando um caminho para ajudar os mais pobres ou mesmo estabelecendo os alicerces para a sua família prosperar.

A riqueza da vida simples
Gustavo Cerbasi

Uma vida rica pressupõe a realização de sonhos. Se você não está alcançando nada do que sonhou, talvez precise rever seu estilo de vida.

Neste livro, Gustavo Cerbasi usa toda a experiência adquirida ao longo de 20 anos dedicados à educação financeira para propor um novo modelo de construção de riqueza, baseado em escolhas sustentáveis.

Em vez de abrir mão de qualidade de vida para manter um padrão incompatível com a sua realidade, o autor propõe reduzir os custos fixos, adotar o minimalismo e ter fartura apenas do que é genuinamente importante para você.

O foco é na redução das ineficiências relacionadas ao padrão de vida. Não se trata de poupar centavos, mas de fazer mudanças estruturais que deixem sua vida financeira menos engessada.

Cerbasi apresenta o projeto de sua casa inteligente e autossustentável, discute os desafios da sociedade frente ao desperdício e aponta caminhos para quem busca mais equilíbrio e liberdade tanto no presente quanto no futuro.

Para saber mais sobre os títulos e autores
da Editora Sextante, visite o nosso site.
Além de informações sobre os próximos lançamentos,
você terá acesso a conteúdos exclusivos
e poderá participar de promoções e sorteios.

sextante.com.br